Before/With コロナに生きる社会をみつめる

編著
山口 幹幸・元東京都
高見沢 実・横浜国立大学

著
磯 友輝子・東京未来大学
本田 恵子・早稲田大学
井上 貴裕・千葉大学医学部附属病院
木野 直之・中小企業診断士
櫻田 直樹・日本不動産研究所
天野 馨南子・ニッセイ基礎研究所
米山 秀隆・大阪経済法科大学
山田 尚之・鳩ノ森コンサルティング
髙野 哲矢・アンドプレイス

ロギカ書房

まえがき

Before/With コロナに生きる社会をみつめる

WHO は 2020 年 3 月「パンデミック」を宣言し、世界の国々に新型コロナウイルス感染拡大の警鐘を鳴らした。しかし、感染は瞬く間に世界 200 以上の国と地域に拡散し、11 月 8 日には、アメリカのジョンズ・ポプキンス大学の集計によると、わが国の感染者約 11 万人、死者数約 1,800 人となり、世界の感染者数の累計は 5,000 万人を超えた。その後も日々感染者は増大し続け一向に収まる気配はない。本書が読者の目に届く頃には、感染者数は予想だにしない数値となっているかもしれない。いつになったら制約された日常生活から解放されるのか、先行き不透明な状況が続いている。

今般のように日常生活を一変するパンデミックは、わが国のほとんどの人が経験していない。過去に生じた感染症で、よく引き合いに出されるものにスペイン風邪（現在の A 型インフルエンザ）がある。今からおよそ 100 年前、1918 年に発生した感染症である。全世界で患者数約 6 億人、死亡者は 2,000 ～ 4,000 万人に上ったとされる。日本では、当時の人口が約 5,700 万人と現在の半分以下であったが、約 38 万人もの人たちが亡くなっている。感染した人の数も国民の約 40% にまで広がったという。その頃にはワクチンも特効薬もなかったが、多くの人が自然感染で抗体をもったことにより、感染拡大は約 2 年続いたが、ほぼ 3 年で終息を迎えている（「日本におけるスペイン風邪の精密分析」東京都健康安全研究センター）。

当時に比べ現在では、ワクチンなど医薬の研究開発や医療態勢は著しく進歩しており、感染予防に向けた衛生面の住宅質や生活様式も大きく向上している。こうした点からみれば、感染症にそれほど脅威を抱かなくてもよさそうに思える。

しかし、今日では都市化の進展や経済の発展に伴い、人が世界を自由に往来するグローバル社会であることや、人口過密化などの感染拡大要因を抱えている。これらを考えれば、感染症による脅威は依然として変わっていない。加えて、新型コロナの特性から感染者を特定し難く、感染経路が不明であるほか、安全で有効なワクチンの接種が人々に行き渡るまでにはかなりの時間を要する。こうした様々な事情もあり、感染が収まるまでに1～5年を要するものとみられている。つまり、しばらくの間、われわれはWithコロナ社会に生きることを余儀なくされている。

わが国で新型コロナウイルス感染症が発覚しておよそ1年になる。当初は感染者発生の戸惑いから円滑に隔離できない状況も見られ、得体の知れないウイルスと格闘する日々が続いた。その後も、感染が蔓延する中で働く場や学びの場など諸活動をいかに継続するか、感染拡大防止と経済活動の両立をどう図るかなど、社会の隅々で試行錯誤が続いてきている。

一方、人口減少・少子高齢社会のもと、かねてより地方消滅の危機が叫ばれてきたが、コロナ禍を背景に、改めて東京一極集中の是正と地方創生がクローズアップされている。これまで思うように事態が進展しなかったが、コロナをきっかけに、人々の生き方や暮らし方などに価値観の変化もみられ、大都市から感染リスクの少ない地方に関心が向き始めている。経済利便性を追求してきた社会の流れに大きな軌道修正を求めている兆しに感じられる。パンデミックという非常事態に遭遇し、コロナ禍が地方創生の呼び水であるばかりか、これからの都市のあり方に大きな変革の必要性を訴えているものと考えられる。

このような背景をふまえ、本書は「Before/Withコロナに生きる社会をみつめる」と題し、コロナ禍以前、現在、そして未来に思いを馳せ、広く社会の動きを考察するものである。

本書は、全体を2部構成とし、第1部は「現場から見えるBefore/Withコロナ」とし、第1章～第6章からなる。コロナによる人への心理的影響、生活の身近にある教育はじめ、医療、商業の最前線での対応、実体経済を反映した不動産流通の動向、長期的人口動態の示唆する地方創生課題を述べている。

第2部は「Before/Withコロナと都市・まち（地域）・住まい」とし、第7章～第11章で構成している。コロナ禍のもとでの社会の動きや人口減少社会の進展、人々の生活環境に対する価値意識の変化をふまえ、これからの都市、まち（地域）、住まいのあり方について考察している。以下、各章で意図する執筆のねらいを述べておきたい。

第1章は「新しい対人コミュニケーションの形の模索」(執筆者;磯 友輝子)である。本稿では、対人社会心理学の視点から、コロナ禍の影響により変容した対人コミュニケーションの様式を説明する。その上で、心身ともに健康的なアフター・コロナの世界を迎えるために、どのような対人コミュニケーションを展開し、それに対応することが個人個人に求められるのかを考える。

第2章は「コロナの時代の教育のあり方――「自主的・対話的・深い学び」の確保」(執筆者;本田 恵子)である。コロナ時代の教育のあり方として、学校は「教室という概念の変革」および「教員が主体の授業を児童生徒が主体の学習にパラダイムシフトする」ことに直面した。本稿は、コロナ禍に生じた子どもの学びの変化を紹介し、新時代の教育のあり方を現場で奔走、模索していった3パターンの実践とともに解説する。

第3章は「新型コロナ感染後の新たな社会を展望する――医療・病院経営の立場から」(執筆者;井上 貴裕)である。地域医療構想、働き方改革、医師偏在対策といった三位一体の改革など、国が進めようとする医療政策の方向性をふまえ、コロナ前後の診療実績および病院の財務状況をとり上げ、コロナ後の病院経営のあり方について展望する。

第4章は「中小企業・小規模事業者がとるべき新型コロナウイルス感染対策」(執筆者;木野 直之)である。コロナ禍での中小企業・小規模事業者を取り巻く環境の変化を解説し、最も大きな変化の一つである働き方の変化「テレワーク」の現状と課題、変化を乗り越えるための支援策である各種補助金・助成金の特徴や課題について述べるとともに、中小企業の実際の現場ではどのような対策を取っているのか、事例を交えて紹介する。

第5章は「三大都市圏等における不動産市場の変化と展望」(執筆者;櫻田 直樹)である。新型コロナウイルス感染症の感染拡大によって、不動産市場では三大都市圏等の地価動向が大きく変化する等の影響が確認された。感染拡大の終息が予測できない中で、不動産市場の行き着く先もまた不透明であるが、三大都市圏等で生起した象徴的な事象を客観的に整理することによって上記影響の実態を再考し、主な用途別に中期的な将来動向を展望する。

第6章は「Before/With コロナ:地方創成の致命的盲点――「20代女性大流出で失う人口の未来」」(執筆者;天野 馨南子)である。日本では、人口問題は独立した学問として扱われておらず、思い込みによる施策が立案されやすい。少子化、地方創生など、人口に関する統計データを読み解くことが必須となる国家的な重要問題についても同様である。新型コロナにより24年ぶりに東京都の転出超過が起こっている。しかし、その内容をみるならば「東京一極集中のもつ課題」は何も解決されていない、もしくは深刻化する状況も予見されることを解説する。

第7章は**「コロナ禍がもたらすまちづくりの変化とは」**(執筆者；米山 秀隆)である。テレワーク普及の限界について論じ、次いで、今後のまちづくりで重要な要素になると考えられる、コンパクトシティ政策やエリアマネジメント、人とマネーの呼び込み策に対し、コロナ禍が及ぼす影響について検討している。

第8章は**「新しい住まいの可能性――老朽化団地の建替えによる自律型社会の実現」**(執筆者；山田 尚之)である。コロナ禍をきっかけに、住まいには仕事や自己実現の場など多様な役割が求められる。他方、高齢単身者が増える中で「地域」「共同体」、あるいは「共有」の価値を見直し、生活や住まいの豊かさに活かす必要がある。団地の建替えは、いわば眠っていた価値を顕在化し、再配分することで新しい住まいの価値を生み出す手段である。その実現の具体的アプローチを提案し、コロナ後の社会に向けた持続的なまちづくりのあり方を考える。

第9章は**「地方移住を促す居・職(食)・住」**(執筆者；髙野 哲矢)である。各地で移住促進や定住対策が図られているが、都市部から地方へ移住する条件として、そこに住む魅力的な人との出会いが重要になると考える。筆者が実際に移住している経験から、暮らし方や働き方、余暇の過ごし方など地方ならではの魅力を知ってもらい、関心をより一層高めるために必要だと考えていることを伝える。

第10章は**「新型コロナ感染社会と都市政策――地方分散型の都市を実現するために」**(執筆者；山口 幹幸)である。コロナ感染拡大の中で生じた課題や改革等を貴重な教訓として今後の都市社会に生かすことが重要となる。その枢軸のひとつに東京一極集中の是正と地方分散型社会の実現がある。それには、経済最優先で進めてきた昭和・平成時代からの大きな転換点と捉え、人口減少等社会の進展やコロナ禍による人の意識・価値観の変化をふまえ、人間性や環境とも融合した持続可能な都市を目指すことである。この都市政策の方向性を述べる。

最終の第11章は**「新型コロナと都市計画：「新近郊」論に向けて」**（執筆者：高見沢 実）である。新型コロナの都市や地域への影響は甚大である。近代都市計画は伝染病の脅威から都市住民を守るために発生したが、やがて過度な用途分離によって郊外部での高齢者の孤立などの新たな問題を生み出している。新型コロナのインパクトはこうした課題解決への追い風ともなりうる。継承・強化すべき部分と修正すべき部分を見極めながら、ポストコロナ時代の「新近郊」論を提起する。

各章の執筆内容は、本書のテーマのもと、執筆者がそれぞれの考えを述べたものである。このため、各章の執筆の中でとり上げる事項や内容には重複がみられたり、同じ話題でも執筆者により見解が異なることもある。また、執筆は概ね10月末としており、それ以降の感染者の動向や国等の政策は反映されていない。これらの点をご了承願いたい。

本書は、一つには、多くの国民が初めて経験すると思われる「新型コロナウイルス」という新たな感染症に対して様々な分野での現在の動きや取り組みを伝えることを意図する。

一方、感染症の歴史を紐解くと西欧でのペストの流行が近代国家を導くきっかけとなった事実からも、コロナ禍が一つの契機となり、様々な分野で従来の常識や価値観が大きく変化するパラダイムシフト（劇的な変革）も期待できる。このことから、もう一つは、本書を通じ、読者の皆さんが、今後のポストコロナ社会を共に考える機会となることを望んでいる。

なお、本書の出版にあたり、株式会社ロギカ書房の橋詰守氏には数々のアドバイスをいただくなど大変お世話になり、執筆者を代表して謝意を表する。

結びに、本書が、コロナ禍のなかで不安を抱え行く末を案じる方々、各分野で活躍される方々に有益な書として寄与できれば望外の喜びである。

令和3年2月吉日

山口 幹幸

目　次

第2部
Before/With コロナと都市・まち（地域）・住まい

第１部

現場から見える
Before/With コロナ

1. 新しい対人コミュニケーションの形の模索

磯 友輝子・東京未来大学 モチベーション行動科学部 教授

1　新型コロナウイルス感染症の蔓延とその予防がもたらしたコミュニケーション様式の変容

2019年11月に中国の湖北省武漢市で発生したウイルス性肺炎が新型コロナウイルス（SARS-CoV-2）によるものと同定されると、2020年1月には本邦でも新型コロナウイルス感染症（COVID-19）の患者が確認され、2月から3月には瞬く間に世界各地で新型コロナウイルス感染症が蔓延することとなった。流行は第一波、第二波、第三波と続き、この原稿を執筆している2020年の秋の時点でも、いまだ終息の兆しはない。

新型コロナウイルス感染症による患者が中国武漢市で増加しているというニュースが本邦で初めて取り上げられたとき、また、日本での患者が確認されたというニュースを聞いたとき、われわれの生活様式を一変させるほどの出来事になることを、どの程度の人が予測できたであろうか。例えば、筆者の場合には、2月5日に行われた大学内での卒業研究発表会で、集まった学生と新型コロナウイルスの話をしていたことを記憶している。ちょうどクルーズ船ダイヤモンド・プリンセス号内での感染が確認されたタイミングで関心が高まっている時期ではあったが、そこでの会話は、その後に起きる新型コロナウイルスの脅威を予測するものではなく、不確実な情報を基にしたうわさ話のようなもので、新型コロナウイルス感染症への罹患を対岸の火事として見ていた。

新型コロナウイルス感染症の蔓延がもたらしたわれわれへの影響は、「換起の悪い密閉空間」「多数が集まる密集場所」「間近で会話や発声をする密接場面」という「3つの『密』」、いわゆる「3密」（首相官邸（災害・危機管理情報)、2020）[1] を避けるという生活様式に対してだけではなく、コミュニケーションに対する考え方に対してもみられる。先の卒業研究発表会の例でいえば、閉め切って暖房をつけた教室は密閉空間であり、教員と学生で込み合う教室は密集場所であったが、むしろそういった状況であるからこそ、ポスターの横で発表する学生と聴衆は、互いに手を伸ばせば届くぐらいに近づいて質疑を交わし、密接場面になることが適切であるという社会的規範を有していたといえる。3密の回避が提唱される以前では会話のマナーであると考えられていた行為も、そうすべきであるとみなされていた対人コミュニケーションにおける規範も、新型コロナウイルス感染症の蔓延により、たった数か月の間にすっかり変容してしまったのである。

では、具体的には、コロナ禍の現在とコロナ禍以前とでは、どのような対人コミュニケーションの変容が見られているのであろうか。さらには、コロナ禍が落ち着いた後のウィズ・コロナ、さらには、そのあとに続くと考えられるアフター・コロナの対人コミュニケーションにどのような影響をもたらされるのかを考えていきたい。

2 コロナ禍の影響を受けた対人コミュニケーション・チャネル

(1) 対人コミュニケーション・チャネルとは

まず、本稿で前提とする対人コミュニケーションの基本的な仕組みについて説明する。対人コミュニケーションとは、比較的少人数の人と人との間で、メッセージが送られ（これを「記号化」という）、そのメッセージを相手が読み取り（これを「解読」という）、それによって感情や認知、行動の変化をもたらすなど、互いに対して何らかの心理的効果をもたらす過程を指す（e.g.,DeVito, 2019）[2]。頭の中にあるメッセージは、チャネルという様々な伝達・表現方法に変換され、それを受け取る側は、チャネルに媒介された情報を知覚してメッセージを読み取る（図1）。

1　首相官邸（災害・危機管理情報）（2020).【注意喚起】＃新型コロナウイルス に関するお知らせ Twitter @kantei_saigai. <2020年3月17日発信> Retrieved from https://twitter.com/Kantei_Saigai?ref_src=twsrc%5Egoogle%7Ctwcamp%5Eserp%7Ctwgr%5Eauthor（2020年10月30日）

2　DeVito, J.（2019). *The Interpersonal Communication Book*（Global Ed.）London: Pearson Education Limited.

言語チャネル…発話内容・意味
非言語チャネル
・パラ言語（声の高さ、速さ、アクセント、間、発話タイミング）
・視線
・ジェスチャー
・姿勢・うなずき
・顔面表情
（身体動作：視線・ジェスチャー・姿勢・うなずき・顔面表情）
・プロクセミックス（対人距離、パーソナルスペース、着席行動）
・環境や人工物の使用（被服、化粧、家具、照明など）

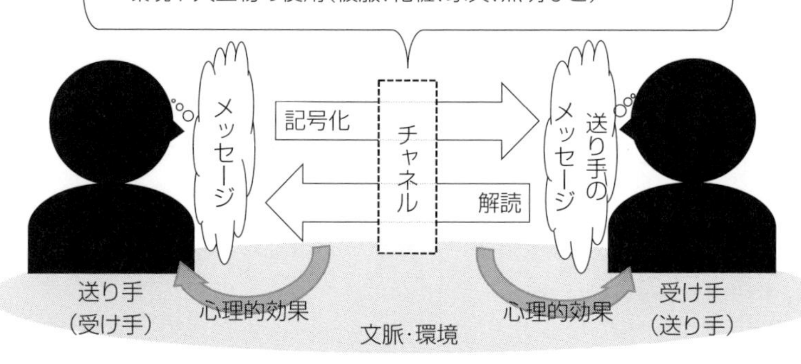

図１　対人コミュニケーションの構成要素とプロセス

チャネルには、発言内容や意味などの言語チャネルと、言語以外の非言語チャネルがあげられる。非言語チャネルには、声の高さ、話す速さ、間などの発話の音響的な側面であるパラ言語、視線、ジェスチャー、姿勢、うなずき、顔面表情、人と人との距離や着席の仕方など空間に関する行動であるプロクセミックス、被服や家具などの環境や人工物の使用などが該当する。

個々のチャネに記号化・解読されるメッセージの意味内容について検討している先行研究は多数あるが、対人関係の形成や維持において伝達される心理的な意味合いは、大まかに分けてしまえば「親しさ」を維持するための「接近」と「回避」の２つである（磯, 2019）[3]。相手に対して近づきたいという思い（接近）の一つは、好意であり、それを伝えるために言語で「好きだ」と伝えた

3　磯友輝子（2019）．第21回　良好な対人関係を目指すコミュニケーション：対人コミュニケーションの接近と回避　株式会社 日本教育クリエイト　組織を強くするモチベーションコラム Retrieved from　https://www.create-ts.com/column/archives/115（2020年10月30日）

り、高くて明るい声で話しかけたり、笑顔を向けるなど、言語・非言語チャネルでも接近を示す。一方、相手から遠ざかりたいという思い（回避）の一つが、嫌悪であり、それを伝えるために「嫌いだ」と言ったり、低く暗い声で話し、無表情で接するなど、チャネルでも回避を示す（**図2**）。このように、相手への接近と回避の心理的意味合いを、様々なチャネルがプラスとマイナスの方向に記号化して伝達していると考えることができる。

チャネルの使用は、パーソナリティや発達段階、記号化と解読などのコミュニケーション能力の程度、どのような文脈や環境であるかによって用いられるものが違う。例えば、言語獲得段階にある子どもであれば非言語チャネルを用いてメッセージを伝え、大人も子どもの言語チャネルよりも非言語チャネルに注目してメッセージを読み取ろうとする。また、メッセージをどのような状況で伝えるか、すなわちコミュニケーションをどのような手段で行うか（これは、伝達経路を意味するメディアと呼ばれる）によっても用いることが可能なチャネルが異なる。対面して会話をしていれば、言葉で伝え、間のタイミングを計りながらアイ・コンタクトを取り、笑顔を見せ、大きくうなずくなど、言語チャネルと併せて多くの非言語チャネルが利用可能であるが、電話の場合には、視覚

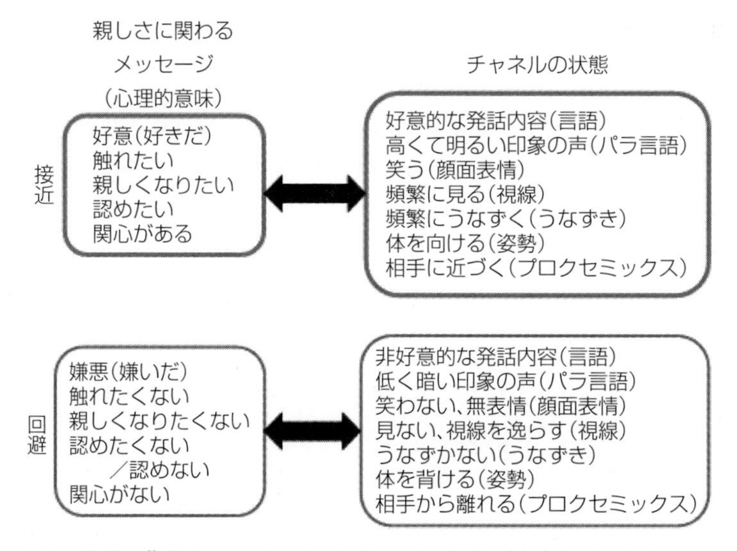

図2　言語・非言語チャネルとそれがもたらす意味の例（磯，2019）

的な非言語チャネルが使えなくなる。このようなチャネルの利用の度合いも、互いに抱く印象やメッセージの理解などのような心理的効果に影響を与える。

さて、コロナ禍で3密回避が取られるようになったことは、文脈や環境の要因として対人コミュニケーションに影響を与えているものと考えられる。そこで、以降では、3密の回避によって、どのチャネルに、どのような影響がもたらされた可能性があるのか、考えていきたい。

図3 「三密を避けましょう」啓発ポスター（厚生労働省，2020）

⑵ 親しさの均衡点を失った対人距離

対人コミュニケーション・チャネルのうち、コロナ禍によって影響を受けたチャネルの一つがプロクセミックスである。3密回避は、厚生労働省（2020）[4]が啓発ポスターとして示した内容からもわかるように（**図3**）、空間や場所、すなわち、プロクセミックスへの制限である。

Hall（1966）[5]によれば、状況や関係性に応じて人が取る対人距離は、大きく分けると4つの距離帯に分類できるという[6]。一つ目の距離帯は、恋人や家族など、非常に親しい間柄の人たちとの会話で取られる親密距離である。この距離（0～45センチメートル）では、相手の匂いや体温が感じられ、互いの身体に容易に触れることが可能である。二つ目の距離帯は、友人や知人との会話の際

4　厚生労働省（2020）. 健康や医療相談の情報　Retrieved from　https://www.mhlw.go.jp/stf/covid-19/kenkou-iryousoudan.html#h2_1（2020年10月1日）

5　Hall, E. T.（1966）. *The hidden dimension*. Garden City, N.Y.: Doubleday.（E.T. ホール　日高敏隆・佐藤信行（訳）（1970）. 隠れた次元　みすず書房）

6　西出（1985）では日本人の対人距離の距離帯が検討されている。若干の距離の違いはあるが、Hall（1966）と類似した距離帯で他者と接することが示されている。
西出和彦（1985）. 人と人との間の距離 ―人間の心理・生態からの建築計画（1）―建築と実務, *5*, 915-919.

に取られる45～120センチメートルぐらいの距離であり、これを個体距離と呼ぶ。どちらか一方が手を伸ばせば相手に触れられる距離から二人で手を伸ばせば手が届く距離の範囲にあり、相手の表情も詳細に観察可能である。三つ目の距離帯は、知らない人同士の会話や公的な商談の場などの際に取られる社会距離[7]である。この距離帯では120～360センチメートルの距離を置く。顔面表情の変化の詳細までは把握しづらく、体臭を感じるといったことは難しくなるが、一方で、相手の体全体を知覚したうえでの会話が可能であり、かつ、互いの存在を遮断して自分の固有空間を保つという別の空間の使い方も可能になる。最後に、360センチメートル以上離れる距離帯が公共距離である。公共距離では個人的なやり取りを行うことは困難であり、そこでは講演など多数者を前にした一方的な働きかけが行われる。姿勢やジェスチャーなどの動的な身体動作が対人コミュニケーションの中心となる。

4つの距離帯が取られる関係性や状況からわかるように、心理的な近さは、物理的な距離の近さとして反映される。そこには、個々人が保有するパーソナルスペース（Sommer, 1969）[8]も影響する。パーソナルスペースとは、個人の身体の周りにある目に見えないなわばりのようなものであり、他者が侵入すると不快感を覚える空間を指す。関係性が近い相手とはパーソナルスペースを縮小させ、関係性が遠い相手とは拡大させることで、パーソナルスペースの境界線の調整を行う。そこでは、関係性に応じた適切な距離帯を維持するべきだという社会的規範があるために、親しさの水準や状況に適さない距離帯が取られた際には違和感が生じるのである。それゆえ、混み合った満員電車や見知らぬ人と乗りあうエレベーターなどのように、外的な要因によって対人距離が「近接」方向に固定されてしまった場合には、対人距離やパーソナルスペースが親

7　3密の回避の一つとして注目された「ソーシャルディスタンス（社会的距離）」は、「感染拡大を防ぐために物理的距離をとる」ことであるとされ、「ソーシャル・ディスタンシング」ないしは「フィジカル・ディスタンシング」と呼ばれるものに該当し（朝日新聞デジタル, 2020）、Hallによる社会的距離とは異なる概念的定義である。
朝日新聞デジタル（2020）. ソーシャル・ディスタンシングとは？　コロナで注目語に Retrieved from　https://digital.asahi.com/articles/ASN3W7HSSN3WUHBI00W.html（2020年10月1日）

8　Sommer, R.（1969）. *Personal space: the behavioral basis of design*. Englewood Cliffs, N.J.: Prentice-Hall.（ソマー, R. 穐山貞登（訳）（1972）. 人間の空間　鹿島出版会）

密度の水準との間で均衡を保てず、不快感や違和感を覚える。

コロナ禍での３密の制約は、密接を余儀なくされる満員電車やエレベーターとは逆方向の「回避」方向に対人距離を固定していると考えられる。本来ならば、個体距離で話をすることが快適なバランスを保つ友人関係においては社会距離をとって会話することが求められ、長い休みには田舎に帰省して祖父母と孫が交流をすることで取られる親密距離はオンライン会話という公共距離以上へと距離が拡大している。

対人距離に影響を与える外的要因は、政府や店舗等からの「お願い」であったり、「他者とは対人距離を取るべきだ」という自分自身や周囲からの新たな社会的規範であったり、相手を思いやる気持ちであったりなど法的な拘束力はなく、適切解の判断は個人に委ねられる。しかし、多くの人が、距離が遠いことで不安を感じ、距離が近づくことで不快を感じるという葛藤に置かれているのでないだろうか。コロナ禍の現在は、「親しさ」の記号化のために物理的な「接近」を望みながらも、物理的な「回避」を選択せざるを得ない矛盾した状

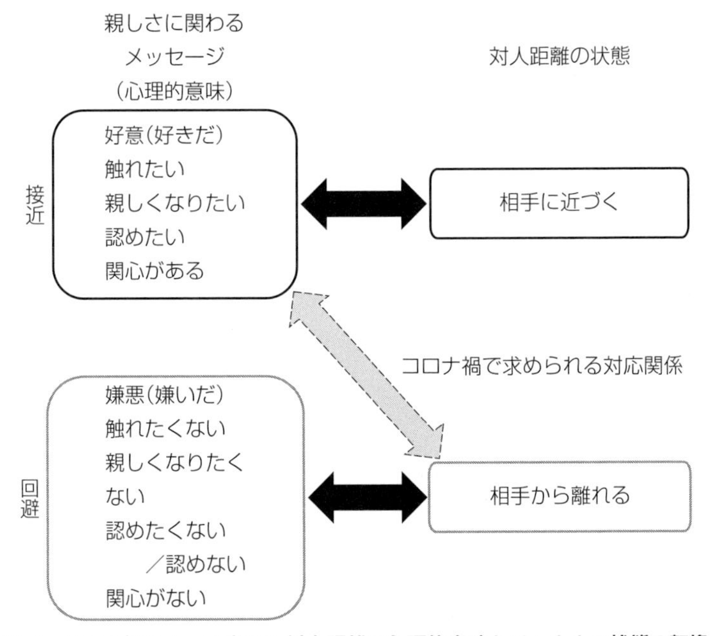

図４　コロナ禍によって生じた対人距離の心理的意味とチャネルの状態の転換

況にあり（**図4**）、対人距離と親密度との均衡点についての新たな規範が確立されつつある過渡期なのかもしれない。

(3) 視線の役割とシンクロニー傾向が機能しにくいオンライン会議

2020年4月16日に全国を対象に緊急事態宣言が発令され、外出の自粛や、生活の維持に必要な業種を除いた事業者や施設に対して休業要請が示されることで取り入れられたのが在宅勤務である。株式会社東京商工リサーチの調査[9]によれば、調査対象企業1万2,980社のうち、コロナ禍によって6割弱が在宅勤務を導入し、そのうち3割程度が7月末～8月上旬でも継続している。特に大企業では6割が在宅勤務を実施している。そして、在宅勤務の導入によって増えたのがZOOM（Zoom Video Communications, Inc.）やGoogle Meet（Google Inc.）等のWEB会議ツールを利用したオンライン会議である。ただし、株式会社ビズヒッツがオンライン会議経験のある全国の男女五527人を対象に2020年9月に行った調査[10]では、オンライン会議で困った経験を有する人は85パーセントにのぼり、誰もがオンライン会議を便利だと感じているわけではないことが示されている。その理由には「音声や映像の不具合」に次いで、「話すタイミングが難しい」「反応がわかりづらい／伝わりにくい」という回答が挙げられる。通信のタイムラグやカメラや音声をオフにするなどWEB会議ツールの仕様がもたらす影響のほか、「話の間合いをはかりにくい」「会議の流れを止めてしまいそうで質問や確認をしづらい」といった、相手の様子や場の雰囲気を知るためのチャネルが不足することによる影響も考えられる。

WEB会議ツールはカメラと画像が離れていることにより、コミュニケーションの参加者間で視線が合わず不自然な会話になる。教育場面では、この視線の不一致が対面場面に比べてディベート学習の効果を低下させることも指摘されている（谷田貝・坂井・永岡・安田，2011）[11]。したがって、これまで行われて

9　株式会社東京商工リサーチ（2020）. 第8回　新型コロナウイルスに関するアンケート Retrieved from https://img03.en25.com/Web/TSR/%7Bd07e9c91-6739-49c7-95df-6ffe7bb82fef%7D_20200915_TSRsurvey_CoronaVirus.pdf（2020年10月1日）

10　株式会社ビズヒッツ（2020）. WEB会議の悩みに関する意識調査 Retrieved from https://media.bizhits.co.jp/archives/6668（2020年10月20日）

いた対面での会議に比べ、コロナ禍によって導入されたオンライン会議によって、視線チャネルが担う機能は十分に発揮されなくなったと考えることができる。

Kendon (1967)[12] は、視線行動が担う機能として、聞き手の凝視が自分に向けられているかどうかを確認するモニタリング機能、会話の好ましさを相手の目の動きで察知し、相手の興味を引くように調整する機能、相手の発言や話題がプラスあるいはマイナスの効果をもたらしているのかを相手に知らせる無言の表出機能が存在することを指摘している。パソコンは画面とカメラの位置が離れているために、これらの視線が機能を同時に発揮することができない。画面上の資料や相手の顔を見つめていては、カメラに視線を向けることはできず、反対に、カメラを見てしまうと相手の視線を確認することができず、自然なアイ・コンタクトを取ることが不可能である。特に、聞き手による視線は関心や意欲、発話の促進として働くが (Argyle & Cook, 1976)[13]、それを確認しながら発話すれば、聞き手に話し手の視線と合わないという印象を抱かせることになる。

また、対人コミュニケーションの過程で、行動の生起するタイミングや頻度、形態が類似化する現象であるシンクロニー傾向 (Matarazzo, Weitman, Saslow, & Wiens, 1963)[14] は、行動の類似性が社会的な承認を表すことで友好的で共感性の高い対人関係を示す行動として考えられているが (磯, 2012)[15]、通信タイムラグが生じたり、視線の方向が一致しない WEB 会議ツールでは生じにくいことが考えうる。特に、発話の交代潜時（会話に参加する一方が話し終わった後で、次

11　谷田貝雅典・坂井滋和・永岡慶三・安田孝美（2011). 視線一致型および従来型テレビ会議システムを利用した遠隔授業と対面授業によるディベート学習の教育効果測定　情報システム情報学会誌 , *28*, 129-140.

12　Kendon, A. (1967). Some function of gaze direction in social interaction. *Acta Psychologica*, *26*, 22-63.

13　Argyle, M., & Cook, M. (1976). *Gaze and Mutual Gaze*. Chambrige: Chambrige University Press.

14　Matarazzo, J. D., Weitman, M., Saslow, G., & Wiens, A. N. (1963). Interviewer influence on durations of interviewee speech. *Journal of Learning and verbal Behavior*, *1*, 451-458.

15　磯友輝子（2012). 心を分かち合うコミュニケーション　安藤香織・杉浦淳吉（編著）暮らしの中の社会心理学（pp.51-63）ナカニシヤ出版

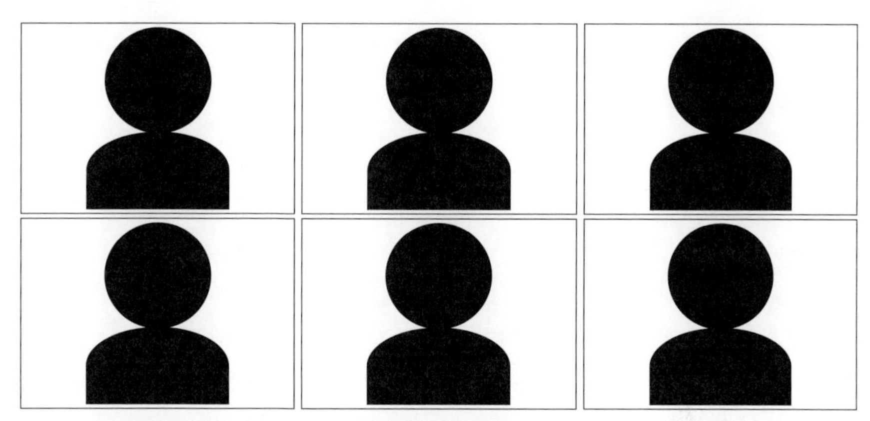

図５　WEB 会議システムで参加者が全員表示される状況

の参加者が話し始めるまでの時間間隔）のシンクロニー傾向が合意形成と関連することが明らかにされているが（吉田・三宅・古山，2011）[16]、WEB 会議ツールで「マナーとして」使用されている、他者の発話中はカメラや音声をオフにしておく状態では、速やかな交代潜時も見られにくい。

このように、コロナ禍によってオンライン会議が導入されることで、これまでは良好なコミュニケーションに貢献できていた対人コミュニケーション・チャネルの機能が十分に発揮できていない現状にあると言えよう。

ただし、WEB 会議ツールは悪い面ばかりではない。複数人が参加するオンライン会議では、**図５**に示すように、全員の姿を画面上に表示することが可能である。これは物理的にアイ・コンタクトが不要な状況に置き換えることで、視線が一致しないことの違和感を回避できる。人数が増えれば詳細な表情を確認することは難しいが、同じ人数を相手に対面してコミュニケーションをする際には社会距離や公共距離しか取れなかった状況でも、WEB 会議ツールでは、全員の顔を等しい距離で確認することができるだろう。

16　吉田誠・三宅美博・古山宣洋（2011）. 合意形成における発話意味内容と発話ダイナミクスの時間的発展　計測自動制御学会論文集, *47*, 337-345.

3　アフター・コロナに向けた対人コミュニケーション・チャネルの変容の可能性

(1)　アフター・コロナにむけた対人コミュニケーションへの可能性

ここまで、3密の回避がもたらしたコミュニケーションへのネガティブな影響について述べてきたが、アフター・コロナの世界に向け、われわれはどのように対人コミュニケーションを好ましい方向に適応させていくことができるだろうか。本稿を執筆している時点では、少なくともアフター・コロナの世界が、コロナ以前の世界と同等の対人コミュニケーションに回帰するとは考えにくい。JRM 生活総合研究所が9月に行った調査[17、18]では、29項目の健康リスク要因のうち、新型コロナウイルスを「非常に健康に害を感じる」ものとして評価した人が52.1パーセントおり、喫煙（54.7パーセント）とほぼ同等の脅威として認識していることを示している（**図6**）。たとえ、近年中にワクチンや特効薬の開発が進んで一般に普及したとしても、既にそれらが整っているインフルエンザ（30.6パーセント）以下になることは少なくともありえず、しばらくは3密回避の社会的規範を持つことが求められるだろう。それゆえ、その規範に適した対人コミュニケーションのあり方を個々人が能動的に考えていく必要がある。そこで、以降に3つの視点から新しい対人コミュニケーション様式の可能性を考えていきたい。

(2)　対人コミュニケーションの相補性が支える新しいコミュニケーションの形

図2に示したように、様々なチャネルは「接近」と「回避」の心理的意味合いを示す。つまり、一つの接近の意味合いを伝えるために多様な手段を保有していると考えることができる。われわれは、利用できないチャネルがあった場合には、そのチャネルに固執せず、他のチャネルを相補的に用いて調整して

17　JMR 生活総合研究所（2020）. 消費社会白書 2021 コロナな時代のココロ　JMR 生活総合研究所

18　松田久一（2020）. コロナな時代のココロ　2021年「消費社会白書」の中間総括「きちんとした」私と「ヒトとの結縁」を守る価値へ転換―id 消費へ 戦略家のための知的羅針盤 エム・ネクスト　Retrieved from　https://www.jmrlsi.co.jp/menu/mnext/d01/2020/hakusho2020-01.html（2020年10月15日）

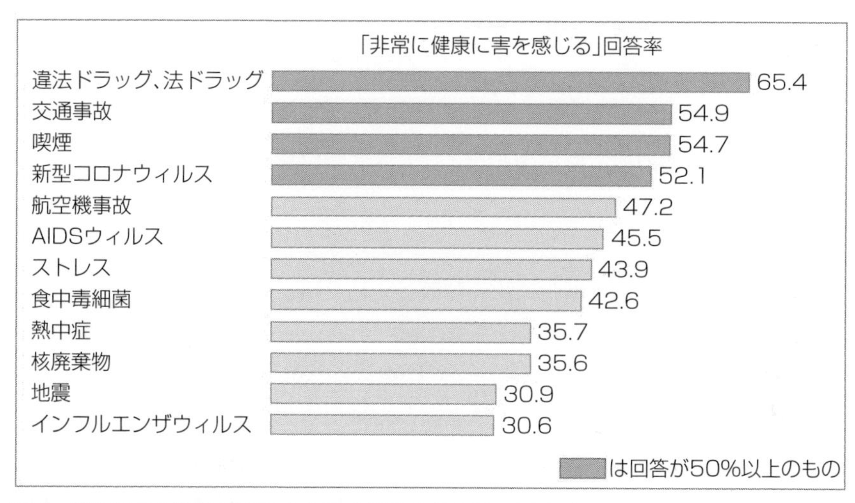

図 6　健康リスク評価の結果（JMR 生活総合研究所，2020）

いる。

親密性平衡モデル（e.g., Argyle & Dean, 1965）では、互いの親しさに合わせて接近と回避を担うチャネルが相補的に働き、関係性に存在する親しさのレベルを一定に保つことを説明している。Argyle らの実験では、同性・異性ペアの会話で、60 センチぐらい離れた距離から 3 メートルぐらい離れた距離まで座席を固定して会話をさせると、対人距離が遠くなるほどアイ・アイコンタクトが増加する結果が得られている。すなわち、相互の関係性に適した水準を保つために、対人距離が回避の状態になれば、視線で接近の方向を示すよう、調整をするのである。この実験結果から考えれば、3 密回避により他者と適切な対人距離が保てなくなれば、今までよりも相手をよく見ようとしたり、うなずきを多くしたり、大きな声で話をしたり、表情がよりわかるようにして話すなど、その時に利用可なチャネルで、対人距離が果たしたかった接近の意味合いを伝えることができるのである。

ただし、例外として、初対面同士のコミュニケーションが挙げられる。親密性平衡モデルから考えると、初対面同士では親密さの水準が定まっていない、ないしはまだ存在しないために、相補的な働きが生じにくいことが予想される。それゆえに、接近を意味するチャネルを過度に利用してしまったり、回避の行動に終始してしまったりするなど、相補的なチャネルの活用が難しいことが容易に予測できる。アフター・コロナのコミュニケーションでは、コロナ禍以前以上に、初対面同士のコミュニケーションへの難しさに直面することになるだろう。

(3)　表示規則の変化と従前ルールの融合

文化によって感情を表情に示す程度に違いが生じる背景には表示規則が背景にあるからだという（Ekman & Friesen, 1975）[19]。表示規則は、感情表出に関する文化的な習慣や因習であり、文脈に応じた適切な表出を規定する役割を果たす。この規則は、表情に限らず他のチャネルに当てはめることができ、また、文化と言ってもグローバルな視点だけではなく日本国内の地域の違い、企業間の違い、各家庭の違いなどそのレベルは様々である。

さて、コロナ禍以前では、対人場面ではこうすべきであるという表示規則が文化によって異なり、それがもとで異文化摩擦を経験した人もいるだろう。しかし、コロナ禍以降は、日本のみならず多くの国々で３密の回避が望まれるようになり、対人場面で密集を避けたコミュニケーションを行うべきであるというルールが文化を越えて敷かれたといっても過言ではない。

新奇なものの学習は、従前のルールを壊して改訂しながら学習するよりも定着しやすく、迅速に進む。極端な例えではあるが、これまでの生活には存在しなかった３密回避のルールを新しい表示規則として捉え、全世界の人たちが同じスタート地点に立って新たに獲得していくことができるならば、アフター・コロナの新しい対人コミュニケーションの様式が急速に獲得されていくだろう。しかし残念ながら、３密の回避という新たなルールは、個々人が持つ既存の表示規則の上に立つものであり、対人コミュニケーションの様式が完全に統一化されているわけではない。それゆえに、既存の表示規則を有しない、これから生まれてくる子ども達を除いて、個々人が生を受けてから文化の中で獲得

19　Ekman, P., & Friesen, W. V. (1975). *Unmasking the face: A guide to recognizing emotions from facial clues.* New Jersey: Prentice-Hall.（エクマン, P.・フリーセン, W. V. 工藤 力（訳編）(1987). 表情分析入門―表情に隠された意味をさぐる―　誠信書房）

してきた表示規則や社会的規範を互いに尊重したうえで、新たな様式を融合させていくことが望まれる。

(4) バイアスの認識と熟達化

杉谷（2008、2010）[20,21]は、相手の表情が見える状況よりもチャットやメールのようなテキスト・コミュニケーション[22]のほうが、得られる理解度が高いのにもかかわらず、一般的な態度として否定的な見解が取られることが多い理由として「適切なコミュニケーションには、相手の表情や声の調子、身振り手振りなどが見える、聞こえることが不可欠であるという信念」（2010, p.9）の影響を指摘している。この指摘から考えれば、3密を回避した対人コミュニケーションは、通常のコミュニケーションよりも劣るという信念がバイアス（歪み）となり、新しい対人コミュニケーションの様式の確立を妨げてしまう可能性がある。

確かに3密回避の状況は、対人距離がコロナ禍前ほどには利用できなくなり、非言語チャネルとして利用できる手段が一つ減ったと考えることができる。しかしながら、非言語チャネルと言語チャネルのどちらが解読に効力を持つかは、そこで伝えられるメッセージの内容（例えば、説得的メッセージであるか、感情的なメッセージであるかなど）や、個人の記号化・解読の対人コミュニケーション能力、そして、その環境下で利用できるチャネルがどれぐらいあるかにも関わる。それゆえ、一般的に、人は非言語チャネルが不可欠であるという信念にとらわれやすいというバイアスを認識したうえで、3密を回避した状況で利用可能なチャネルを最大限に利用すればよい、というぐらいの気構えでコミュニケーションに臨むのが良いのではないだろうか。これにより、3密を回避したコミュニケーションに何の先入観もなく参加していたならば得られた大

20　杉谷陽子（2008）. インターネット上の口コミの有効性：情報の解釈と記憶における非言語的手がかりの効果　産業・組織心理学研究, *22*, 39-50.

21　杉谷陽子（2010）. インターネット・コミュニケーションと対面コミュニケーションにおける情報の伝わり方の差異についての意見書　Retrieved from　http://www.kantei.go.jp/jp/singi/it2/kaikaku/dai3/siryou3_2_2.pdf（2020年10月1日）

22　杉谷（2010）では、「インターネット・コミュニケーション」と記載しているが、文意からテキスト・コミュニケーションと置き換える。

事な情報も、バイアスの妨害により見落としてしまう危険性を低減できる。

ところで、人と人とが円滑な関係性を築くために必要なソーシャルスキルは、スポーツをしたり、自転車に乗ったり、ピアノを弾くなどのような運動のスキルと同様に、練習をすることで獲得される知識と技能、能力である（Argyle, 1967）[23]。コロナ禍にいる現在は、全員が3密回避コミュニケーションの初心者であり、そこで求められるコミュニケーション・スキル獲得の発展途上の段階である。アフター・コロナの世の中に向けて、新しい様式のコミュニケーションを繰り返し経験することで、いわば3密回避コミュニケーションの熟達化が進むものと思われる。

4　ささやかなサポートを伝える対人コミュニケーション

世界27か国1万9,516人の成人を対象に行った2020年世界幸福度調査（2020年7月下旬から8月上旬に実施：Global Happiness 2020 survey）[24,25]によると、昨年に比べれば多くの国で幸福度が下がっているものの、全体平均では63パーセントとなり、昨年度の調査（64パーセント）と同等であったという。日本についても昨年と同等で、3ポイント上昇して55パーセントの幸福度を得ていた。日本の幸福度は必ずしも全体の中で高いわけではないが、コロナ禍での調査にもかかわらず主観的な幸福感の評価に変化がなかった点は興味深い。

一方で、長期にわたるコロナ禍の影響で「コロナ鬱」や「コロナ疲れ」といった言葉も聞かれるようになってきた。警察庁発表の統計データ[26]では、2020年4月から6月の緊急事態宣言期間中及び自粛期間中の自殺者数は例年に比べ少なく、また、別の調査（Sueki & Ueda, 2020）[27]でも、1月と4月末に自

23　Argyle, M.（1967）. *The psychology of interpersonal behavior.* Penguin Books.（アージル, M.（著）　辻正三・中村陽吉（訳）（1972）. 対人行動の心理　誠信書房）
24　イプソス・イン・ジャパン（2020）. コロナ禍の世界における幸福の状況 Retrieved from https://www.ipsos.com/ja-jp/global-happiness-study-2020（2020年10月15日）
25　国際連合が行っている世界幸福度調査のほうが調査対象国は多いが、3月の発表であることからここでは用いなかった。また、幸福度の測定方法も異なる。
26　警察庁（2020）. 自殺者数　令和2年中における自殺の状況　令和2年の月別自殺者数について（10月末の速報値）　Retrieved from https://www.npa.go.jp/publications/statistics/safetylife/jisatsu.html（2020年11月10日）

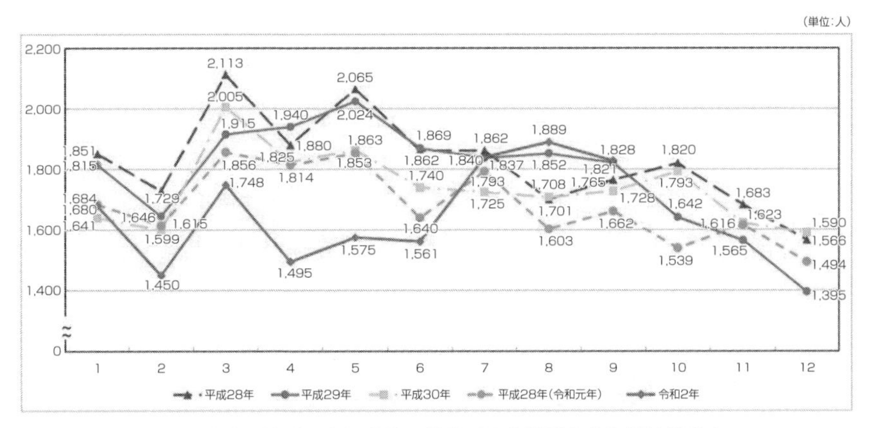

図7　警察庁の自殺統計に基づく自殺者数の推移（厚生労働省自殺対策推進室，2020）

殺念慮（死にたいという思い）について調査した結果、1月に比べ4月末で有意に低下していることが示されている。ところが、7月以降、自殺者数は上昇に転じおり、2020年のグラフの形状が例年とは異なる形をしていることがわかるだろう（**図7**）[28]。緊急事態宣言期間中および自粛期間中の自殺者数の低下についてはこのデータだけでは考察が難しいが、7月以降の自殺者数の上昇は、長期にわたる自粛と生活様式の変化、経済的状況など様々な心理的負荷が積み重なったことと関連していることが容易に推察でき、「コロナ鬱」や「コロナ疲れ」を反映する一側面として考えられる。アフター・コロナと言われる時期が来るまでこの状況が続いてしまうのだろうか。

様々な機関が行っている幸福感調査で扱われる「幸福感」は、心理学では主観的ウェルビーイング（Well-being）のうちの一つの概念である。主観的ウェルビーイングは、認知的側面である「人生に対する満足感」と感情的側面である「肯定的感情の存在」、「否定的感情の不在」から構成されている（寺崎・綱島・

27　Sueki, H. & Ueda, M (2020). Short-term effect of the COVID-19 pandemic on suicidal ideation: A prospective cohort study　https://doi.org/10.31234/osf.io/3jevh

28　厚生労働省 (2020). 自殺の統計：最新の状況　速報値　Retrieved from　https://www.mhlw.go.jp/content/202009-zantei.pdf (2020年10月30日)

西村, 1999)[29]。先の幸福感は、前者2つのポジティブな側面での主観的ウェルビーイングの状態を、コロナ鬱やストレスの存在等は、後者のネガティブな側面の主観的ウェルビーイングの状態を表す。したがって、ポジティブな側面、ネガティブな側面の両者が調和のとれた状態にあることが、人として健康な状態に置かれていることを指す[30]。幸福感調査の結果から考えればポジティブな側面は比較的安定しているものの、自殺者数データからはネガティブな側面が不安定な状態に置かれており、決して調和のとれた状態にあるとは言いがたい。アフター・コロナと言われる時期が来るまでこの状況が続かないよう、個人が、また、社会が対処するほかない。

主観的ウェルビーイングに係る要因には様々なものが指摘されているが（堀毛, 2019)[31]、ここでは、対人コミュニケーションの観点から、ソーシャル・サポートの重要性を取り上げたい。ソーシャル・サポートとは、「家族や友人、隣人など、ある個人を取り巻く様々な人々からの有形・無形の援助」を指し、ソーシャル·サポートがストレスフルな状況への対処をもたらすという（Caplan, 1974)[32]。ソーシャル・サポートは大まかに分けると、情緒的サポート（共感や愛情などポジティブな感情の提供）、道具的サポート（物資やサービスの提供）、情報的サポート（問題解決に必要な情報の提供）、評価的サポート（ポジティブな評価の提供）の4つが挙げられる。浦（2009)[33]によれば、ソーシャル・サポートを含めた人が保有する心理・社会的資源は、人が困難に直面した時に、冷静さをもたらすことで困難さを過大評価してしまう事態から遠ざけ、困難への実際的な対処を導く機能を持つとしている。

コロナ禍において長期に続くストレスに対する実際的な対処は、行政や医療

29　寺崎正治・網島啓司・西村智代（1999）. 主観的幸福感の構造　川崎医療福祉学会誌, *9*, 43-48.

30　世界保健機構（WHO）が1948年に発効したWHO憲章の序文では、「健康とは単に疾病や障害のない状態ではなく、身体的、精神的、社会的に完全の調和のとれた良い状態」と定義されている。

31　堀毛一也（2019）. ポジティブな心の科学—人と社会のよりよい関わりをめざして—　サイエンス社

32　Caplan, G. (1974). *Support system and community mental health.* Behavioral Publications（キャプラン（著）近藤喬一・増野肇・宮田洋三郎（訳）（1979）. 地域ぐるみの精神衛生　星和書店）

33　浦光博（2009）. 排斥と受容の行動科学—社会と心が作り出す孤立　サイエンス社

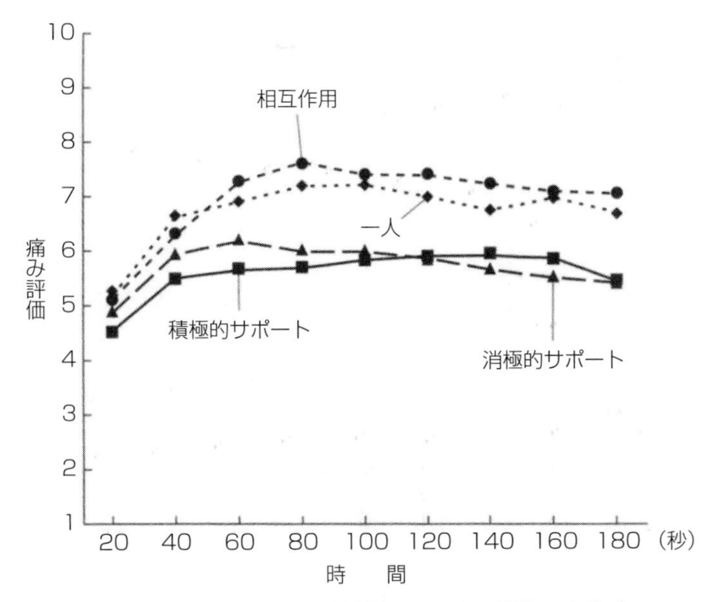

図８　サポートの違いによる時間経過に伴う痛み評価の変化（Brown, Sheffield,Leary, Robinson, 2003；図は浦（2009）による）

機関、公認心理師や臨床心理士等の専門家による心理的な支援が求められる。身近な対人関係がもたらす対人コミュニケーションが担う役割は前者であり、特に情緒的サポートを提供することが期待される。

情緒的サポートが困難さを克服することを示した興味深い実験として浦（2009）は Brown, Sheffield, Leary, &, Robinson（2003）[34] が行った興味深い研究を取り上げている。この実験では、非常に冷たい水の中に不快さを感じるまで3分間浸し、20秒ごとに冷たさ（実際には痛みを感じることであるが）の程度を10段階で報告してもらう。その際、一人で行う条件、積極的にサポーティブな声掛けをしてくれる他者の近くで行う条件、話し掛けはしないがアイ・コンタクトなどささやかに（消極的に）サポートしてくれる他者の近くで行う条件、自由に相互作用を行う条件のいずれかで実験に参加する。その結果を示したのが

34　Brown, J.L., Sheffield, D., Leary, M.R., & Robinson, M.E. (2003). Social support and experimental pain. *Psychosomatic Medicine, 65*, 276-283.

図8である。80秒を過ぎた時点から、サポートをするか、しないかでグラフが二極化していることがわかるだろう。積極的な声掛けであれ、アイ・コンタクトであれ、サポートをしようと考えてくれている他者が傍らにいるだけで、冷たさ、すなわち厳しさへの評価を低下させることが示されている。

「最近どう？」「困ったことない？」といったちょっとした言葉掛けは、たとえ3密を回避した状況でも交わすことができる。たとえ言葉を交わせない状況だったとしても、アイ・コンタクトはマスクをした中でも交わすことはできるだろう。職場や学校、近所との人たちと日々の対人コミュニケーションの中で相手を思いやる情緒的サポートを相互に示すことが、長く続くコロナ禍を乗り切り、心身ともに健康的なアフター・コロナを迎えることにつながるのではないだろうか。

5　まとめ

本稿では、コロナ禍以前と比べたコロナ禍以降の対人コミュニケーションの変化に注目して、アフター・コロナでのわれわれのコミュニケーションのあり方について考えてきた。ワクチンの開発といった医療的貢献、経済的な回復をもたらす政策のような経済的・政治的介入とは異なり、われわれ一人一人が行えることはわずかなことかもしれない。しかし、毎日の対人コミュニケーションの蓄積が困難な社会を乗り越え、心身ともに健康的で幸福なアフター・コロナの世界をもたらすことにつながるものと期待したい。

2. コロナの時代の教育のあり方
――「自主的・対話的・深い学び」の確保

本田 恵子・早稲田大学 教育学部 教授

コロナ時代の教育の在り方として学校が直面したのは、「教室という概念の変革」と「教員が主体の授業を児童生徒が主体の学習にパラダイムシフトする」ということです。2019年度の小中学校不登校の児童生徒数（欠席が30日を超えている）は、18万1,272人で過去最高となりました。この内、90日以上欠席が続いている児童生徒が約10万人います。原因は、無気力と不安が最大であり、この中には多動性が高かったり、集団が苦手だったり、書字や読字に困難があったりする学習障がいや発達障がいを持つ子ども達も多数含まれています。「学校での学び」や「学校の在り方」を真剣に考えなくてはならない状況の中でコロナ禍が生じました。

突然の休校措置がとられた2020年2月下旬は、学習においても学校生活においても1年間の総まとめの時期であり、卒業・進級・進学等様々な儀式も必要な時期でした。教員が最も忙しくなると同時に児童生徒と一つになって達成感を得られるはずの時期でもありました。それが一気になくなり教員と児童生徒の喪失感は想像を絶するものだったでしょう。その混乱の中で、臨機応変に対応できた学校と混乱した学校では、何が違ったのでしょうか。本稿では、コロナが教育現場や子ども達に与えた影響を整理し、これからの教育の在り方を考えて行きます。

1 コロナ禍における学校のICT活用状況

休校措置がとられた直後から、教育におけるICT化の遅れが浮き彫りにされました。4月16日時点では、公立学校で講義動画配信を行ったのが10%、双方向のオンライン授業を行ったのはわずか5%でしたが、6月23日には、講義動画配信が26%、デジタルコンテンツの利用が40%、双方向型オンライン指導は15%になりました。しかし、学校が再開されると、再び教科書を先生が説明し、生徒は板書を写し、補助プリントで復習をするという形式に戻りました。短縮授業や時間差の登校などで教員の負担は増えましたが、児童生徒一人一人と関われる時間は減っていました。不安で学校に行けない子ども達が不登校になっていても、手当が不十分なのが現状です。10月現在でも、児童生徒一人に1台のタブレットは行き渡っておらず、都道府県、私学、市町村の教育委員会のスピードはまちまちです。文部科学省は、2022年を目標にGIGAスクールプロジェクトを推進していましたが間に合っていません。進まない理由は大きく3つ、一つは、個人情報を守るためのセキュリティの確保の課題、もう一つは教育内容のソフトが不足しているという課題、最も進まない背景にあるのが、三つめの学校におけるICTの活用方法に助言ができる人材の課題です。機器の操作やインターネット環境が整ったとしても、それは「器」に過ぎず、「何を学ぶか」「どのように学ぶか」について実践的な研修を大至急充実させる必要があります。

(1)　3パターンでのコロナ対応

著者が主催する「早稲田大学インクルーシブ教育学会」は4月に緊急研修会（無料）をオンラインで開催し休校中の子ども達の心のケアと学習の補償について実態を調べ、対応策を考えました。100名近くの先生や心理関係者が全国から参加し、学校の実態として3つのパターンが現れました。不安や問題点も多く出されましたが「嘆いたり、文句を言っていたってしかたない。今できる最大のことをしよう」という意識の高い先生方でしたので、それぞれのパターンで何ができるかを集まった先生方と考えて実践したのが以下です。

①　完全アナログの環境における、「今あるもの」の活用作戦

ネット環境が学校にも家庭にも普及していないため、教科書を配送したり、学校に生徒が取りに来たりして教材配布を行った学校です。教材は、教科書、ドリル、資料集程度で、学習は、児童生徒の自主性に任せざるを得ません。学校が再開されるまで、教員が家庭訪問してプリントを回収して、また次のプリ

ントを配布したり、定期的に児童を分散で学校に呼んで、プリントを渡したりするしかないため、「いかに子ども達の日常を保ち、自主的に学べるように支援するか」が検討の課題となりました。「アナログだってできることはある」「今あるものは何か？」物理的、子どもの力、教員の力と分けて意見を出し合った結果、テレビは家にあるはずだ。教科書、ドリルもあるから基礎知識は確保できるだろう。問題は、自分で学習時間を決めて生活を送れるかだろうということになり、次ページのように、時間割をつくって、テレビ番組と教科書やドリルをつなげて学びを続けるプランをたてました。**図1**は、このグループを代表する小学校の先生が提案してくれたテレビ番組と子ども達の自宅学習のスケジュールでした。NHKの番組を小学校低・中・高に分け、スケジュールと子ども達が学習記録を付け、視聴後に分からないところを記録するワークシートもつけました。研修会後に直ぐ作成して校長に提案したら即OK。週明けに市の教務担当者の会議に提出し、全市で緊急対応として実践することになったそうです。

② 授業動画の配信と解説プリント・既存のドリル学習を組み合わせ「これまでの授業スタイル」で安心・安定を図った学校

このタイプが最も多く、かつ平等の概念で最も苦しんだグループです。ホームページはどの学校も持っていて、一方通行ではあっても配信はできます。スマホがあれば、保護者が学校のサイトにアクセスして情報を得ることはできるので、「一方通行の配信で、大切なことは何か」をテーマに話し合いを進めました。アイデアとして出されたのは次の3つです。一つ目は、プリントの配信。これまでも、学校便りや学年だよりなどプリントや写真はHPにアップしています。学年別の部屋を作ることもそんなに難しくはありません。子ども達が、「見たい」と思うようなコンテンツを作ろうと、「早起きクイズ」「今週のスケジュール」「プリント解説」など、様々なHP活用の意見が出されました。二つ目は、動画の配信です。3月ごろから先生たちは一生懸命教室で授業を撮影し始めていましたので、わかりやすい授業動画を作るにはどうしたらいいかという話し合いも熱心に行われました。

ところが、どんなに優れたコンテンツを作ったとしても、問題は、一方通行

エクセル表を活用して小、中、高学年を一括配信
○ また、家庭に配布されている新しい教科書を使った家庭学習を行うことで、少しでも早く6月に学習する単元まで近づくことができます。
新型コロナウイルス感染症対策のための臨時休業等に伴い学校に登校できない児童生徒の学習指導について
新型コロナウイルス感染症対策のためやむを得ず登校できない児童生徒に対する学習指導
指導計画を踏まえて学校が課す家庭学習
教師による学習指導や状況把握
児童生徒が登校できるようになった後における学習指導
学校において可能な限りの措置を講じる
休業中の学校が課した家庭学習を適切に評価
小学校中学年の一週間の学習スケジュールとEテレカード
Eテレカード：わかったことや気づいたことを書いてみよう。　年　組　名前
5月　日
番組名（　　　　　）

図1

の配信であることおよび、子ども達が自分でアクセスできるかということでした。高校生は、自分のスマホを持っている人が増えているとはいえ、一人1台端末があるわけではありません。ましてや、小中学生は持っていない方が多いのです。また、最大の困難は家にプリンターがないことでした。配信しても、プリントアウトできないので、保護者が家にいるときに保護者のスマホで見るしかできないのです。動画も端末が無ければ見ることはできませんし、兄弟が多い場合はほぼ不可能でした。

平等性を考慮した場合、アクセスできる子どもとそうでない子どもで差が生じてしまいます。無理だという声も多数でましたが、「家に環境がないなら、学校に来ればいい」ということになり、このグループでは、家庭でのネット環境とプリンターの有無に基づいて、アクセスできる家庭は、HP を活用してもらい、アクセスできない家庭は、時間差で学校の教室を開放して、密を避けて学校で閲覧、印刷できるようにすることにしました。

各地の教育委員会も様々な教材や講義動画などを作成して HP から配信して現場の先生方をバックアップしていました。長期研修員や情報教育の専門家らが協力し、これまでの知識とスキルを活用して様々なコンテンツを提供する試みが行われています。コロナの影響がセキュリティを確保した上での、端末の普及や ICT の活用にプラスの影響を与えた例はたくさんあるようです。

③　オンラインを活用して、日常と変わらない学習環境が実践できた学校

日常からオンラインの学習を活用しており、双方向のライブの授業、講義動画の配信、課題提出箱をオンライン上に設置してノート提出や課題提出を行い、フィードバックも行えていた学校もありました。Google　Classroom、Microsoft　teams、ロイロノート、ZOOM など、双方向のオンラインツールはそれぞれの学校や地域で異なりましたが、このグループの児童生徒は、通学しなくてもこれまでと変わらない質の教育を受けることができました。ただし、これまでのオンラインの活用方法は、宿題の提出が中心だったため、通常の授業をどのように双方向にするかについて意見交換を行っていきました。その結果、子ども達が双方向で望んでいるのは、「社交の場」や「理解度を確認するための質疑応答の場」であることがわかりました。本当は「協同学習」や

「思考を深める場」として活用したいという意見もありましたが、まずは、双方向は、「社交の場」として「朝の会」「帰りの会」を毎日決まった時間に行うことにし、教科ごとに「質問の時間割り」を作って、自習でわからないところを先生に聞くことも双方向にしました。多数出た質問はHPで全体配信をしたり、補助の講義動画を作成するという形にしていったそうです。時間割を配信してその時間に「講義動画」が見れるようにしているため、児童生徒は、時間内にアクセスして自分のペースで講義動画を視聴することができました。生徒の理解度を評価するために、生徒自身が「説明動画」を作ってアップする試みをした学校もあります。それを生徒同士が視聴し合って、フィードバックをし合うことで、生徒たちの学習の理解度や自主的に取り組む意欲が増していったそうです。

(2)　早稲田大学の対応

著者が所属する早稲田大学は、ちょうど2020年4月から学内の授業システムをMOODLEという国際規格のシステムに転換することになっていたため1か月の準備期間をおいたものの5月からすべてオンラインの授業が開始されました。スムーズな移行ができたのは、大学の国際化に伴い海外の大学教育のレベルに合わせたシステムサーバやサーバーとIT操作に関するマニュアルやサポートセンターの準備がなされていたためです。また、留学生の数が日本一であり海外に在住している学生のニーズに合わせる必要もありました。そのため、教員と学生双方からの通信が可能になるシステムが構築されていました。例えば、履修登録後の名簿の自動作成、教員側からの資料や動画配信、課題提出とそのフィードバック、学生同士がオンライン上でフォーラムを作成して討論ができる機能、リアルタイムでの双方向の授業の実施（300名～500名も可能）、ライブ授業中に小グループディスカッションルームの作成、授業到達度を測る質問の設定など対面とほぼ変わらない内容を実施することができています。もちろん、オンラインに不慣れな教員も多数いましたので、わかりやすいマニュアルの提供、よくあるQ＆Aの設定などITサポートセンターはフル稼働となりました。対面授業とオンライン授業にはそれぞれの利点と欠点がありますので、それをうまく使い分けることが大切になります。

(3) 教育総合クリニックの取り組み

早稲田大学教育総合クリニック[1]は、教育・総合科学学術院に付属する外部向けの教育相談機関です。平成26年に文部科学省の委託を受け、「発達障害に関する教職員育成プログラム開発事業」[2]の一環として、教員や心理職を志す学生たちの臨床のトレーニングの場として設立したものです。包括的なアセスメントを基に、学習支援、ソーシャルスキル教育、感覚統合、アンガーマネージメント、保護者相談、教職員からの授業改善やいじめ、危機介入などの相談事業等を展開しています。包括的なアセスメントというのは、児童生徒の困り感を、学校や家庭での行動観察、脳科学に基づいた認知発達や心理社会適応、身体・運動能力の感覚統合、および、二次障害も含めてアセスメントを行うことです。不登校や暴力、いじめ、非行などは行動化した現象であり、その背景には様々な要因があるためです。包括的なアセスメント結果から、児童生徒の学習や心理社会面の育成を補償するための具体的な対応策を提案し、クリニックのグループ活動を実践しています。また、「合理的な配慮」が必要な場合は、学校に依頼します。

通常は、対面での個別相談やグループ活動ですが、コロナの影響により大学も全面立ち入り禁止となりました。しかし、子ども達の心の不安に効果的に対応するためには、早期対応と日常の回復が重要です。そのため、まずHP上に「家庭で過ごす期間における、子どものストレスとその対応」[3]というQ & A式資料を掲示し、保護者や教員が応急対応ができるようにしました。この資料は、専門家ではない身近な大人が子どものケアをすることを念頭に「具体的でわかりやすい」ことを目指して作成したため、様々な教育委員会や私立学校などのHPにも転載され、テレビや新聞などメディアでも引用していただきました。

また、4月からの活動を全てオンラインに切り替え、ZOOMを活用して個

---

1 早稲田大学教育総合クリニック https://www.waseda.jp/fedu/edu/news/2015/09/29/4368/

2 「発達障害に関する教職員育成プログラム開発事業」http://www.f.waseda.jp/honda-keiko/hattatsu/index.html

3 本田恵子（2020）「家庭で過ごす期間における、子どものストレスとその対応」https://www.waseda.jp/fedu/edu/news/2015/09/29/4368/

別相談や学習支援グループ、ソーシャルスキルグループ、アンガーマネージメントグループを実施することにしました。オンラインで子ども達とつながることができるため、学生たちも新時代の教育実習、公認心理師の心理実習の在り方を体験できることとなりました。例えば、学習支援グループの場合、学生と子ども達が双方向で学べるように、学生はパワーポイントや PDF で教材を作成し、画面上に見せます。子どもは、自宅から PC やタブレットで説明をきいて、書きこみながら学習を進めることができます。教材配信は、チャットでその場で送ることもできます。全体での活動と小グループや個別の活動は、ブレイクアウトルームを活用して実施し、SV（スーパーバイザー）が全体を巡回指導しました。顔を出したくない子どもは、自分からは相手が見えても、自分の顔や家の様子を出さなくてもよいため安心して活動に加われたり、感覚過敏がある子ども達は、クラスの騒音を気にせずに集中して学習に取り組むことができました。

⑷　オンライン授業の利点と欠点

オンライン授業には、講義動画の視聴タイプと、ライブ授業があります。同じ現象が人によって利点になったり欠点になったりします。例えば、講義動画を視聴するタイプでは、授業時間は決まっていても『早送り再生』や「自分の時間で見れる」という利点がある一方で、計画性が低い生徒の場合は、「先延ばし」をして、学期末に膨大な量の動画を見ないといけなくなります。また、視聴できる時間帯が制限されていると見損ねてしまう人もいます。

ライブ授業では、「全世界からアクセスできる」「移動時間がないので、自由時間が増える」「対面よりも、資料が見やすい」「声が聞き取りやすい」という物理的な効果や「小グループに分かれての話し合いが席を移動しなくてもできる」「感染の不安を感じずに、声が出せる」「チャット機能をつかって、音声以外でも話し合いができる」などコミュニケーションがやりやすくなったという感想がある一方で、「ネット環境が不安定で途中で切れてしまう」、「大人数になると、音が割れたり、映像と音声のスピードが合わない」という物理的な課題や、「眼が疲れる」「ヴィデオをオンにしていると、ずっと人に見られているようで緊張する」「休み時間にも移動がないので、身体が痛くなったり、運動

図２　３方向でつないでいる学習

不足になりやすい」などの身体への影響、コミュニケーションとしては「マイクをオフにしているので、発言のタイミングが難しい」「ヴィデオをオフにした相手から、自分への意見や批判が発言されると相手の顔が見えないので『恐怖』や「攻撃性」を普段より強くを感じる」という意見もありました。

2　コロナ休校中に現れた子どもの実態

コロナによる休校は、子ども達のどのような学習実態を露見させたでしょうか。3つのグループに分けて説明します。一つ目は自主的に学べるグループ、二つ目は、家庭に課題があるグループ、三つめは、受け身でまじめに教員の指示に従うグループです。

⑴　自主的に学ぶグループ

①　学校にも適応しており、日常から自分の学びと融合することができていた子ども達

このグループは、適応力が高く日常から学校生活と自分の学びを融合して学校生活を送れている子ども達です。後述する受け身の子ども達とは異なり、「批判的思考力」「創造的思考力」に加えて「共感性」も豊かなため、どのような状況においても自分の本質を崩すことなく社会適応を行いながら自己実現を可能にしています。彼らには、状況を客観的に把握する情報収集力、処理力、見通しをたてるための力や今までの方法ではうまくいかない時に臨機応変に新しい方法を考え付いていく創造的思考力があります。また、感情的にも安定しているので自分の気持ちにも周囲の気持ちも受容できています。このタイプは歴史上のリーダーとして危機的場面を乗り越えていった人たちに当たります。自分にとっても、相手にとっても OK な解決策を創造し、それを実現するための計画力や実行力、コミュニケーション力などを備えている人たちです。コロナ中の休校や学校が教材を準備できない状況、突然の行事の中止や授業形態の変化などにおいても、柔軟に対応することができ、どのようなマイナスの状況においても感情を抑え込むことなく素直に困惑や不安なども表出しながら先を見通した対応ができていました。オンライン部活、人が少ない時間帯の外出や部活、アナログとデジタルを組み合わせた授業の提案や社会貢献活動などを展開してくれました。今後の社会をリードする人材として育てたい子ども達です。

②　博士タイプの発達障害のグループ

学校には通っていたものの、個性が強かったり、特定の分野の知識だけが秀でたりしているために自分の学習スタイルと学校生活が合わず素質が活用できていない子ども達です。彼らは、授業内容に興味が湧かないと自分の好きな本を読んだり、話し合い活動で自分の意見だけで仕切ろうとしたりします。批判的思考力や創造的思考力もあるのですが、社会性や共感性が低いため自分は正しいと思って主張しているのに周囲がなぜ理解しないのかが納得できないようです。「こうすべきだ」「こうすればいいのに」と自分が基盤とする理論に基づ

いて効果や効率などを追求しますが、他者とのコミュニケーションが苦手なのでなかなか周囲に理解してもらえず孤立しがちです。コロナ禍の休校時は、学校のしがらみから開放されて自分が没頭したい学習や活動に思う存分時間を使うことができたようです。そのため、学校が再開するとたまっていた課題（彼らにとってはやる価値が見いだせないもの）に取り組まないといけないことで保護者とトラブルになったり「オンラインで授業ができるのだから、これからもオンラインを続けてほしい」と考えたりするのも当然で、学校が元のアナログにもどった後、不登校になったという報告もあります。彼らの知識や思考力は、教員を超えることもあるため授業での活躍の場を設けることや、オンラインと対面、集団などを上手に組み合わせていくことでインクルーシブ教育を実現していくことができる人材です。そのためには、教員側の発達障害に対する理解や対応力を高める必要があるようです。

⑵ 要支援のグループ

このグループには、不登校や学習が改善された子どもと、家族関係が悪化した子どもがあります。

① 不登校や学習が改善された子ども達

不登校の要因には「学習」と「対人関係」があります。特に、発達障害や感覚統合に困難がある場合、大勢の人がいる教室では、様々な音が苦痛だったり、先生の話すスピードに理解が追いつかなかったり、黒板の説明や図を描き写したり、書き写したりするのに時間がかかります。また、対人関係が苦手な場合は、人前で発表したり、音読したり、話し合ったりすることが不安になり学習に集中できません。このような子ども達は、勉強はしたいので不登校になっても個別指導の塾や、オンラインや通信添削学習などの習慣ができていました。また、対面での人間関係や即座に対話しなくてはいけない環境は苦手でも、オンラインのゲームチャットや、他者が話し合っているところに顔は出さなくても聞いていることはできる子ども達は、自分が安心できる「社交場」がありました。したがって、元々学習も対人関係も学校以外で実践する基盤ができていたため、環境も学習への参加方法も他の子ども達より慣れており、学校のオンライン移行に前向きに参加することができたのです。また、学校の友達ともオンラインでつながることができた上に、分散登校なので少人数で授業が受けられ、友だちとの物理的な距離もある、マスクによって顔が隠されているので表情が変わらなくても目立たないということが不登校の子ども達の安心につながり、学校再開後に登校できるようになった子どもも増えているようです。

②　家族との関係が悪化した子ども達

このグループも２パターンあります。一つ目は、自分が引きこもりやゲーム依存などで人との接触を避けて部屋にこもったり、自分のペースで生活したりしていた子ども達。彼らは、両親がテレワークになり、兄弟姉妹も休校で家にいるようになると自分の安全基地や生活ペースが乱されました。また、安全な社交場だったオンラインゲームにも学校が休みになった子ども達が続々と入ってきました。リアルタイムに雑談やジョークが言い合える人達は、他者のゲーム操作にも思ったことをポンポン言ったり書きこんだりします。これまで、他者の対話やチャットなど距離をとって見ているのが安全と感じていたり、自分からの発話を「いいね」と受け止めてくれることを求めているだけの子ども達は、学校に行けなくなったときと同じ感覚が思い起こされ、「やっとみつけた場所まで踏みにじるのか」「自分達の居場所を荒らすな」と思ってもなかなか自己主張ができません。がんばって自己主張しても「オフラインでの当たり前」のルールが持ち込まれます。彼らに勝つために強くなるにはチームやアイテムが必要になります。容赦ないコメントが激しくなります。家族に話したら、「だったらゲームやめればいいじゃない」と否定されがちです。喪失感や行き場のない怒りは暴言や暴力となって家族に向かうこともあれば、自分に向かうこともありました。家族も初めの内は話を聞いていましたが、同じことでこだわり続ける、衝動性が増して行くなどの子どもを抑え込もうと説教やゲームの時間制限、強制的に取り上げるなど子どもの刺激を排除しようとする行動が始まり、子ども達は必至に抵抗を始めました。「子どもが暴れている」「お前のせいだとなじられる」「勝手に課金をしている」「部屋から出てこない」「もう何を考えているのかわけがわからない」「子どもが怖い」など深刻な相談も増えました。暴力や暴言で家族の侵入を抑えることに成功した子ども達は、「自分を守る道具」として暴力、暴言を激化させていきます。暴言や暴力は使いたくて使っているわけではないので家族を追い払っても達成感は得られません。むしろわかってもらえない寂しさや孤独が増すばかりです。一方家族も、子どもを怒らせないように神経を使いピリピリし始め、ほんの些細なことでお互いがぶつかり合うようになっていきます。「トイレの時間がかぶった」、「他の家族が笑って話をしていた」、「刺激しないようにと子どもを見ないようにしていたら『ムシされた』と怒り出した」という家族もあります。

そこで、相談があった家族には「子ども達が荒れるのは、やっと見つけた自分の居場所が足元から崩れていく蟻地獄にはまっていく恐怖を感じているから」ということを伝えました。目に見えないコロナの感染が自分の大切な居場所を別のものに変えていってしまう恐怖、PCの世界もウイルス感染したような錯覚に陥り、なんとか自分の居場所を守るために必死になっていることを理解してもらいました。具体的な対策としては、まず、家を安全な場所にするために家のスペースやそれぞれの日程表を見える位置に貼るなどして、動線がかぶらないようにしたり、お互いの行動が予測しやすいようにしたりしてみました。また、できるだけネガティブな会話や不安を煽る情報は見ないようにし、安心して家族がいる場所に出て来れるように環境を整えていきました。コロナの二つ目の顔である「不安の感染」の予防です。家族が物理的、精神的に安定してくると、子ども達も少しずつ落ち着きを取り戻し、自分からリビングに降りてきたり、ゲームでの出来事を呟いたりし始めたそうです。家族は子どもの言い分を「そうなんだ」「そんなことがあるんだね」とじっと受け止めて聴くようにしたところ、一緒に過ごす時間も増えて行き、表情も元に戻って行ったそうです。いっしょにオセロやトランプをしたり、マジックや手品を見せ合ったりしている内に、家族側も「小さいころはこんな感じでしたね」「自然体にもどって来た感じがします」と落ち着きを取り戻していきました。

二つ目の家族関係が悪化したパターンは、学校が逃げ場だった子ども達です。家族から虐待を受けていた、両親や家族の不和（祖父母を含む）や兄弟姉妹がゲーム依存、引きこもり、家庭内暴力など情緒的に落ち着かないなど、家庭が荒れていた子ども達にとって、学校は心と体を安定させる場所でした。給食、遊び、先生との対話、保健室で養護の先生から体調に気を配ってもらえることも大切な日課でした。ところが、休校によって安全基地がなくなり、家で過ごす時間が増えるにつれ、つらい状態を目の当たりにせざるを得ない日々が続きます。仕事が無くなり、不安を苛立ちとして子どもにぶつけてくる親、感染への恐怖から子どもを絶対に外に出さなくなった親、子ども達は狭い家の中で親を怒らせないように気を使ったり、彼らの不安や怒りなどを感じないようにしたりする必要が出てきます。「かい離」症状を起こしやすい状況になっていますが、児童相談所や学校も家庭訪問や一時保護もできません。また、怪我をしても体調が悪くてもコロナ感染を避けるために、病院に行くこともできませんでした。ようやく教員や支援者らが家庭訪問したころには過酷な状況の中で生きて行かなくてはならないために、苦しいことがあっても感じないようにして自分を守るという「かい離」を起こしていました。「つらいことを話してもいいよ」といっても、「大丈夫です」と答えて話をしなくなっていきました。この状況では、病んでいる部分を触ることはできません。

そのため、できるだけ定期的に学校にくる時間を設定してもらい、安全、安心できる環境の中で体と心の緊張をほぐしていく支援をお願いしました。日常を取り戻すための介入です。コロナ禍での異常事態が日常なのではなく、本来の日常を取り戻すための支援です。脳は定期的に緊張からほぐされ普通に登校して普通に学習をして体を動かして使った部屋を掃除して等、学校生活における日常のルーティーンを繰り返している内に、次第に笑ったり、表情が動いたりする様になって行きました。

⑶　受け身で、まじめな子どものグループ

最も多かったのが、約7割いる受け身でまじめな子どものグループです。**図3**のグラフは、平成31年の東京都の学力試験結果の[4]布図です。左の縦線が習得目標で教科書の例題レベルの問題、右の縦線が到達目標で教科書の例題及び練習問題レベルの問題です。学力試験は到達度を測っていますので、到達目

4　平成31年度「児童・生徒の学力向上を図るための調査」https://www.kyoiku.metro.tokyo.lg.jp/press/press_release/2019/files/release20191024_01/02_31_besshi_1.pdf

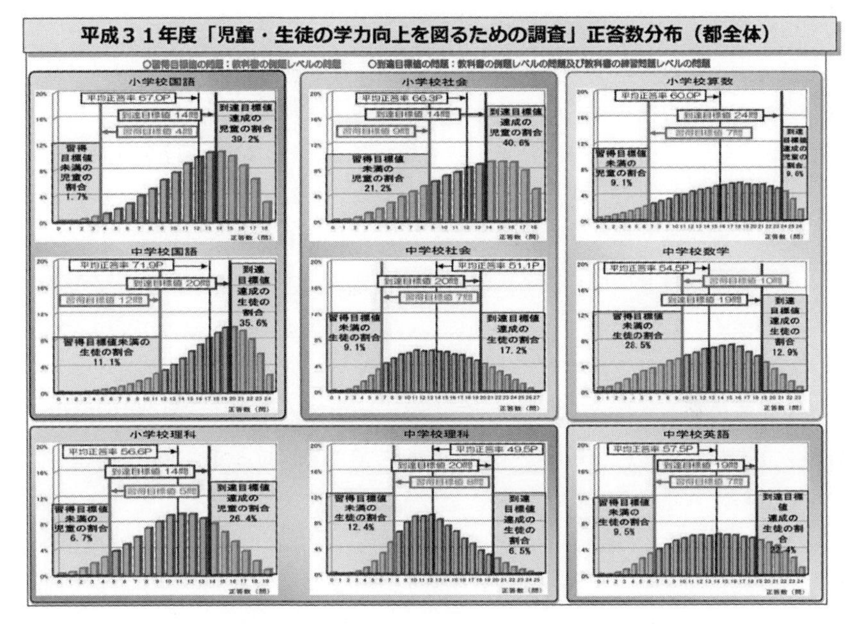

図３

標の線より右側に分布がある方が到達度が高いことになります。しかし、50%以上が到達している科目はなく、最も多かった科目でも小学校社会の40.6%でしたが、社会も中学校になると分布が左に大きく偏り到達目標を超えている生徒は17.2%です。算数は、小学校で到達目標以上が9.6%、中学校の方がやや多く12.9%になります。一方で、中学校は修得目標未到達の生徒が28.5%に増加します。

この結果が示しているのは、思考力を問う算数・数学において、教科書の例題、つまり学んだものがそのまま出題されたら答えられるけれど、活用することができない児童が７割程度おり、中学校になると例題レベルも解けなくなる生徒が数学では３割近くに上るということです。授業をまじめにきいて、板書を写し、宿題を提出していても応用問題は解ける力がついていないということがわかります。

では、この７割の受け身の子ども達は、休校中どのように対応したのでしょうか。

①　日本型「よい子」が混乱したコロナ

受け身の子ども達にとっては、授業が学びの主体です。これまでは先生が目標を定め、学ぶ方法を示してくれ、解答も先生が説明してくれるので、受け身の生徒たちは、授業をじっと聞き、板書をノートに写し、例題を先生の指示にそって一緒に解いたり、先生の示す道筋に沿って国語の読解を進めたりしました。地理や歴史などは先生の解説を聞いたり映像資料を見たりすることが授業の中心でした。授業中の発問も、教科書の内容を正確に理解しているかに関する事柄が多く、理由や関連した事項について深く考える活動はしていません。授業後は、宿題として出された教科書の問題や問題集を解いて、自分で答え合わせをする場合と、提出をして先生に答え合わせをしてもらって返却される場合があります。前者は、解答があるので合っているかはわかりますが、解説が少ないとわからないところは放置したままになります。後者も、先生が丁寧に添削しようとすると、提出後１週間はかかってしまい、その間子ども達はわからない状態が続きます。また、これまでのプリントやワークシートは、目的や取り組み方、到達度などを授業で解説することを前提に作成されていたため、自習教材としては説明が不十分です。そのため、コロナ休校の間、子ども達は一気に不安になりました。なぜなら、課題として取り組むページや問題が列記されたプリントを渡されても、解き方や解答を自分で教科書から探して解かなければならなかったからです。

文科省が推奨している「自主的・対話的で深い学び」は本年４月からの指導要領の改訂に基づいて実施されるところだったため、先生方も子ども達もまだ準備ができていませんでした。その結果自習として、簡単にできる漢字や計算のドリルはすぐに終えられましたが、教科書や指示プリントがあっても、「教科書○ページを読んで、～について考えなさい」という課題には、何をどのように考えればいいのか、保護者が付きっ切りで指示を出さないと取り組めませんでした。当然学習の進度や理解度には、家庭学習の量と質が影響してしまい、学校再開後に理解度をそろえるために、授業進度は４月の授業内容にもどってしまう学校が多く、時数が足りないという問題が浮上したわけです。もちろん、日常から先を予測した授業研究や学校経営をしている学校は、公立私立ともに素早く対応できていましたが、学校格差や地域格差が大きく、大多数は、教育委員会の指針待ち状態で子どもも先生方も混乱していました。今後も新型コロナウイルスのみならず、様々な困難な状況が生じることが予想されます。どのような状況にも臨機応変に対応していくための情報収集力、思考力、判断力、共感性と社会性、および行動力を備えた子ども達を育成していくための学校の在り方について提言します。

3 学校の在り方の変化

(1) ソサイエティ5・0に求められる教育力

経団連は、第四次産業革命としてICTを活用した社会の実現を唱えています。ICTに使われるのではなく、自分が必要とするものを自分で創り出していくという創造的思考力が求められる社会になります。**図4**は、経団連が提示したソサイエティ5.0で求められる能力と教育の方向性を子ども達の行動としてイメージ化したものです。一番上にある「高度専門職に必要な知識と能力」を身につけるには、「課題発見と解決力、未来社会の構想・設計力」が必

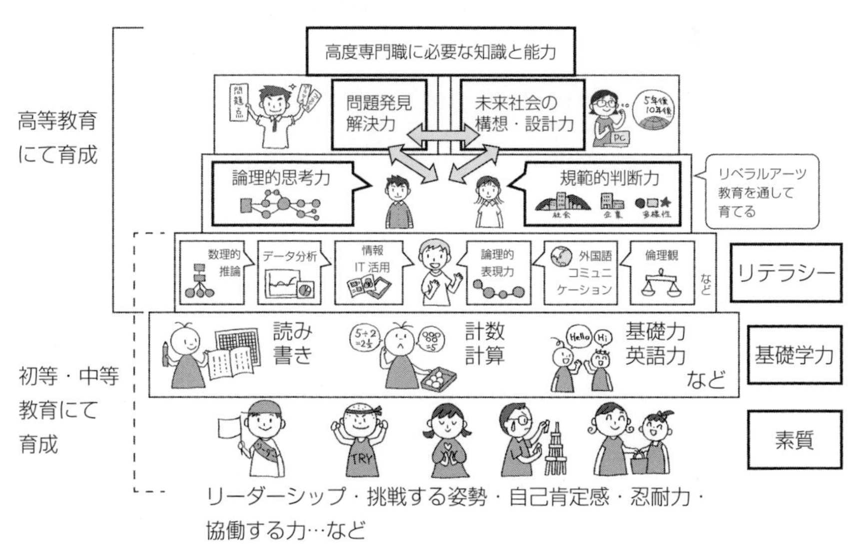

図4 Society5.0で求められる能力と素質

要です。そのために必要なのが「論理的思考力と規範的判断力」となります。これまでの日本の教育は、基礎学力が中心で、次のリテラシーや論理的思考力の育成が不足したまま「課題発見・解決力」を求めてきました。その結果、「受け身」「記憶力」を強化する授業スタイルが定着し、「学んだパターン通りの課題解決」を行って来ました。「前例がない」と新しいことができない状態です。教員には「いかに優れた授業をするか」が求められ、教師主体の授業が展開された結果、先生側の負担が増し、コロナ禍において、前述のような状況が生じてしまったわけです。

では、「主体的な学び」を体験してこなかった教員がこれを担うには、教員側にどのような力が必要になるでしょうか。筆者は長年にわたり、子どもが主体の教室のあり方を提言し、教員研修を重ねてきましたが、パラダイムシフトを提言すると、まず聞かれるのが「難しい」「教材を作るのが大変そう」という感想でした。理由を聞くと「子どもの学び方がわからない」「主体的ということは、子どもが一人一人異なる学びをするわけだから40人分異なる教材を用意するなんて無理だ」という教員が主体の考えでした。文科省の指針や指導要領を示しながら「学び方を選ぶのは子ども達です」「先生方はコーチです」と言っても、イメージが湧かないようで、「教員に負担がかかる」「この学校だけが勝手なことはできない」「教育委員会の指示を待つ」という理由で取り組むことは躊躇されてきました。先駆的な取り組みができたのは「研究指定校」に立候補した学校でした。

⑵　子どもが主体的に学ぶために

子どもが主体的に学ぶためには、①環境、②ソフト、③ファシリテーション機能の3つが必要になります。**図5**は、学校のイメージです。まず教室と図書室について提案します。UDL（学びのユニバーサルデザイン）を実践するための教室には、自由度が大切です。机やいすの配置が自由に変えられれば、個別学習、協同学習、プレゼンテーションなど様々な展開ができます。また、調べ学習をしたいときには、すぐに情報にアクセスできるための図書館や資料室、安全なネットワークが必要です。そのため、校舎の中央に図書室を設置し、ネットワークにつながったPCと話し合いができるスペースを配置します。図書室

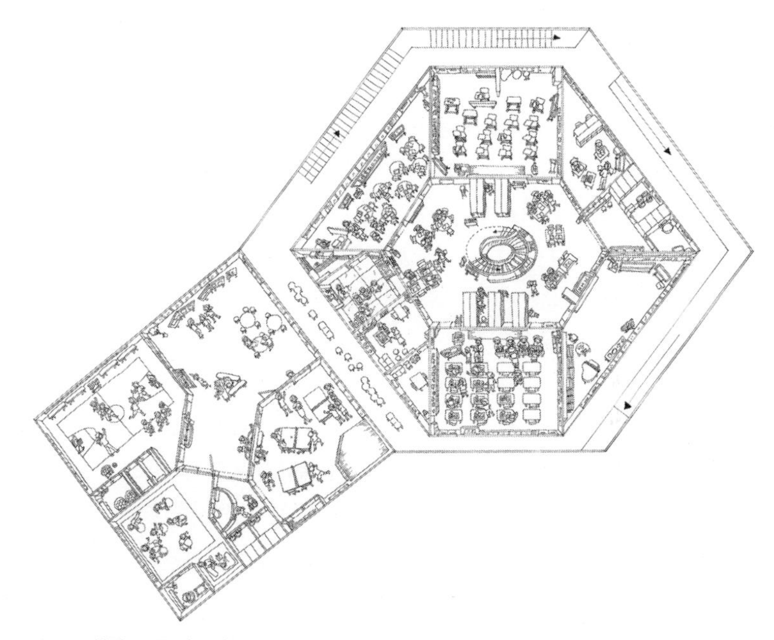

図５　教育と子ども達

内部に階段があれば内部移動が可能になり、かつ、学年のどのフロアからも出入りができるので、学びのコミュニティが作りやすくなります。またこの図書室は世界の図書室とつながっていて、データ検索のみならず、同じテーマで学んでいる海外の子ども達ともコミュニケーションができるようにしておきます。情報検索時に子どもが混乱しないように、文系、理系、技術系に大まかに分けておき、レベル別に検索できるようにソーティングする、学びのコンシェルジュを各階に配置して自主学習への助言ができるようにするなどもできます。図書館司書希望の学生をインターン配置すればOJTにもなります。また、AIを導入して置けば、子どもがID入力した段階で、個人に適したデータにアクセスしやすくなります。図書室がフロアの中央にあれば周囲の教室配置は円形である必要はありません。左右から図書室にアクセスできるようにすれば、今までの横並びの校舎と形状は変えなくても可能です。自主的・対話的で深い学びに大切なのは、「もっと知りたい」と意欲が出たときに、適切な知識にアクセスできる環境を整えることなのです。

(3) ホームベースの必要性

ネット社会が広がると、リアルな世界でのつながり方を体験していない子ども達が増えています。そのため、あえて、ホームベース（学級）は作ります。学級は子ども達が体験する最も身近な社会だからです。必要な社会人基礎力は、ここで学びます。役割があり、スケジュールがあり、自分の責任を果たす時間と、集団で活動する時間に分けます。小学校の場合は、専科以外はHRで過ごし、調べ学習のときには、図書室に行けるようにします。

教室には、移動可能なスクリーンが必要です。電子黒板機能よりも、進化したタブレットをスクリーンに投影できるようにする方が、授業中に子ども達の学びのプロセスを分かち合うこともでき、費用も安価ですむでしょう。また、学習と休憩時間を適切に分けることも、脳機能や情緒の育成には欠かせません。教室の近くには、休み時間に小グループで安全に体を動かせるフリースペースやちょっとほっとするためのスポットなども用意しておくと、ONとOFFの切り替えがしやすくなります。

(4) 上位層を育てる方法

知的に優れており、創造的な思考力を活用できる子ども達は、複式学級を取り入れることもできます。1、2、3年生、4、5、6年生の複式学級を作成し、その教科の時間には同じ教室で学ぶようにします。体験学習的に自分の興味関心を実現していくための計画を立案し、そこに必要な基礎学力は、基礎の時間に学ぶようにします。科目の時間数は変えず、学びの形態を「創造的な学習」の時間と「基礎学習」の時間を組み合わせたカリキュラムにしていくと、課題解決力と確かな学力を備えた子ども達が育成できるのではないでしょうか。既に、私学ではこのような教育が実践されていますが、公教育で実践してこそすべての子ども達が恩恵に被ることができると思われます。先進国では、公立学校でもギフテッドエデュケーションが取り入れられています。共通するのは、総合力を育成するために、学習が横断的カリキュラムになっていること、情緒育成プログラムとリーダーシップ教育があること、および、それらがポートフォリオ評価されていることです。日本でも「総合の学習」「総合教養」等を活用すれば可能です。

これらを普及させるためには、学びのレベルに合う学習が義務教育の範囲内でもできる柔軟性を持つことが大切になります。学齢制を変えたり、入試制度を変えたりという大幅な変更は日本の学校現場にはなじまないようです。今ある制度の中で、ソフト面を改善していくことで子ども達の学びは豊かにできますので、次節では、子どもが生き生きと学べるMI（マルティプルインテリジェンス）について、説明していきます。

4　受け身の子ども達を主体的な学びに変えていく方法

(1)　MIを使った授業の進め方

MIマルティプルインテリジェンスは、ハワード・ガードナー博士が提唱した多重知能の理論です（図6）。脳の働きを右脳と左脳それぞれ4つ計8要素に分け、子どもの得意な知能を活性化させることで、ストレスが最小限で最大の学習効果を挙げることを目指しています[5]（図7）。例えば、視覚・空間知能が優れている子どもの場合は、授業中に先生の話を聞いたり黒板の文字を写すよりも、絵や図で説明を受ける方が理解しやすくなります。また、思考力を活性化する場合も言語だけではなく、予測してから実際に実験や体験をし、その上で結果を図、絵などでまとめ、公式化していく方が学習を汎化させるには効果的です。思考は最終的には言語化する必要がありますが、そのプロセスは視覚化した方が頭の中で整理しやすいのです。MIは、アメリカやカナダの学校では、1980年代から活用されており多様な学びのスタイルに対応できる手法として効果を上げています。著者は、2000年代から、現場の先生方といっしょに、MIを活用した授業展開を国語、英語、算数・数学、道徳、科学などで実践してきました。MIを導入すると、ゴールは同じでも子どもの学びのスタイルに合わせて自主的な学びのプロセスを展開しやすいため子ども達には好評です。また、苦手な課題を活性化しているMIを活用して取り組むため、これまで「苦手」と思っていた課題を、実は「理解する」「表現する」力があると分かり、自信回復につながります。例えば、小学校6年生国語の「やまなし」の

5　本田恵子『脳科学を活かして授業を作る―子どもが生き生きと学ぶために』みくに出版

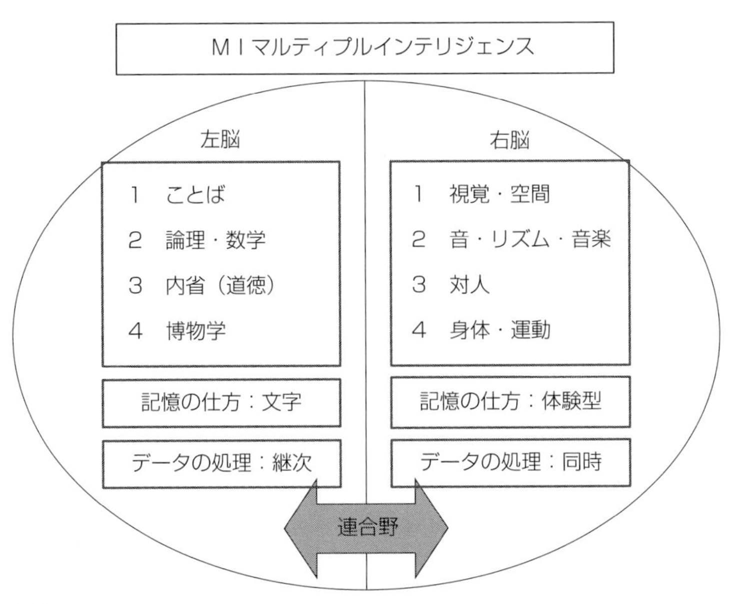

図6

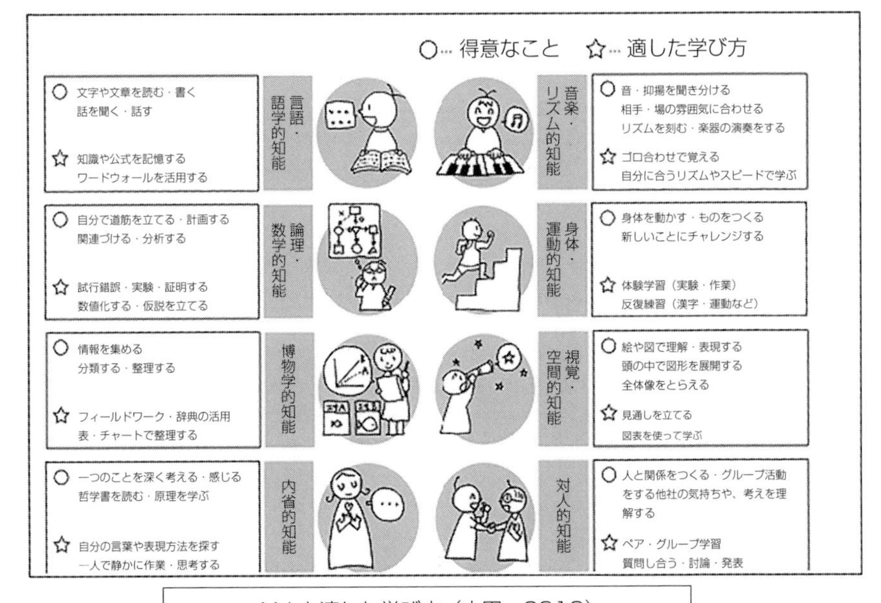

ＭＩと適した学び方（本田、2010）

図7

授業において、「カニの親子の心情を理解する」という課題がありました。水の底にいるカニの親子が突然「とっぽーん」と落ちてきた何かに反応する場面です。心情という抽象的な内容を具体的にイメージするために、言語が得意な子ども達、身体・運動が得意な子ども達、視覚・空間が得意な子ども達に分けて授業を実施しました。言語が得意な子ども達は、教科書の文をじっくり比較して「とっぽーん」と「どぼん」は音のイメージがどう違うのか、子ガニの気持ちを動作や話したことばからどんな言外の意味があるのか、なぜこの言葉でなくてはいけないの、など教科書の文を比較しながら理解を深めました。

身体・運動が得意な子ども達には、黒い物体になったつもりで「とっぽーん」の動きを体で表現してもらいました。すると、水の上を跳ねた子ども、水の底に沈んだ子ども、途中を上下している子どもに別れました。なぜそう思うのかをそれぞれ説明した後、そういう動きの黒い物体が上から突然来たら、自分がカニならどんな気持ちになったかを表情や行動で表現してもらいました。「隕石が落ちてきたような感じだよな」「水の中だから、鳥のこんな長ーいくちばしにシュパッてつかまれた感じじゃないの」など、自分の体験とも関連付けて発表できました。

視覚・空間が得意な子ども達には、自分がカニになったつもりで文章からイメージする風景を絵にしてもらうと、水が黒ずんでいた子は「怖がっているから」と答え、黒い物体に黄色い輪っかをつけて描いていた子どもは「面白そうなものが来たから」、何層かに青色をグラデーションして塗り分けた上で、水面から金と白でキラキラした線を描いた子どもは「ちょっと怖いけれど見たい」という不安と期待を表現しました。言語だけで表現させていたらこういう子ども達が心情を理解したり、表現したりする術はありません。このように、MIの良さは、子ども達の学びの多様性に対応できるということです。子ども達が理解したことについてこのように多様な表現ができる様子を目の当たりにした先生方は「勉強嫌いにさせていたのは、私たちだったのですね」「教師が教えるという授業を子どもが主体的に学ぶスタイルに変えていくことが大切なことがよくわかりました」と話していました。

高校で「気候変動を予測する科学の授業にMIを取り入れた学校では、生徒のMIタイプでグループ活動を分けました。博物学と論理・数学が強いグルー

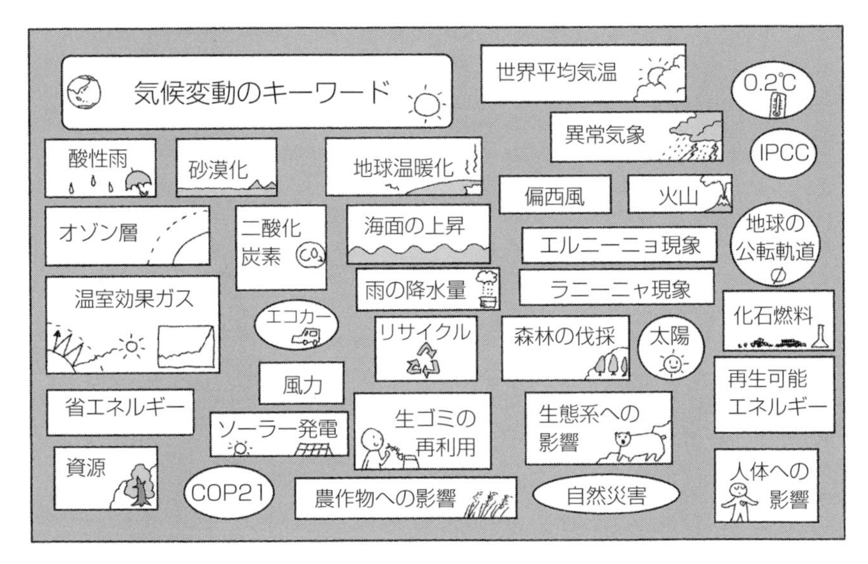

図8　ワードウォール

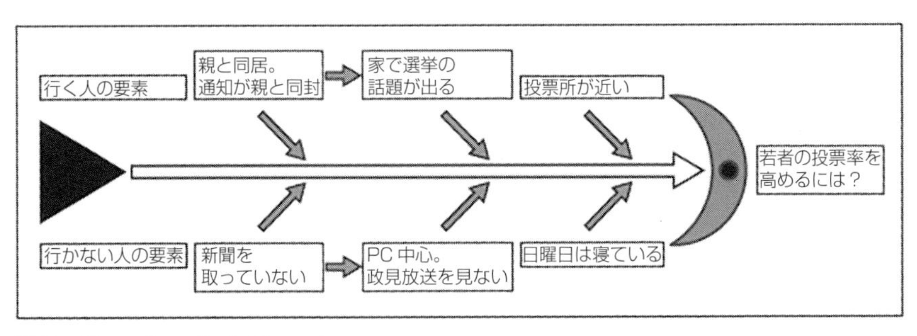

図9　フィッシュボーンチャート

プでは、教科書や資料集では不足な情報に気づき、次々に必要な情報をインターネットや図書館に行って調べ始めました。使っている言語や数式は教員の知識をはるかに超えるものもありました。熱い議論が飛び交うので、別のMIグループは「すごいなー」と引き気味でしたが、生徒たちは「脳がフル回転してるよ」と笑っていました。一方、内省が強いグループでは、じっと押し黙って一人一人が思いを深めていましたが、ワークシートには重要なキーワードがしっかりと書かれていました。困っていたのは、どの知能も標準範囲の子ども

		認知の発達段階			
		直感思考期（そのままで理解）	具体的操作期（動かしながら理解）	移行期（変化を予測する）	形式的操作期（変化を創造する）
	認知発達の方向性	見ながら動かして変化に気づく	目に見えるものを頭の中で操作する	複数の要素の操作や、可逆性を用いろ	概念を具現化する方法を考え出す
活動中の学習サイクル	準入（予想）	Aという現象がなぜ起こるかを確かめてみる	Aという現象が起こるために必要な条件を予想する	どういう変化が起こるかを予測する	変化を定義し、仮説を立てて実証する材料を集めてみる
	探究（理由づけ）	Aという現象を実際に見せて、どういう過程で起こったかを順番に整理する	Aという現象を起こすためにいくつかの実験をしてみる	予測した行動がうまく行った場合、行かなかった場合を整理し、その理由を考えろ	仮説が立証されたかを確認し、追実験を考える。立証されない場合は、条件を変える必要のある部分を分析する
	概念の準入（一般化）	Aという現象が起こる公式をまとめる。	Aという現象と行動の関係について公式化する	予測通りに行かない場合に起こっている現象を整理する	この変化が起こる確率を上げるために必要な条件を整理する（内的、外的）
	応用（他への応用）	日常生活で、Aと同じようなことはあるかを考える	日常生活でこの公式が当てはまる場面を考える	日常生活で公式通りにいかない場合の例を考える	日常生活で工夫できることを考える

図10

達です。「温暖化がどう進むか、自分で予測しましょう」という質問を見て、教科書を調べ始めます。「温暖化の進み方」という文字があればそれを写します。教師から「なぜ、そう考えるのか」と言われても何をどう考えたらよいかがわからず、MIの授業に変えてから混乱が増えてしまいました。このグループは考え方の公式がわからなかったので、「ワードウオール」や「フィッシュボーンチャート」という公式集や思考をつなぐ言葉集をすぐに見える場所に貼る、携帯できるようにするなどをしたら、安心して取り組み始めました[6]。また、教員側にも思考力を育てるための発問のワードウオールを示すと、子ども達の思考状況を見立て安くなり、思考を促す活動が進めやすくなったようです。

MIは、LD（学習障がい）の子ども達の支援にも役立てることができます。例

6　本田恵子編著（2014）インクルーシブ教育で個性を育てる―脳科学を活かした授業改善のポイントと実践例―

えば、書字が苦手で漢字がなかなか覚えられない子どもの場合、漢字ドリルを繰り返して書いて覚えることは苦痛です。お手本どおりに線を組み合わせていくことに目と手の協応力が使われてしまい、形や意味を覚えるための視覚、言語知能は働いていません。文字を音声にしたり、図や絵などにイメージしたりする支援をすると理解しやすくなり、勉強＝（イコール）文字＝苦痛というマイナスのサイクルから脱することができるので、学習支援がしやすくなるのです。

子どもの学びは、環境の変化に伴い多様化していきます。環境に振り回されると、子どもがICTに使われてしまうので、自分で情報を集め、思考し、判断し、課題解決に当たって、周囲の人々への共感性が発揮できるような子ども達を育てるために、私たちが何ができるのか、今後も考え続けていきたいと思います。

3. 新型コロナ感染後の新たな社会を展望する
――医療・病院経営の立場から

井上 貴裕・千葉大学医学部附属病院 副病院長・病院経営管理学研究センター長

1 緊急事態宣言 そのとき病院は？

令和2年2月3日、クルーズ船「ダイヤモンド・プリンセス号」が横浜に入港し、ここからコロナとの戦いがはじまった。患者が各地の中核病院に搬送され、未知の感染症に対して医療機関、そしてそこで働く職員達も恐怖と不安を強く感じた。

それに先立って、国は1月28日に新型コロナウイルスを指定感染症とすることを閣議決定し、罹患した患者は病院で療養することになった。

社会に目を向けるとテレワークが推奨され、東京ディズニーリゾートなどのレジャー施設等も休業が相次いだ中で、4月7日、東京、神奈川、埼玉、千葉、大阪、兵庫、福岡の7都府県を対象に史上初の緊急事態宣言が発令された。

このような中でも病院は24時間365日の体制で未知の感染症と戦うと同時に、通常診療の機能を医療者のモラルを盾に必死に維持した。

当初は感染症の専門医がいないなど様々な理由で新型コロナウイルス患者の受け入れを断った病院も少なくなかった。たとえ公的・公立病院であっても。一方で陰圧室対応のためにICUや緩和ケア病棟などをすべて空にし、対応した病院も存在したが、多くの病院では、コロナ患者とそれ以外をゾーニングするために、コロナ病棟を設置した。院内では、「こんなに軽症な患者を入院させる必要があるのか？」という声があちらこちらで上がったが、通常よりも手間がかかり、その病棟で働く看護師等に大きな負担がかかったのも事実である。そもそもPPEの着用など、平時から教育していたが、まさか自分が使うとは思っていない職員が多かったはずだ。

医療費抑制の環境下で、病床削減しようという方向感が打ち出されてきたわけだが、コロナで今一度、立ち止まり医療提供体制を考えるべき時がきたのかもしれない。とはいえ、コロナ病棟を設置したり、病棟閉鎖をした病院も多いが、それでも患者受入れが滞っているわけではないという現実もある。本稿では、医療政策の方向性を踏まえ、コロナ禍での病院業績にふれ、これからの病院経営のあり方について私見を交えて言及する。

2　三位一体の改革と機能分化に向けた取り組み

わが国の医療は国民皆保険制度が完備され、フリーアクセス、現物給付という3つの特徴を有しており、低コストで質の高い医療を患者は受けられるというメリットを享受している。一方で国民医療費は増大し続けており、団塊の世代が全て75歳以上となる2025年に向けて高齢者増によるさらなる医療費増大の懸念もあり、効率的で効果的な医療提供体制が求められている（**図表1**）。さらに、1971年から1974年生まれの団塊ジュニア世代が2040年には65歳以上となり、高齢者人口は増加し続ける。それに対して、生産年齢人口は2025年

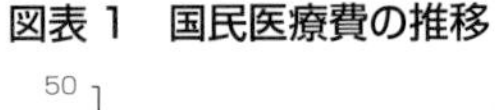
図表1　国民医療費の推移

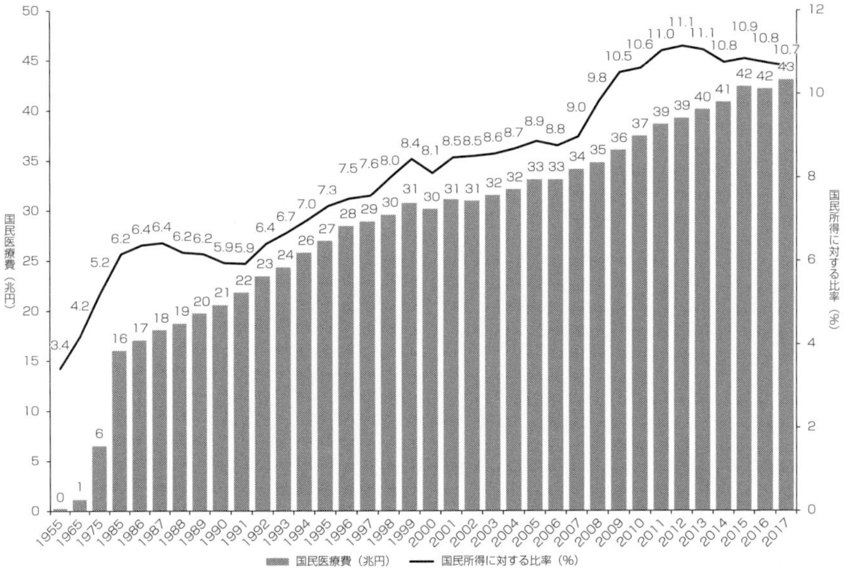

図表２

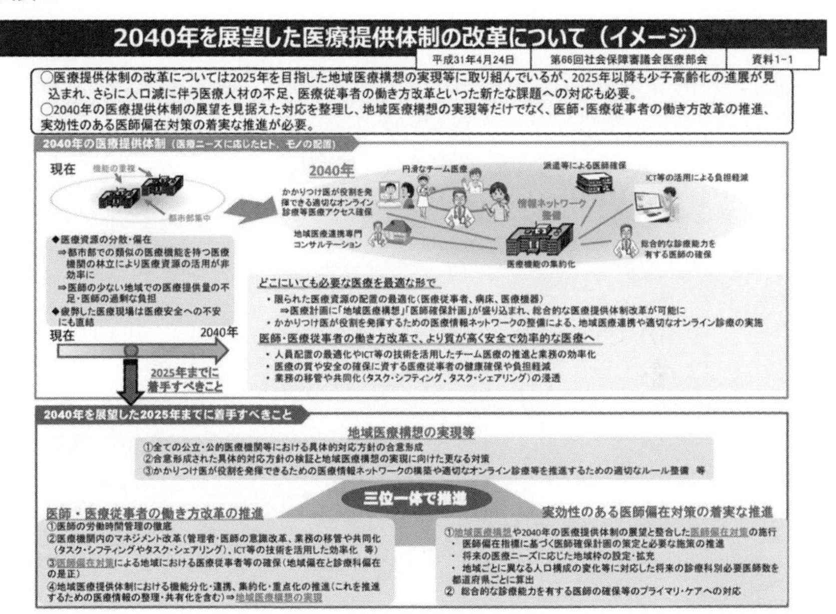

以降減少し、労働集約型といわれる医療・介護を支える人材の確保が困難になる。そこで、国は2040年の医療提供体制の構築に向けて、地域医療構想、医師・医療従事者の働き方改革、医師偏在対策を三位一体で推進していく方針をコロナ前から明らかにしていた（**図表２**）。

地域医療構想は、高齢化の進展に伴い、限りある医療資源を効率的かつ効果的に配置し、急性期から回復期、慢性期に至るまで患者像に見合った病床で良質な医療を受けられる体制の整備が必要との考えのもと、医療機能の分化を図るとともに連携を推進しようというものである。

そもそもわが国の病院は急性期志向が強く、7対1のように手厚い看護師配置を行う病床が過剰となっており、2025年には高度急性期や急性期機能を絞り込む必要があることが明らかにされている（**図表３**）。7対1とは、患者7人に対して看護師1名を配置する診療報酬であり、手厚い看護師配置を行うほど病院収入も多くなる仕組みである。ただ、看護師さえ集めれば増収になるのはおかしなことであるため、重症者が入院しているのか、医療や看護の必要度が

図表３

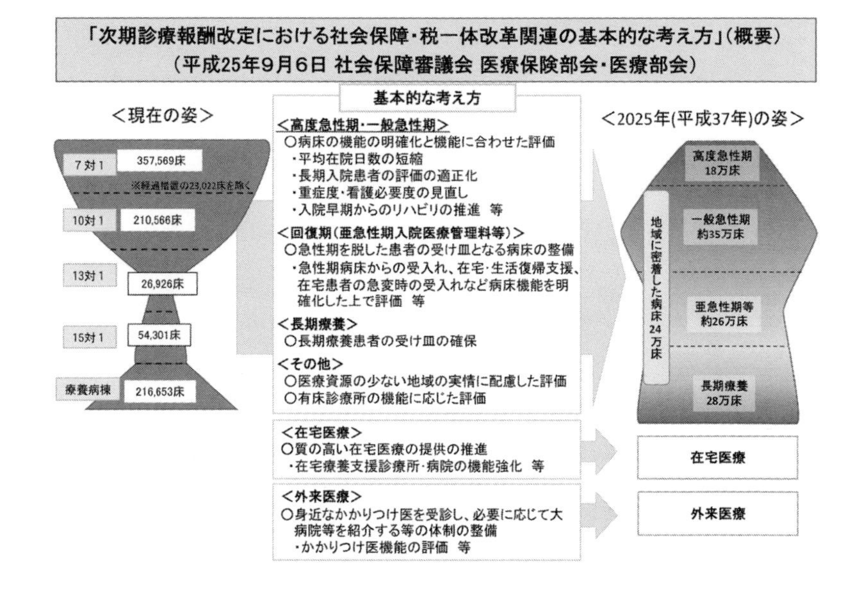

あるのかという基準（重症度、医療・看護必要度）も２年に一度の診療報酬改定ごとにマイナーチェンジが行われるとともに、基準値の引き上げ等が実施されてきた。基準を満たすためには、手術が必要など重症な患者を入院させ、治療終了後には速やかに自宅に戻し、平均在院日数を短縮するなどの取り組みが求められている。ただ、なかなか７対１を諦めるわけにはいかない病院側の事情もあり、平成18年に創設された７対１は増加し続けた。その事情とは、そもそも病院の収支に影響を与え得ることはもちろん、新人看護師などは７対１でないと集まりづらくなるし、急性期の看板を下ろせば医師等のスタッフ不足につながるなどの懸念があると指摘されている。なお、新設前には２万床が目安とされていた７対１入院基本料であるが、ピークでは38万床に達してしまい供給過剰となった（**図表４**）。

2025年に必要とされる病床数を地域医療構想において国が試算したものに対して、各病院が毎年報告する病床機能報告とは乖離があり、急性期病床に偏りが生じている一方で、回復期機能を有する病床が不足する結果となっている

図表４

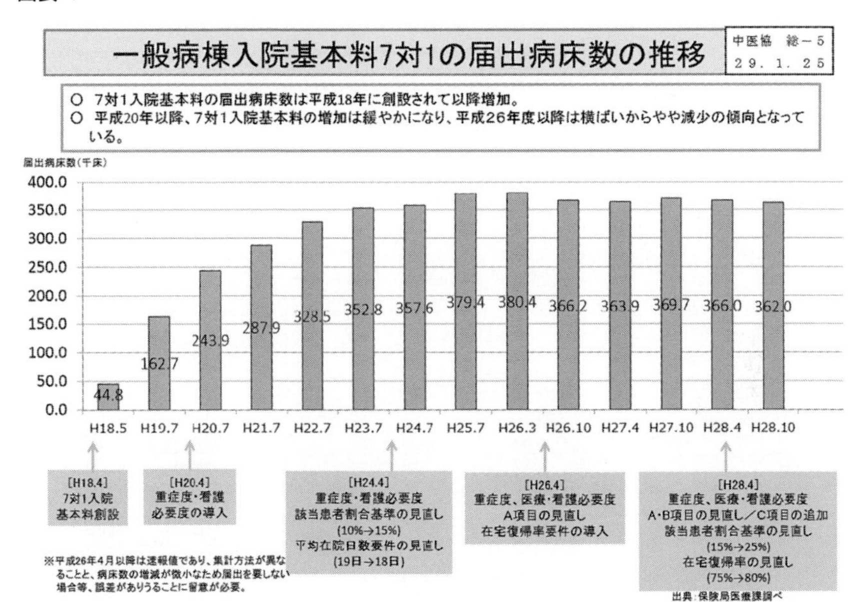

（図表５）。地域医療構想の構想区域は原則として二次医療圏が対象となっている（二次医療圏は一般的な入院医療に関わる医療提供が行われる行政区画であり、1985年の第一次医療法改正で行われた一般病床等の病床規制もこれを単位に行われる）ただし、地域医療構想は地域での話し合い（地域医療構想調整会議）で役割分担を議論することが大前提となっている。とはいえ、都道府県知事の命令・指示・勧告に従わない公的医療機関等に対しては、特定機能病院や地域医療支援病院の承認取り消しなど強制的な措置も準備されている。

なお、コロナによって三位一体の改革が皮肉にも進んでいるという声もある。コロナを受け入れた急性期病院とそうではない病院の立ち位置が明確になり地域医療構想に寄与し、患者数減によって働き方改革にもつながった。また、緊急事態宣言下では非常勤のアルバイト医師の働く場が閉ざされ、都会に偏っていた医師が田舎の病院で常勤医として働き出すというケースもでてきた。今に限った現象かもしれないが、環境が変われば医療制度改革が進むことを実証したともいえる。

図表５

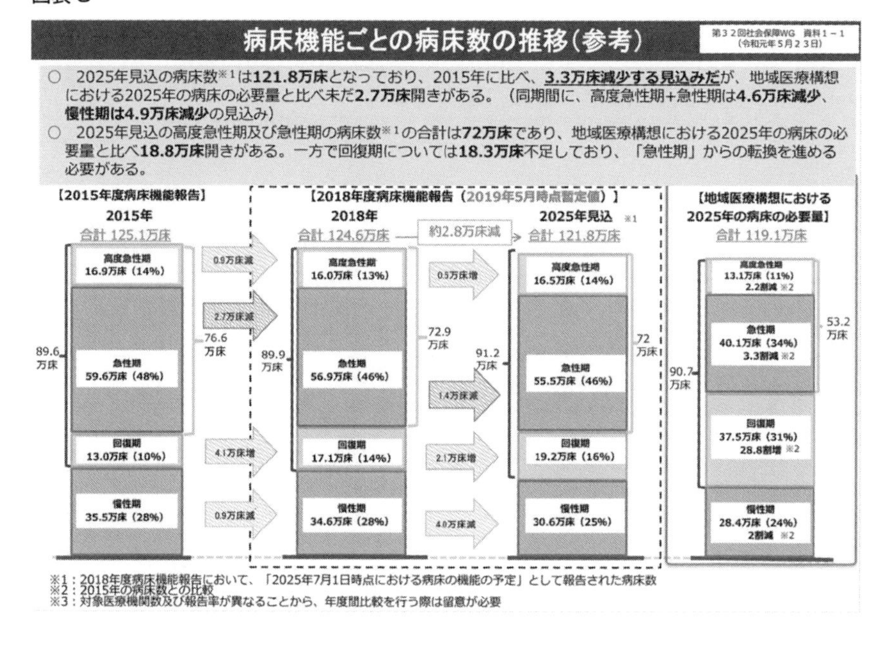

3　地域医療構想と再編統合対象の424病院

この急性期に偏りがちな医療提供体制を改めるために、国は2019年9月26日に公立・公的病院等の役割について、民間では担えないものを中心に据えるよう再検証すべきとし、対象となる424病院を実名入りで公表した。その具体的な役割として、がん、心疾患、脳卒中、救急、小児、周産期、災害、へき地、研修・派遣機能をあげており、これらの9つの領域ですべてにおいて実績が少ない場合を（A）とし、がん、心疾患、脳卒中、救急、小児、周産期について、構想区域内に一定数以上の診療実績を有する医療機関が2つ以上あり、お互いの所在地が自動車で20分以内の距離（類似かつ近接：B）を対象とした。Aに該当するのが277病院であり、Bに該当するもののAには該当しない病院が147病院あった。

これらの病院は、再編統合が必要であるとし、地域での議論の活性化を促すことを目的とした。ただし、その後、誤りがあることが判明し、削除となった病院がある一方で追加となった医療機関も存在した。なお、削除された病院名は公表されたが、追加になった病院は公表されていないが最終的には440病院となった。

これらの病院については、2020年秋までにあり方を検討することが求められていたが、新型コロナウイルスによって実質的に延期されることになった。ただ、今後、機能分化の推進は不可避であり、対象とされた病院だけでなく、周辺の医療機関も含めた医療提供体制の効率化が求められる。

なお、これらの名指しされた病院のうち個別病院の財務データが公表されている国立病院機構と地域医療機能推進機構（JCHO）の財務分析を実施したところ、財務的にも厳しい病院が多い傾向があった。

4 新型コロナウイルスによる影響

図表6は、コロナ前後の病院の診療状況をみたものであり、令和2年第1四半期は医業収益が落ち込み結果として本業の利益率である医業利益率も大幅なマイナスとなった。特にコロナ患者を受け入れた平均400床以上の大病院が13.5ポイントの悪化となったものの、7月以降は状況が落ち着き財務状況も改善に向かいつつある。

医業収益は患者数の減少によるものであり、入院・外来・救急など20%程度減少している。患者数が減少することにより、患者一人1日当たりの収入である診療単価は入院・外来共に増加した医療機関が多い。軽症な患者が来院せ

図表6

	有効回答全病院 (n=1,407)		コロナ未受け入れ病院 (n=929)		コロナ受け入れ・準備病院 (n=478)	
	2019年 4～6月	2020年 4～6月	2019年 4～6月	2020年 4～6月	2019年 4～6月	2020年 4～6月
医業収益	1,545,886	1,394,501	825,136	769,710	2,947,822	2,612,626
医業利益	-5,269	-138,281	5,595	-41,858	-29,564	-327,181
医業利益率	-0.3%	-9.9%	0.7%	-5.4%	-1.0%	-12.5%

平均病床数　266床　　平均病床数　188床　　平均病床数　418床

（※）日本病院会・全日本病院協会・日本医療法人協会、「新型コロナウイルス感染拡大による病院経営状況の調査　2020年度第1四半期」を基に作成。

図表7　初診紹介患者数　特定機能病院・一般病院

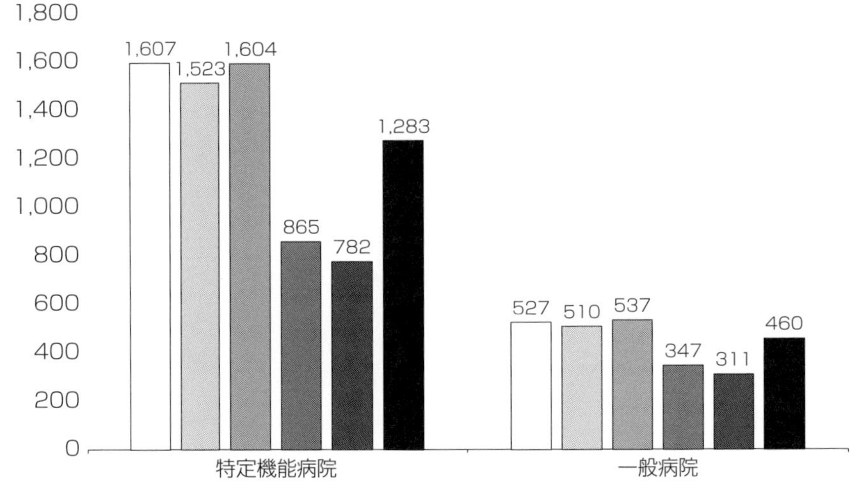

（※）日本病院会・全日本病院協会・日本医療法人協会、「新型コロナウイルス感染拡大による病院経営状況の調査　2020年度第1四半期」を基に作成。

図表8　手術の実施状況　特定機能病院・一般病院

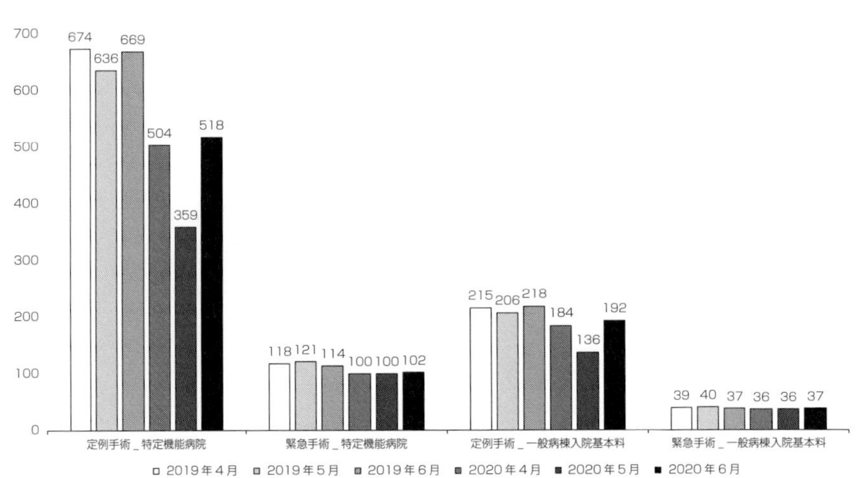

（※）日本病院会・全日本病院協会・日本医療法人協会、「新型コロナウイルス感染拡大による病院経営状況の調査　2020年度第1四半期」を基に作成。

図表9　時間外労働月80時間以上の医師の人数

n=517病院

	2019年				2020年				増加率
	4月	5月	6月	4月～6月合計	4月	5月	6月	4月～6月合計	
該当する医師数　平均	9	9	8	26	8	8	7	23	-12%
（再掲）100時間以上	3	3	3	9	3	3	2	8	-11%
該当する医師数　総数	4720	4802	4211	13,733	3977	3924	3693	11,594	-16%
（再掲）100時間以上	1770	1745	1495	5,010	1423	1423	1243	4,089	-18%

（※）日本病院会・全日本病院協会・日本医療法人協会、「新型コロナウイルス感染拡大による病院経営状況の調査　2020年度第1四半期」を基に作成。

ず、重症者等を中心に診療したことが影響するが診療単価の増加で収入減を賄う水準には至らなかった。特に4月・5月に減少したのが予定手術や内視鏡、そして初診紹介患者であり、緊急事態宣言の影響を医療機関も直接的に受けることになった（**図表7、8**）。予定手術や内視鏡については、患者が外出を避けたことだけでなく、学会から不急のケースでは延期するよう通達があり医療機関側でもセーブしたことが関係している。ただし、緊急手術や急を要するケースが多い血管造影の減少は少なめであり、医療提供体制を死守すべく緊急事態宣言下でも病院が必死の努力を続けたことが結果として表れている。なお、患者数減少により医業収益が落ち込むと固定費が多くを占める病院では、すぐさま赤字に転落する宿命にある。

ただし、患者数が減少することにより時間外労働月80時間以上の医師の人数は16%、100時間以上は18%減少し、皮肉にも働き方改革が進むことになった（**図表9**）。

5　コロナ前の財務状況

ただ、病院業績はコロナ前から悪く、特に地域医療構想でも過剰とされる急性期機能を担う病院の赤字は深刻なものであった。

図表 10 は、病院機能別の収支状況であり、上から大学病院本院を中心とする高度医療と教育・研究機能を有する特定機能病院、中段が急性期医療を担うDPC対象病院（DPCは、Diagnosis Procedure Combinationのことで診断群分類毎の1日当たり急性期入院医療の包括払いを意味する）、下段が慢性期中心の療養病棟であり、損益差額が医業収益に対する利益の割合である、いわゆる利益率に該当する。

図表 10　病院機能別　収支状況

	特定機能病院					
	平成 25 年度	平成 26 年度	平成 27 年度	平成 28 年度	平成 29 年度	平成 30 年度
給与費（対収益）	44.8%	45.5%	42.7%	42.7%	42.6%	42.4%
医薬品費（対収益）	22.2%	23.0%	24.4%	24.4%	24.6%	25.2%
材料費（対収益）	14.1%	14.4%	14.1%	14.1%	14.6%	14.6%
委託費（対収益）	6.8%	7.0%	7.0%	7.0%	7.0%	7.1%
減価償却費（対収益）	8.8%	9.0%	8.5%	8.3%	8.1%	7.9%
その他	9.6%	9.7%	9.6%	9.2%	8.9%	8.9%
損益差額（対収益）	-6.4%	-8.5%	-6.2%	-5.8%	-5.7%	-6.0%
100 床当たり医業収益（千円）	3,089,205	3,161,959	3,337,040	3,416,853	3,572,062	3,695,846

	DPC 対象病院					
	平成 25 年度	平成 26 年度	平成 27 年度	平成 28 年度	平成 29 年度	平成 30 年度
給与費（対収益）	52.2%	53.2%	53.3%	54.2%	53.7%	53.5%
医薬品費（対収益）	15.0%	14.9%	15.3%	14.9%	14.0%	14.0%
材料費（対収益）	11.2%	11.4%	11.1%	11.2%	11.5%	11.3%
委託費（対収益）	6.5%	6.6%	6.7%	6.7%	6.7%	6.7%
減価償却費（対収益）	6.3%	6.6%	6.7%	6.6%	6.2%	6.0%
その他	10.4%	10.6%	10.8%	10.7%	11.2%	11.2%
損益差額（対収益）	-1.6%	-3.3%	-3.9%	-4.4%	-3.2%	-2.8%
100 床当たり医業収益（千円）	2,340,483	2,376,503	2,330,695	2,342,019	2,489,830	2,548,598

	療養病棟入院基本料 1					
	平成 25 年度	平成 26 年度	平成 27 年度	平成 28 年度	平成 29 年度	平成 30 年度
給与費（対収益）	59.7%	60.0%	58.2%	58.9%	59.4%	59.6%
医薬品費（対収益）	8.2%	7.9%	8.7%	8.4%	8.8%	8.6%
材料費（対収益）	5.7%	5.7%	6.8%	6.7%	7.6%	7.6%
委託費（対収益）	5.8%	5.8%	5.5%	5.5%	5.4%	5.4%
減価償却費（対収益）	4.4%	4.5%	4.5%	4.4%	4.2%	4.1%
その他	13.8%	13.8%	13.7%	13.7%	13.2%	13.2%
損益差額（対収益）	2.4%	2.3%	2.6%	2.4%	1.3%	1.5%
100 床当たり医業収益（千円）	1,027,172	1,049,103	1,153,779	1,157,058	1,118,466	1,147,697

（※）厚生労働省　医療経済実態調査に基づき作成。

ここから特定機能病院は大幅なマイナスであり、DPC 対象病院も赤字基調である一方で療養病棟はプラスである。急性期病院では手術や抗がん剤治療をするため、高額な診療材料や医薬品が必要となり、またそこに消費税負担が生じることも関係している。医療機関が業者に対して支払いをする際には、消費税を支払うが、診療報酬部分について患者から消費税をもらうことはないため、初再診料及び入院料で補填される仕組みであるが、その仕組みがうまくいっていないことを示唆している可能性もある。

一方で、**図表 11** は回復期リハビリテーション病棟や地域包括ケア病棟といった回復期機能を中心に担う病棟を有する病院の医業利益率であり、大幅なプラスである。コロナ禍でも回復期リハビリテーション病棟は変わらず高い収益性を維持しており、これらの機能に転換することが経済的にも有効であるといえるだろう（**図表 12**）。

さらに、病院と診療所の損益差額をみると病院は平成 24 年度には 0.1% のプ

図表 11　回復期リハビリテーション病棟・地域包括ケア　病棟医業利益率

回復期リハ 1	10.3%
回復期リハ 3	6.1%
回復期リハ 2	4.7%
地ケア 1& 医療療養	4.1%
地ケア 2& 急性期 4～7	2.5%
地ケア 2& 医療療養	2.1%
地ケア 1& 急性期 1・2	1.1%
地ケア 1& 急性期 4～7	1.0%
地ケア 2& 急性期 1・2	0.3%

（※）独立行政法人　福祉医療機構、「2018 年度　病院経営の状況について」を基に作成。

図表 12　入院料別経営指標の比較

	一般病棟入院基本料、n=742		特定機能病院入院料、n=26		地域包括ケア病棟入院料、n=22	
	2019年 4～6月	2020年 4～6月	2019年 4～6月	2020年 4～6月	2019年 4～6月	2020年 4～6月
医業収益	2,134,849	1,915,658	8,476,332	7,419,851	288,018	264,538
医業利益	-27,810	-223,332	137,833	-719,598	-5,340	-29,756
医業利益率	-1.3%	-11.7%	1.6%	-9.7%	-1.9%	-11.2%

	回復期リハビリテーション病棟、n=51		療養病棟入院基本料、n=249		精神病棟入院基本料、n=34	
	2019年 4～6月	2020年 4～6月	2019年 4～6月	2020年 4～6月	2019年 4～6月	2020年 4～6月
医業収益	479,698	479,433	456,558	431,672	594,710	573,350
医業利益	54,420	43,473	18,187	-4,819	10,142	-5,288
医業利益率	11.3%	9.1%	4.0%	-1.1%	1.7%	-0.9%

（※）日本病院会・全日本病院協会・日本医療法人協会、「新型コロナウイルス感染拡大による病院経営状況の調査　2020年度第1四半期」を基に作成。
全病床数の60%以上を占める入院基本料で分類している。

図表 13　一般病院と一般診療所　損益差額の状況

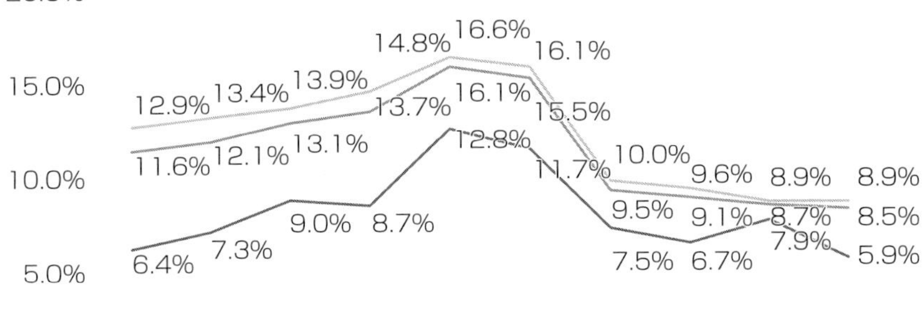

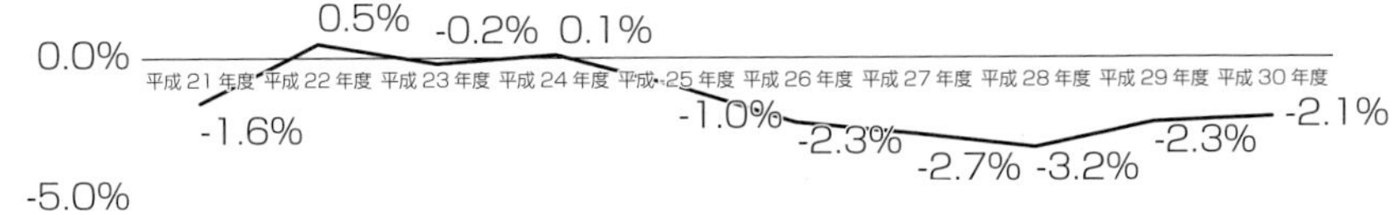

— 一般病院全体　— 一般診療所全体　— 一般診療所（入院診療収益あり）
— 一般診療所（入院診療収益なし）

（※）厚生労働省　医療経済実態調査に基づき作成。

ラスであったがその後、赤字続きであるのに対し、診療所は高い利益率を維持している（**図表13**）。

病床を持たない方がよい、仮に病床を有したとしても急性期機能を追求しない方がいいということなのであろうが、病院は地域医療構想でも過剰とされていることを承知しながら急性期の看板にこだわろうとするミスマッチが生じている。

もちろん、このような厳しい状況にある病院に対して、国は第二次補正予算等で多額の補填をしてくれ、医療提供体制の維持に本格的な財源投入を行い、コロナ患者の病床確保料や診療報酬でも配慮をしてくれている（**図表14**）。第二次補正予算の予備費を用いて重点医療機関である特定機能病院等については稼働・休止病床の病床確保料の上限を、ICUについて13.5万円を増額し、43.6万円、その他の病床についても2.2万円引き上げ、1日当たり7.4万円となった（**図表15**）。ただ、限られた財源の中で永遠に補填が行われる期待は薄く、医療機関はコロナ禍でも事業継続をすべく自助努力を惜しむべきではない。

図表14

（参考）

二次補正予算案における医療機関支援の概要

○ 新型コロナ感染症の事態長期化・次なる流行の波に対応するため、新型コロナ対応を行う医療機関に対する支援と併せて、その他の医療機関に対する支援を実施

一次補正での対応 → 医療提供体制整備等の緊急対策

①新型コロナ緊急包括支援交付金の創設（国費1490億円）
・ 診療報酬では対応が困難な、空床確保、宿泊療養の体制整備、応援医師等派遣などを支援

②診療報酬の特例的な対応 （一次補正とは別途の措置）
・ 重症の新型コロナ患者への一定の診療の評価を2倍に引き上げ
・ 医療従事者に危険手当が支給されることを念頭に、人員配置に応じて診療報酬を引き上げ
・ 一般の医療機関でも、新型コロナ疑い患者に感染予防策を講じた上で診療を行った場合に特例的な評価
等

③マスク、ガウン、フェイスシールド、消毒用エタノール等の確保、医療機関への配布、人工呼吸器の輸入・国内増産による確保

④福祉医療機構の優遇融資の拡充
・ 償還期間の更なる延長（10年→15年）

（予備費（第二弾）で措置）
・ 貸付限度額の引上げ （病院：貸付対象外→7.2億円、診療所300万円→4000万円）
・ 無利子・無担保融資の創設 （利子・担保あり→無利子枠：病院1億円、診療所4000万円、無担保枠：病院3億円、診療所4000万円） 等

二次補正での対応 → 事態長期化・次なる流行の波への対応

①新型コロナ緊急包括支援交付金の増額及び対象拡大 （全額国費により措置） 16,279億円
・既存の事業メニューについて、事態長期化・次なる流行の波への対応として増額 3,000億円
※ このほか、一次補正の都道府県負担分（1,490億円）を国費で措置
・ 新規の事業メニューとして、以下の事業を追加 11,788億円
① 重点医療機関（新型コロナ患者専用の病院や病棟を設定する医療機関）の病床確保等
② 患者と接する医療従事者等への慰労金の支給
③ 新型コロナ疑い患者受入れのための救急・周産期・小児医療機関の院内感染防止対策
④ 医療機関・薬局等における感染拡大防止等の支援

②診療報酬の特例的な対応 （二次補正とは別途の措置）
・ 重症・中等症の新型コロナ患者への診療の評価の見直し（3倍に引き上げ）
・ 重症・中等症の新型コロナ患者の範囲の見直し（医学的な見地から引続き管理が必要な者を追加）等

③マスク、ガウン、フェイスシールド、手袋等の確保、医療機関等への配布 4,379億円
※ この他、新型コロナウイルス感染症対策予備費により1,680億円を措置

④PCR等の検査体制のさらなる強化
・ 地域外来・検査センターの設置、研修推進、PCR・抗原検査の実施 366億円
・ PCR検査機器の整備、相談センターの強化 〔新型コロナ緊急包括支援交付金の内数〕
・ 検査試薬・検査キットの確保 179億円
・ 抗体検査による感染の実態把握 14億円 等

⑤福祉医療機構の優遇融資の拡充等 貸付原資として1.27兆円を財政融資
・ 貸付限度額の引上げ
・ 無利子・無担保融資の拡大
・ 6月の資金繰り対策としての診療報酬の概算前払い

図表 15

新型コロナウイルス感染症の重点医療機関の体制整備

（事業規模4728億円）

事業目的

重点医療機関（新型コロナウイルス感染症患者専用の病院や病棟を設定する医療機関）において、新型コロナウイルス感染症患者の受け入れ体制を確保するため、空床確保料を補助することにより、適切な医療提供体制を整備する。

事業内容

新型コロナウイルス感染症患者対応のため、重点医療機関として病床を整備した医療機関に対し、患者の迅速な受入体制確保の観点から、患者を受け入れていない病床に対する空床確保料として、相当額を補助する。
※ＩＣＵの空床確保の例：９７千円（一般の医療機関）→３０１千円（重点医療機関）

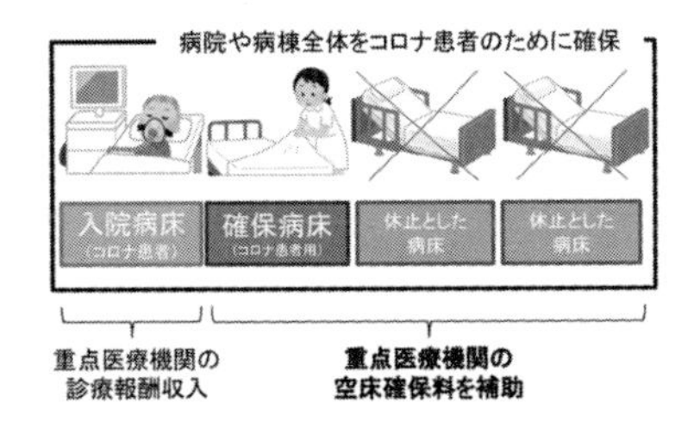

6　機能分化は進むのか

コロナによって医療機関も患者数が減少し、厳しい状況に陥った。しかし、ピンチはチャンスの始まりである。私はコロナを期に機能分化と連携が進むと考えている。

コロナの入院患者を受け入れたのは大規模急性期病院であり、その実績も明らかになり、重点医療機関、協力医療機関を中心に多額の財政支援も行われる。感染症対応と急性期機能は同じではないが、近似する面もある。地域の実情にもよるが、コロナ患者を受け入れた中核病院を高度急性期・急性期の中心に据えた地域医療構想が展開されていくのではないだろうか。

なお、コロナ前の業績をみると公立病院は、大幅な赤字で繰り入れがないとやっていけない状況にあった（**図表 16**）。自治体病院は政策医療を担うのだから繰り入れがあるのが当然だという主張がある一方で、救急車、小児・周産期・精神などについて民間でも担っているケースがあるわけで多額の補助金が

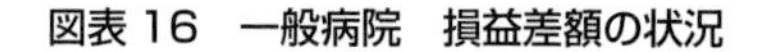

図表16　一般病院　損益差額の状況

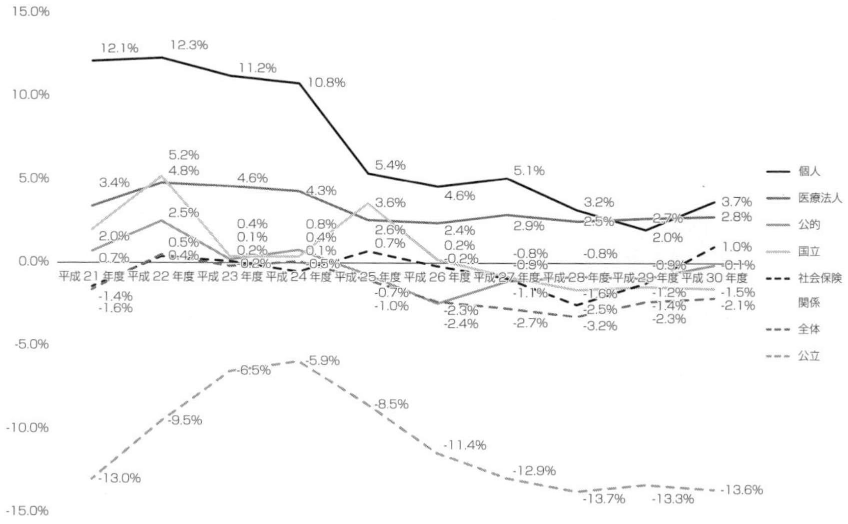

（※）厚生労働省　医療経済実態調査に基づき作成。

疑問視されている声があるのも事実である（**図表17**）。しかし、感染症病床を有している病院の約6割は公立病院であり、その見方も変わる可能性があるだろう。

今後、中核病院では、ICU等の集中治療室をさらに整備し高度急性期機能を強化することになるかもしれないし、それ以外の病院では急性期だけでなく、地域包括ケア病棟など回復期機能を中心とした多機能型の医療提供が行われていくことだろう。

病院としても自らの機能を見極めるよいタイミングに差し掛かっているととらえるべきであり、そのことが悪化する財務状況に歯止めをかけることになるのではないだろうか。ただし、診療報酬では総合入院体制加算というわゆる総合的な急性期病院であることに対して高い報酬が付いている。内科、外科だけでなく、小児科や産婦人科などを標榜することはたいへんなことであるから、そのことに報酬を与えようという趣旨なのだろうが、病院としてはこの報酬を手放すことが難しい。令和2年度診療報酬改定では、地域医療構想調整会議で合意を得た場合には小児科や産婦人科について弾力化など緩和の傾向であ

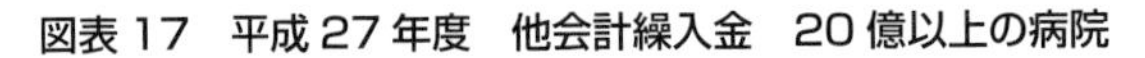
図表17　平成27年度　他会計繰入金　20億以上の病院

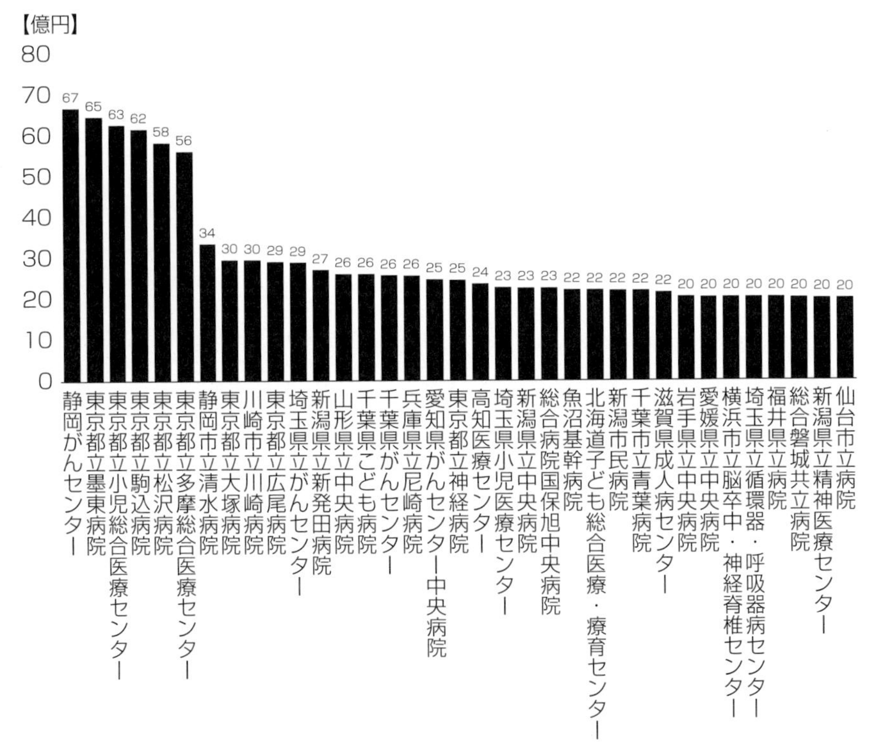

（※）総務省、地方公営企業年鑑をもとに作成。

るが、総合的な急性期病院を評価する仕組みが存在すると病院は減収になることを避けるためフルラインナップで勝負しようとするため、全国のあちらこちらに中途半端な急性期病院ができてしまう（**図表18**）。効率的な医療提供体制を整備する際にもこれらの報酬をどう考えるかは重要な論点でもある。

7　高度急性期病院における急性期機能の強化

高度急性期機能を志向する病院では集中治療機能を強化するケースもでてくるだろう。コロナ専用病棟をハイケアユニットなどの集中治療室として再開するなどの選択肢も有効である。そもそもコロナ禍で入院患者が増えないのだか

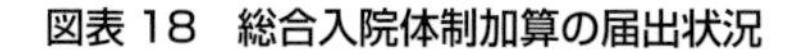
図表 18　総合入院体制加算の届出状況

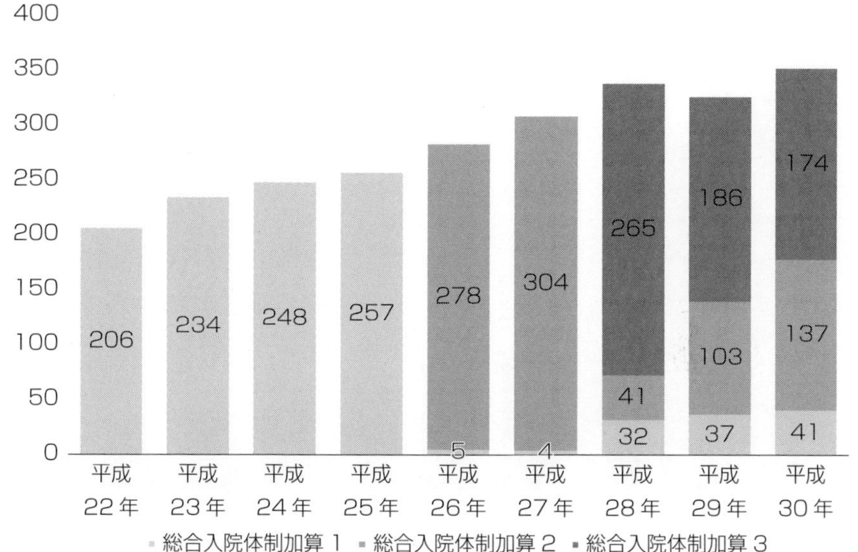

（※）中医協、主な施設基準の届出状況より、各年 7 月 1 日の届出状況。

ら、各病棟に分散する術後などの重症患者を集約し、集中治療により質と経済性を向上させるという選択である。なお、千葉大学医学部附属病院では 2021 年 4 月までに救命救急と術後患者等のハイケアユニットの 2 系統の集中治療室を整備する方向で検討を進めている。この検討は以前から漠然とあったのだが、コロナによって加速したことは間違いがない。この厳しい状況を自らの手で何かしなければと皆が真剣に考えているからこその病棟再編である。

図表 19 は人口当たりの ICU 病床数であり、わが国の ICU は諸外国と比べて過小なのではないか、コロナで重症患者が多数発生したらたいへんなことになるとメディアは騒ぎ立てた。ただし、都道府県によってその整備状況は異なっているが、利用率をみると決して高くない地域も存在するため、過剰に整備すればよいということにはならない（**図表 20、21**）。高単価の治療室をいかに有効活用するかも病院経営にとって重要な課題である。なお、ECMO を施行する重症患者は 4 月末をピークに減少に転じたもののゼロになる状況ではない（**図表 22**）。特に欧米で人工呼吸器が不足し、自動車メーカーなどの異業種

図表 19　人口 10 万人当たり ICU 病床数の国際比較

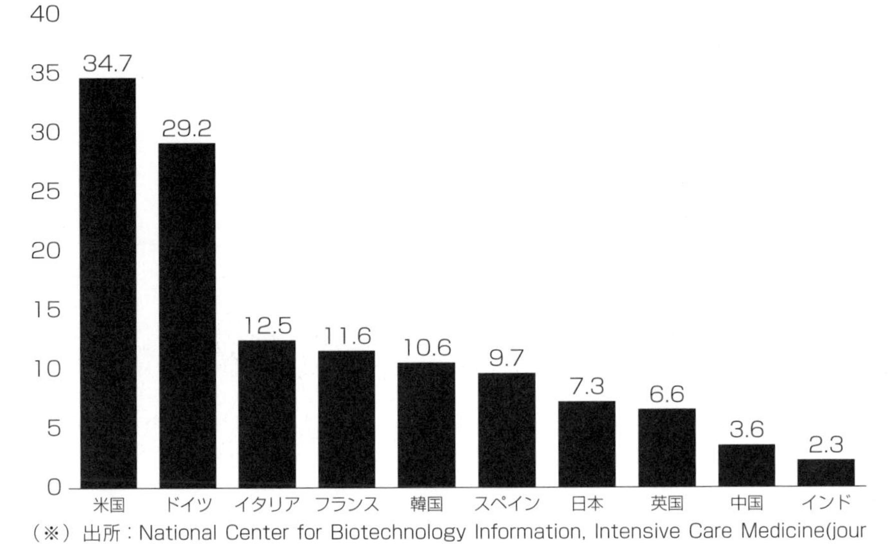

（※）出所：National Center for Biotechnology Information, Intensive Care Medicine(journal), Critical Care Medicine(Journal)
https://www.statista.com/chart/21105/number-of-critical-care-beds-per-100000-inhabitants/

図表 20　人口 10 万人当たり ICU 病床数

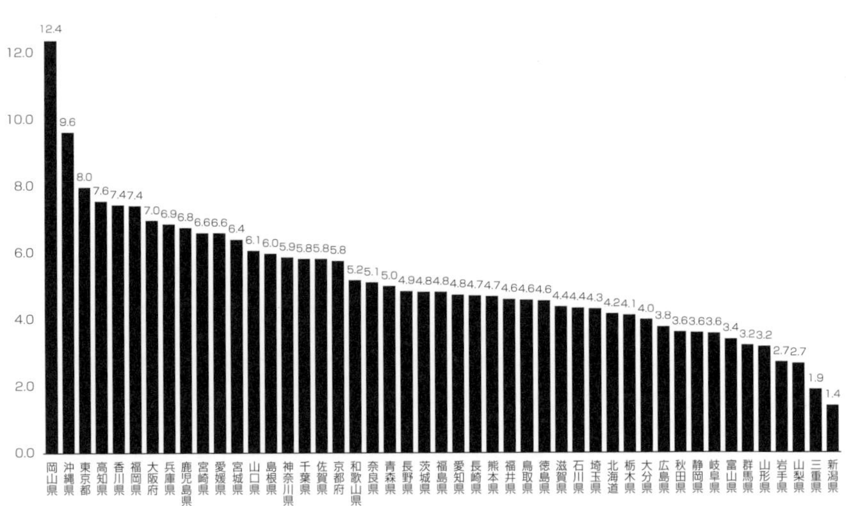

（※）ICU 病床数は日本集中治療医学会、「都道府県別 ICU ならびにハイケアユニット等病床数」を基に集計。

図表 21　都道府県別　ICU 病床の利用率

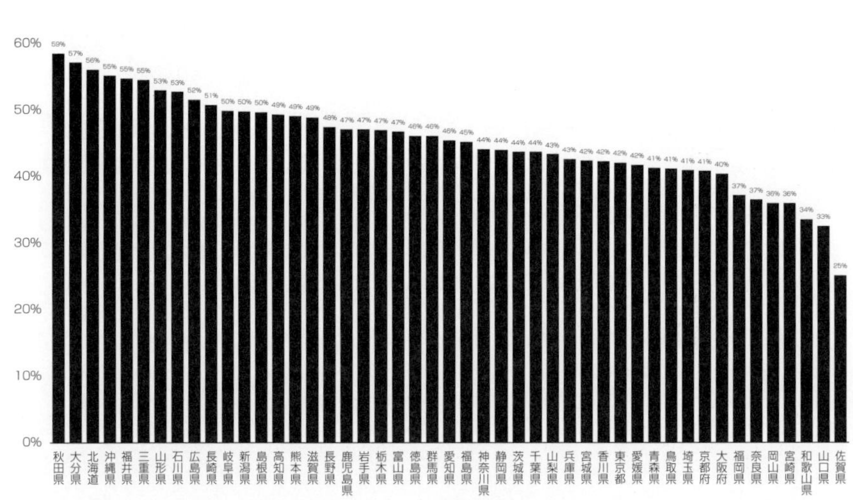

（※）分母の ICU 病床数は日本集中治療医学会、「都道府県別 ICU ならびにハイケアユニット等病床数」、算定数は第 4 回 NDB オープンデータを基に作成。

図表 22　COVID-19 重症者における人工呼吸器装着数（ECMO 含む）推移

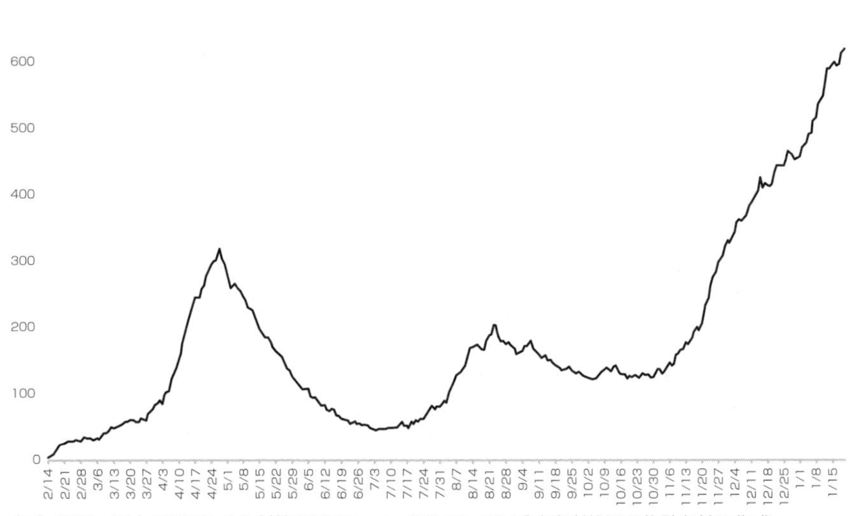

（※）出所：日本 COVID-19 対策 ECMOnet　COVID-19 重症患者状況の集計を基に作成。

も参入し人工呼吸器の増産が行われた。わが国でも補助金で人工呼吸器やECMOを医療機関に配ってくれたりしているのだが、モノだけあってもそれを回せるスタッフがいなければ話にならない。そもそも人口当たりの集中治療医とICU病病数には正の相関があり、ICUの治療室を増やせばそれだけで重症患者への対応ができることにはならない（**図表23**）。医師だけでなく、看護師・臨床工学技士なども含めた医療スタッフを育成していくことも高度急性期機能を担う病院の中長期的な課題である。

なお、高度急性期病院がその診療機能をフルに発揮するためには、ICUや人工呼吸器があればよいだけではなく、特にコロナ禍ではPCR検査体制を整備することも重要になる。PCRについては検体のみ病院で採取し、検査会社に委託する施設も多いのだが、それにはコストがかかるし、迅速性にも欠ける。院内でPCR検査を行うことができれば、そのキャパシティーにもよるが、全入院患者を対象にすることも可能になる。千葉大学医学部附属病院では、警戒ステージによって対応は変えているが、すべての入院患者にPCR検

図表23　人口10万人当たり認定集中治療専門医数とICU病床数

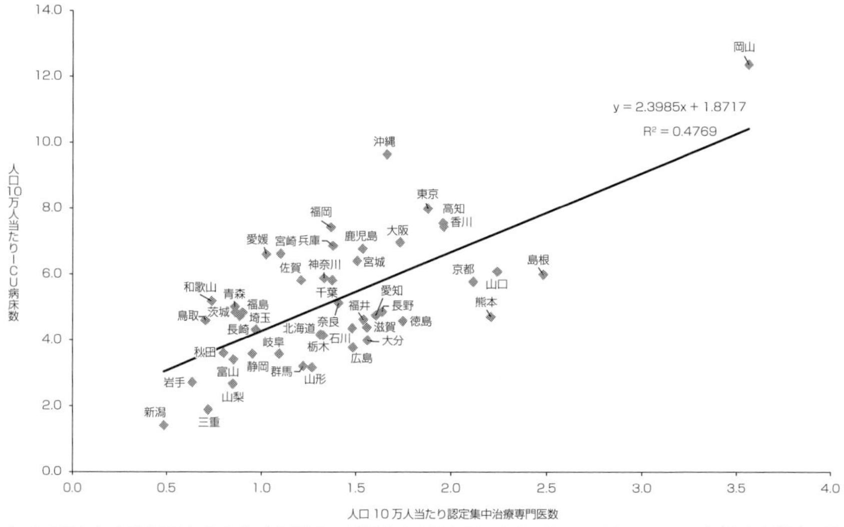

（※）ICU病床数は日本集中治療医学会、「都道府県別ICUならびにハイケアユニット等病床数」、認定集中治療専門医数は、2019年4月1日現在を基に集計。

査を実施しており、それにより患者自身も安心して入院できるし、院内の医療スタッフの安全も確保でき、平時に近い医療提供が行えている。ただし、PCRの精度は医療機関によって異なるともいわれており、質の高い検査が行えるかどうかも感染防止に向けて重要な鍵を握ることになる。

8 オンライン診療と外来医療の機能分化と連携

コロナ前にもオンライン診療は診療報酬で認められていたが、極めて限定的であった。オンライン診療が診療報酬で評価されたのは、平成30年度改定であるが対面診療が原則であり、あくまでも補完的という位置づけであった。初診患者は対象にならず、3か月に1回は対面診療を行うことや、緊急時に当該医療機関から30分以内で対面診療が可能であるというルールが盛り込まれ、さらに対象疾患も限定されたため普及には程遠い状況にあった（**図表24**）。しかしながら、今回のコロナを期に再診だけでなく、初診患者についても疾患を限定せずオンライン診療が時限的・特例的措置として解禁されることになり急速に普及した。患者にとっては医療機関に行くことは感染のリスクが増大するし、オンライン診療は便利であることは言うまでもない。さらに、医療機関側にとっても感染リスクやクラスター発生の回避、そして来院不要な患者に手間取ることがないというメリットはある一方で診療報酬の請求など医療事務を担う者にとって手続きがより煩雑であるという指摘もある。今後、オンライン診療を本格的に解禁していくべきなのか、様々な意見があるが、コロナ禍での実績を踏まえた議論が行われていくことだろう。社会が急速に変化していく中で、医療機関だけが旧態依然とした対応というわけにはいかず、法整備、体制整備、そして診療報酬での評価をどうしていくかを真剣に議論していくことになるだろう。

なお、外来についても地域医療構想と同じく、役割分担が求められており、大病院は外来を縮小し、専門外来に特化すること、そして診療所等がかかりつけ医としての機能を担うことが求められてい

図表24 オンライン診療料の届出状況

	平成30年	令和元年
病院	65	83
診療所	905	1223

（※）中医協、主な施設基準の届出状況より、各年7月1日の届出状況。

図表25

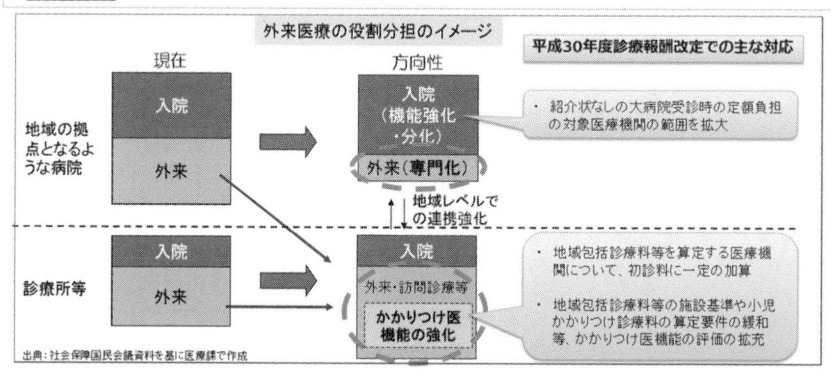
平成30年度診療報酬改定 Ⅰ－2. 外来医療の機能分化、かかりつけ医の機能の評価①
外来医療の今後の方向性（イメージ）
社会保障制度改革国民会議報告書（H25年8月6日）抜粋
○ 新しい提供体制は、利用者である患者が大病院、重装備病院への選好を今の形で続けたままでは機能しない
○ フリーアクセスの基本は守りつつ、限りある医療資源を効率的に活用するという医療提供体制改革に即した観点からは、医療機関間の適切な役割分担を図るため、「緩やかなゲートキーパー機能」の導入は必要
○ 大病院の外来は紹介患者を中心とし、一般的な外来受診は「かかりつけ医」に相談することを基本とするシステムの普及、定着は必須
○ 医療の提供を受ける患者の側に、大病院にすぐに行かなくとも、気軽に相談できるという安心感を与える医療体制の方が望ましい
外来医療の役割分担のイメージ
平成30年度診療報酬改定での主な対応
現在
方向性
地域の拠点となるような病院
入院
外来
入院（機能強化・分化）
外来（専門化）
地域レベルでの連携強化
診療所等
入院
外来
入院
外来・訪問診療等
かかりつけ医機能の強化
・紹介状なしの大病院受診時の定額負担の対象医療機関の範囲を拡大
・地域包括診療料等を算定する医療機関について、初診料に一定の加算
・地域包括診療料等の施設基準や小児かかりつけ診療料の算定要件の緩和等、かかりつけ医機能の評価の拡充
出典：社会保障国民会議資料を基に医療課で作成

る（**図表25**）。かかりつけ医の定義をどう考えるかなどの議論もあるが、私は機能分化と連携を前提とした外来医療の考え方は強く支持している。軽症で診療密度が低い患者が大病院の外来を占有することは高額機器を有する病院にとって効率的ではないし、外来は患者数が減少すれば診療単価が上がると主張してきた。実際、コロナで外来患者数は20%ほど減少したわけだが、それによって患者一人1日当たりの外来収入である外来診療単価は上昇した病院が多いことだろう。

患者は大病院志向が強いが、大病院の外来を支えるのは専門医集団である。専門医は自らの領域は責任をもって治療を行うが、それ以外については疑問もあり、興味を示さないこともある。CTをとって画像診断レポートに肺に影があると指摘があってもそれが自らの専門領域外である場合には、スルーするようなことすらあり得る。初診でそのような対応はさすがにないが、再診で大病院がかかりつけとなり、何年も大病院に通っているとそういうタイミングがやってくるかもしれない。患者はお医者さんにかかっているのだから安心だと

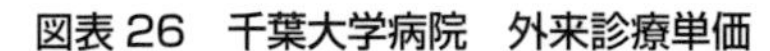

図表 26　千葉大学病院　外来診療単価

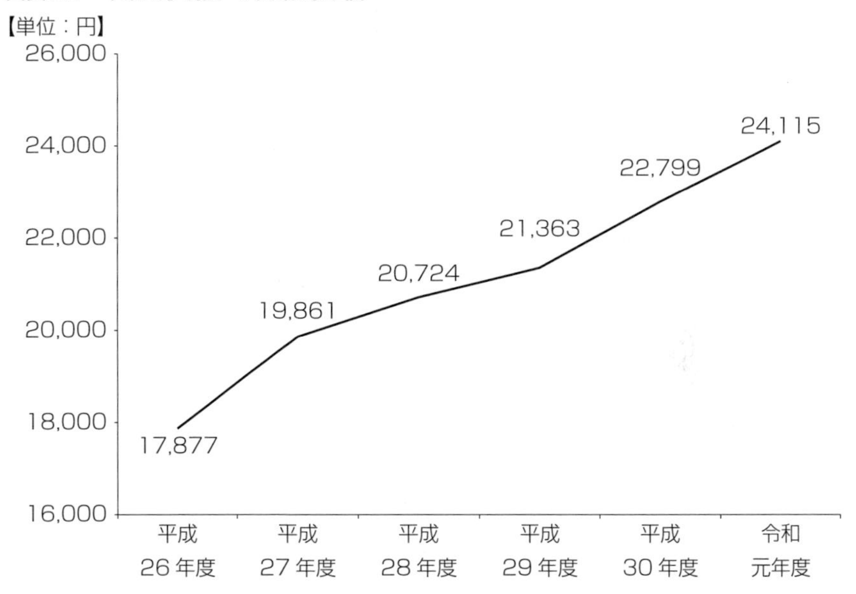

考えるが、専門医の認識とはミスマッチが生じてしまうこともありうる。全人的な顔の見える医療はかかりつけ医にお願いすることが望ましいと私は考えている。

図表 26 は千葉大学医学部附属病院における外来診療単価の推移であり、毎年上昇している。患者一人 1 日で 2 万円を超える収入なわけだから高額だと感じる方が多いだろうが、これは、抗がん剤等の高額薬剤の台頭による影響を色濃く受けている。この外来患者を初診と再診に分け単価の分布をみると初診は紹介患者が中心であり仮に単価が低いからといってそれは受け入れるべきだが、再診は 5,000 円以下が 4 割を占めている（**図表 27**）。1,500 円以下の患者も 24%存在する。単価が低いから受け入れないということではなく、かかりつけ医でよいものはそちらでお願いすることが望ましい。CT・MRI などを有する大病院は診療密度が高い患者に集中することが望ましく、コロナによってこの棲み分けは加速するかもしれない。

現行の診療報酬制度で紹介を中心に受け入れるのは、特定機能病院と 200 床以上の地域医療支援病院とされている。これらの病院では紹介状を持たない患

図表27　千葉大学病院　初再診別　外来診療単価の分布　令和元年度4月～6月

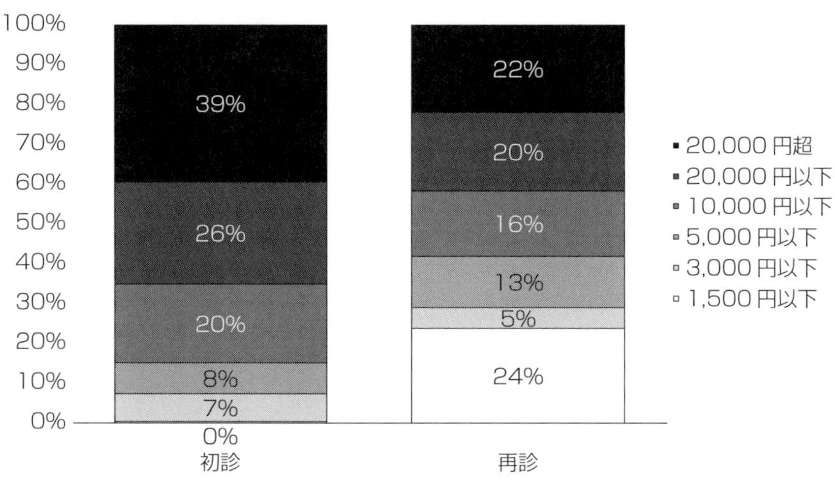

図表28

特定機能病院制度の概要

趣　旨

医療施設機能の体系化の一環として、高度の医療の提供、高度の医療技術の開発及び高度の医療に関する研修を実施する能力等を備えた病院について、厚生労働大臣が個別に承認するもの。

※承認を受けている病院（平成31年4月1日現在）… 86病院（大学病院本院79病院）

役　割

○高度の医療の提供　　○高度の医療技術の開発・評価
○高度の医療に関する研修　　○高度な医療安全管理体制

承認要件

○ 高度の医療の提供、開発及び評価、並びに研修を実施する能力を有すること
○ 他の病院又は診療所から紹介された患者に対し、医療を提供すること（紹介率50%以上、逆紹介率40%以上）
○ 病床数 ……400床以上の病床を有することが必要
○ 人員配置
　・医　師‥‥通常の2倍程度の配置が最低基準。医師の配置基準の半数以上がいずれかの専門医。
　・薬剤師‥‥入院患者数÷30が最低基準。（一般は入院患者数÷70）
　・看護師等‥入院患者数÷2が最低基準。（一般は入院患者数÷3）
　・管理栄養士1名以上配置。
○ 構造設備‥‥集中治療室、無菌病室、医薬品情報管理室が必要
○ 医療安全管理体制の整備
　・医療安全管理責任者の配置
　・専従の医師、薬剤師及び看護師の医療安全管理部門への配置
　・監査委員会による外部監査
　・高難度新規医療技術及び未承認新規医薬品等を用いた医療の提供の適否を決定する部門の設置
○ 原則定められた16の診療科を標榜していること
○ 査読のある雑誌に掲載された英語論文数が年70件以上あること　等

※　がん等の特定の領域に対応する特定機能病院は、診療科の標榜、紹介率・逆紹介率等について、別途、承認要件を設定。

者については、初診では5,000円以上、再診では2,500円以上の選定療養費を自費で徴収することが義務付けられている。特定機能病院は1992年の第二次医療法改正で創設された制度であり、高度医療を提供し、教育・研究機能を有する病院で大学病院本院が中心となっている（**図表28**）。一方、地域医療支援病院は1997年の第三次医療法改正で設けられた紹介や救急を中心に受け入れる地域中核病院であるが、実際は入院だけでなく、一般外来も行っており、入外ともに機能分化が進んでいないという現実が指摘されている。

なお、これらの大病院でもコロナ禍ではオンライン診療などを行っている。もちろん内視鏡後の結果説明のみの来院であれば、オンラインで実施した方が効率的だ。大病院の外来は待ち時間が長く、結果説明だけで来院し、感染のリスクがあるのだとすれば、患者も電話での結果説明やオンライン診療を望むだろう。ただ、オンライン診療に積極的に乗り出し、一般外来を拡大し、患者を囲い込もうという発想は間違っていると考えている。そもそも外来診療は当直に次いで医師の負担であることが明らかにされており、働き方改革を推進するためにも外来縮小を行うことは重要であり、コロナがこの流れを加速させた（**図表29**）。

特定機能病院や地域医療支援病院を中心とした高度急性期病院は重篤な患者に対応する役割を担っているわけであり、状態が落ち着いたらかかりつけ医にバトンタッチすべきである。そもそもオンライン診療で対応できるということは状態が落ち着いている患者もいるだろうから、その患者はかかりつけ医にお願いすることが望ましい。特に長期処方をする患者は、病態が安定していることが多く、大病院からかかりつけ医へと紹介することになる（病院ではこれを逆紹介という）。ましてや初診患者のオンライン診療は安全面で支障をきたすだろうし、再診であってもオンラインで済むならば、大病院に来院する必要がないケースは多いものと予想される。ただし、セカンドオピニオンなどすでに検査結果などを踏まえた自費外来等については遠方患者に配慮しオンライン化が加速していく流れも出てくるだろうし、皮膚科や精神科など診療科によってはオンライン診療が適し、放射線科の読影も遠隔で行うことが効率的である。さらに管理栄養士による栄養指導や薬剤師による服薬指導などもオンラインが適合するものと考えられる。国をあげてオンライン診療を普及させるためには、す

図表29

医師の外来診療に対する負担感

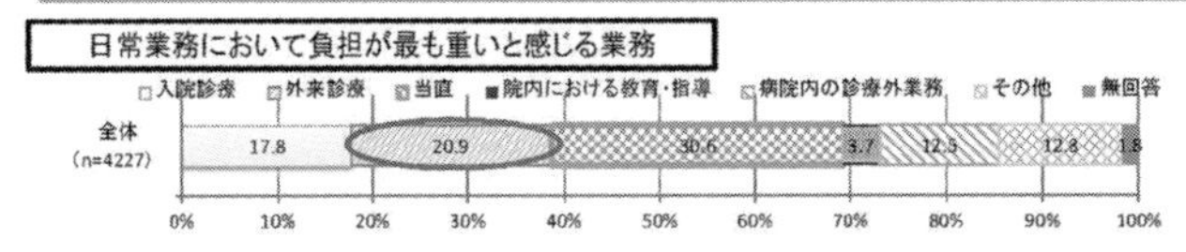

（出典：平成20年度　検証部会調査「病院勤務医の負担軽減の実態調査」をもとに医療課で作成）

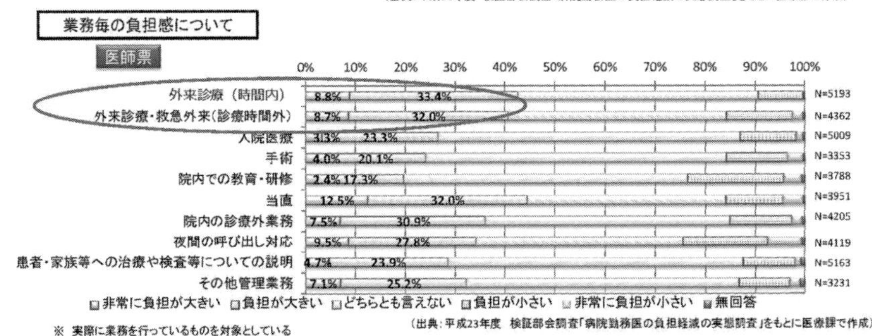

○ 日常業務において最も負担が重いと医師が考える業務は、当直に次いで外来診療であった。
○ 外来診療を「非常に負担が大きい」あるいは「負担が大きい」と感じる医師が約4割強存在した。

出所：中医協総会　第209回　2011年11月30日資料

でに診療報酬で評価されている心臓ペースメーカーや睡眠時無呼吸症候群の遠隔モニタリングのように、在宅で患者状態を把握する仕組みが必要になるだろう。

新型コロナウイルスを契機にかかりつけ医を中心にオンライン診療が普及し、社会で一般的なものと位置付けられた場合に、規制緩和の立場からはスイッチOTCの推進や医師から薬剤師への一部の処方権の移行なども議論されていくかもしれない。規制緩和も大切であるが、患者の命を預かる医療であるから質を担保することが重要であり、その上で効率化を図っていくことが期待される。

9　地域の雇用の場として

今後、病院は地域の雇用の場としても注目が集まるだろう。診療報酬では医師の入力補助や書類作成支援を行う医師事務作業補助体制加算や看護師をサポートする急性期看護補助体制加算などがすでに評価されており、働き方改革が重点課題とされる中で、令和２年度診療報酬改定においてもさらに手厚い報酬となっている。急性期看護補助体制加算夜間100対１は令和２年度診療報酬改定で30％も評価が引き上げられ、届出は病院経営にも経済的なインパクトが大きく重要課題である。

有効求人倍率がコロナによって急落し、雇止めが増加する中、病院は地域の雇用の場として重要になるだろう（**図表30、31**）。病院としてもタスクシフトにより働き方改革を乗り切る必要があることから、単に雇用するだけでなく、いかに有効に機能させるかに本腰を入れなければならないだろう。今後の診療報酬改定でもさらに手厚い報酬が用意されることになるだろう。

図表30　有効求人倍率の推移

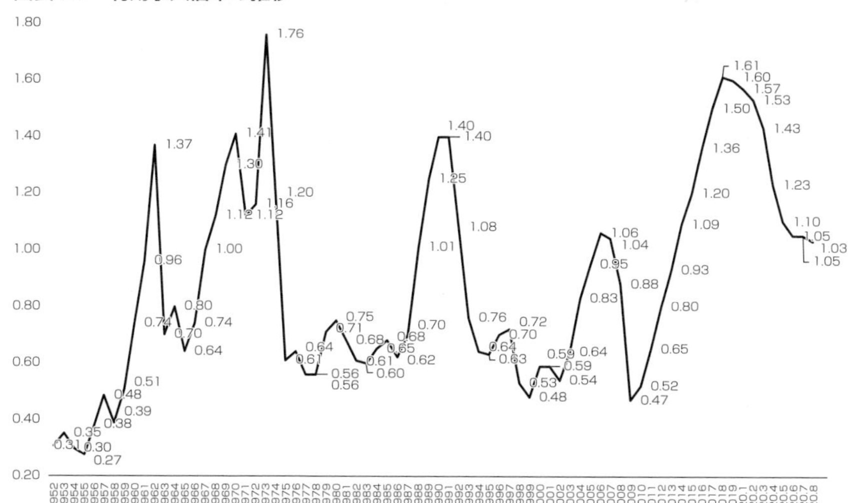

（※）厚生労働省資料を基に作成。有効求人倍率（パートタイムを含む一般）【実数】

図表31　新型コロナウイルスに係る雇用調整　解雇等見込み労働者数

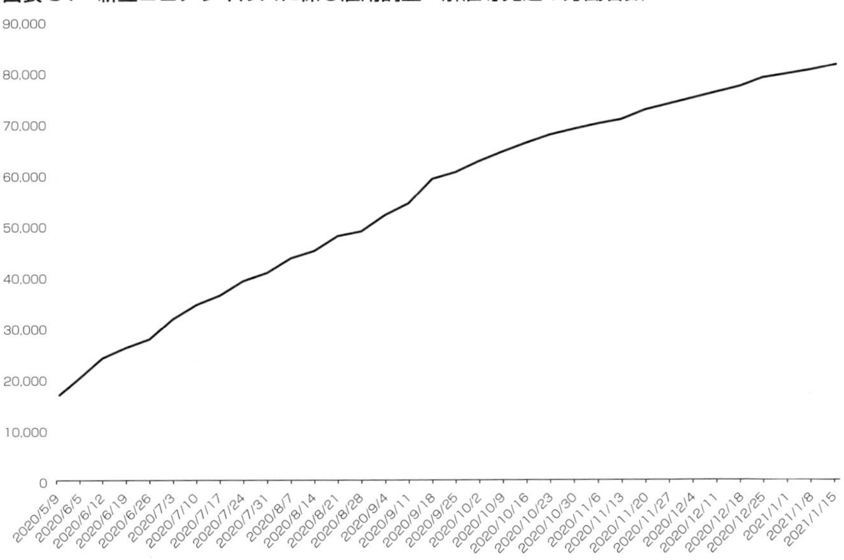

（※）出所：厚生労働省資料、「新型コロナウイルス感染症に起因する雇用への影響に関する情報について」を基に作成。

10　コロナで診療報酬のプラス改定は実現するのか？

図表32 に示すように2000年以前の診療報酬改定はプラスであり、2年に1回の改定ごとに報酬は上がっていった。ところが、2000年以降医療費抑制が続き、2010年からの民主党政権時代を除いて全体としてはマイナス改定が相次いでいる。ここ最近は、薬価等の減少分で何とか本体プラスを維持しているが、全体としては厳しい状況にある。薬価等は医療機関が薬や材料を購入した実勢価格に応じて毎回引き下げが行われる。

ただ、コロナ禍で医療提供体制を支えた医療機関に対する世間の評価は高い。コロナ禍で高度急性期病院には患者や企業から多額のご寄付をいただいているという現実もある。国もコロナ患者を受け入れた病院に対して補助金を投入してくれ、再評価しようという動きがある。しかし、医療が経済を成長させるわけではなく、下支えする存在だと私は考える。社会に絶対的に不可欠な存在ではあるものの、コロナで打撃を受けた経済が再び活性化しない限りは、医

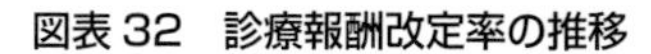
図表 32　診療報酬改定率の推移

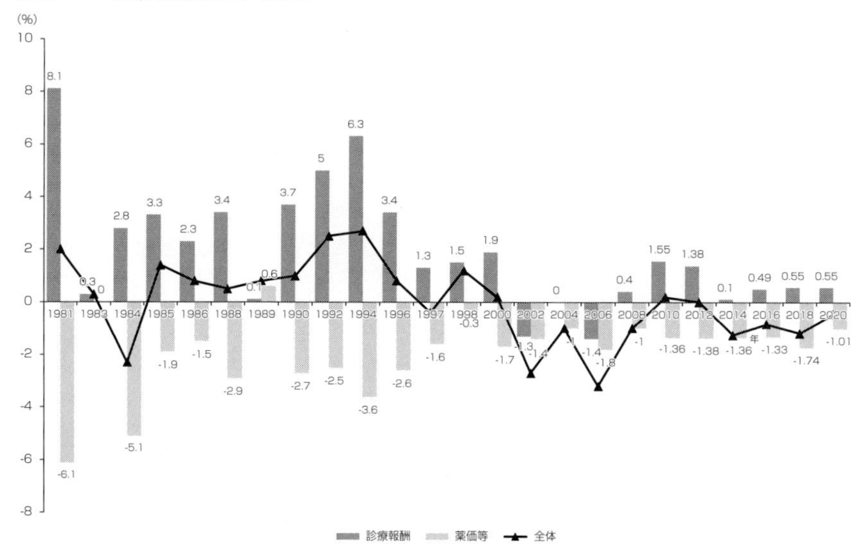

療機関に対して手厚い報酬改定は難しいのではないだろうか。もちろん、医療機関といってもその機能は多様であり、財源の配分をどこに重点的に行うかは議論の余地があるだろう。

11　医療政策の方向性と病院経営の本質は変わらない

新型コロナウイルスによって対応時期が多少ずれ込んだとしても、再編統合の対象となった440病院が現状のままでよいということにはならないだろう。高齢者が増加する中で、効率的な医療提供体制を確立することは財源の制約がコロナでより厳しくなったわが国にとって必要である。さらにオンライン診療の拡大などによる効率化が進むことはあるだろうが、病院経営の本質は何ら変わりがないと私は考えている。

いやむしろ、この厳しい時期だからこそ、適切な戦略を策定し、組織を一つの方向に導ける経営力が問われているのだと思う。今はコロナだから何もしないという病院が多過ぎるように感じる。確かに今動くことは現場に負荷をかけるのではないかという経営者の気持ちも理解できなくはない。しかし、厳しい今だからこそ、病棟再編やダウンサイズなど思い切って動いてみるときではないだろうか。

コロナ前からすでに患者、特に急性期患者が増えないことは明らかだったわけだ。特に人口減少が進む地域ではこれからも患者は戻ってこないと考えるべきだろう。そのことを前提に思い切った施策を打ち出し、実行できるかどうかが問われている。

コロナによって強い者はより強く、そして弱き者が何も動かなければ淘汰される時代が間近に迫っている。

4. 中小企業・小規模事業者がとるべき新型コロナウイルス感染対策

木野 直之・中小企業診断士

2020年初頭より急速に拡大した新型コロナウイルス感染は、日本全国の中小企業・小規模事業者[1]に多大な影響を与えている。

2020年4月7日、東京都・神奈川県・千葉県・埼玉県・大阪府・兵庫県・福岡県の7都府県に対して緊急事態宣言を発令し、不要不急の外出自粛などを要請した。最終的には、全都道府県が緊急事態措置を実施すべき区域として指定されて、人の移動が大きく制限された。また、緊急事態宣言発令後、感染者数が増加傾向にあった東京都と神奈川県では、遊行施設や商業施設などに対して4月11日より休業・時間短縮営業の要請を行い、これに追随してほぼすべての都道府県で休業・時間短縮営業の要請が行われた。

① 生活様式の変化

2020年5月4日には、新型コロナウイルス感染症専門家会議によって「新しい生活様式」が提言され、われわれの日常生活にも変化が生まれた。新型コロナウイルス感染防止の3つの基本対策として、①身体的距離の確保、②マスクの着用、③手洗いが提示され、当初はマスク不足・アルコール消毒液不足などによって混乱があったものの、現在は広く定着しており、日常的な生活様式となっている。

密集・密接・密閉の3密回避も広く浸透しており、飲食店でもソーシャルディスタンスを保った座席配置や、窓を開放しての換気の徹底、また、屋外のテラス席が注目されるなど3密回避を意識した営業スタイルに変化している。

1 中小企業基本法の定義に従い、商業・サービス業は従業員5名以下、製造業は従業員20人以下の事業者のことを差し、個人事業主を含む。

②　消費動向の変化

コロナ禍で外出自粛が続くなかで、「StayHome」「おうち時間」などの新たな言葉が生まれたほか、国内の消費動向も変化をしており、「巣ごもり需要」「巣ごもり消費」と呼ばれる新しい言葉が誕生した。インターネット上で買い物が可能な電子商取引（EC）の流通量が増加しており、国内大手の EC ショッピングモールの楽天市場では、2020 年 4 ～ 6 月期の取扱い高が前年同期比で約 15％増加した。コロナ禍での急速なテレワークの普及により、パソコン関連商品の売れ行きが好調なほか、自宅で料理を楽しむためのキッチン用品や食品の売れ行きも好調であり、さらに、自宅で余暇を楽しむために、ゲームや手芸などの趣味の分野の売れ行きも好調であることから、「おうち時間」「巣ごもり消費」が増加していることがわかる。

EC 以外でも、コロナ禍において自宅で料理をする内食需要が増えたことから、食品スーパーなどの食品小売業の売上増加している。

飲食業界においては、「おうち時間」の影響もあって、テイクアウトやウーバーイーツに代表されるデリバリーサービスの需要が増加し、実店舗を所有せずにデリバリーサービスのみで飲食営業を行うバーチャルレストランも増えてきており、飲食店の経営体制にも変化が求められる時代となっている。

③　働き方の変化

緊急事態宣言発令後にはテレワークを導入する企業が急増し、出勤する必要がある場合でも、時差通勤・オフピーク通勤が推奨され、ピーク時間帯の混雑が緩和されている（首都圏では 2 月 25 日と比較して 73％の緩和）。

オフピーク通勤による新型コロナウイルス感染拡大防止対策が進む一方で、コロナ禍での電車の利用客減少などから、JR は首都圏（東京 100 キロ圏内）、関西圏の終電繰り上げを発表した。JR の流れを受けて、首都圏の小田急・西武鉄道等も繰り上げの検討を始めている。

このように、コロナ禍では人の移動にも様々な影響を及ぼしており、マチナカでの過ごし方にも変化が出ている。

④ 営業様式の変化

人の移動が制限され、施設・店舗の営業時間短縮が続いた結果、夜間営業時間を見直す飲食店が出始めている。東京都では、新型コロナウイルス感染拡大防止のため、施設の使用停止や営業時間の短縮に協力した中小企業・小規模事業者に対して感染拡大防止協力金を支給したが、小規模飲食店の中には、時間短縮営業要請が解除された以降も、営業時間を元に戻さずに、深夜0時前に閉店するようになった店が増えつつある。営業時間の短縮は、決してマイナス思考によるものではなく、新しい生活様式に合わせた新しい営業様式であると考える。

⑤ 旅行者の変化

世界的な視野で見た人の移動については、2020年2月以降に世界各国で入出国制限が実施され、日本国内においても外国人観光客が激減しており、とりわけ観光・宿泊業界に大きな影響を及ぼしている。外国人観光客が戻る時期は不透明であり、疲弊する観光・宿泊業界を救うべく、国内観光需要喚起を狙ってGoToトラベルキャンペーンが開始された。

⑥ GoToトラベルキャンペーン

東京都民がGoToトラベルキャンペーン開始当初の対象から外れるなどマイナスイメージも多く伝わっているが、「2020年7月22日から9月15日の期間で、利用人泊数は少なくとも約1,689万人泊、割引支援額は少なくとも約735億円」（観光庁　10月6日速報値）と、コロナ禍で甚大な被害が出ている観光・宿泊業界の復興に対して、一定の役割を果たしている。

GoToトラベルを皮切りに開始された「GoToキャンペーン事業」は、2020年10月現在までにGoToトラベル、GoToイート、GoTo商店街が実施されており、GoToイート、GoTo商店街についても簡単に説明をする。

⑦ GoToイートキャンペーン

GoToイートキャンペーンは、新型コロナウイルス感染拡大により甚大な影響を受けている飲食業を対象とし、期間を限定した官民一体型の飲食店利用喚起キャンペーンであり、2種類のキャンペーンがある。

・プレミアム付き食事券：25%のオマケが付与された、紙媒体での食事券
・オンライン飲食予約：昼食時間帯は予約1名につき500円分、夕食時間帯（15時以降）は1,000円分のポイントを付与（オンライン予約を行ったグルメサイトの専用ポイント）

生活に身近な飲食店で利用できるとあって、TVニュースなどを通じて一斉に報じられたが、GoToイートという言葉だけが一人歩きしているように見受けられ、2種類のキャンペーンが存在していることを知らない消費者も多い。また、オンライン飲食予約は10月1日から全国一斉に開始されたが、プレミアム付き食事券は都道府県単位で発行時期がバラバラになっており、混乱の基にもなりかねない。

飲食店側にも、GoToイートキャンペーンの詳細が周知徹底されているわけではなく、プレミアム付き食事券について、飲食店が自ら参加申請を行う必要があることを知らない飲食店が存在する。また、オンライン飲食では、予約1名あたり50～200円程度の送客手数料が発生するため、参加を躊躇している飲食店も多い。

このように、全ての飲食店でGoToイートキャンペーンが利用できるわけで無いことは、周知徹底するべきである。

⑧　GoTo商店街

商店街などによるイベント開催、プロモーション、観光商品開発等を実施し、人の流れと街のにぎわいを創出し、コロナ禍で疲弊した地域の需要喚起を目的とした施策である。「商店街イベント等の例」として、「新型コロナウイルス感染症対策を講じた上での毎年恒例の商店街イベントの実施」が挙げられており、イベント開催に慣れている商店街にとっては、敷居が低い補助金となっている。

⑨　中小企業・小規模事業者への各種支援策

経営資源に限りのある中小企業・小規模事業者が新しい生活様式に対応するために、国や地方自治体が各種補助金・助成金などを策定し、多種多様な支援

を行っている。

本章では、これらの劇的な環境変化のなかでも、中小企業・小規模事業者にとって特に影響が大きい「テレワーク」・「補助金・助成金」について述べるとともに、コロナ禍での中小企業・小規模事業者が行った対応について実例を交えて紹介する。

1　急速なテレワークの普及

新型コロナウイルスの影響により、テレワークを導入する企業が急激に増加している。

コロナ禍以前でもテレワークを導入している企業は存在したが、大企業やITリテラシーが高いベンチャー企業など一部にとどまっており、わが国の業務スタイルには合わないとされていた。2007年には【テレワーク人口倍増アクションプラン】が策定され、国を挙げてテレワーク導入を推進したが、総務省が毎年まとめている情報通信白書によれば、テレワークを導入できない理由で最も多く挙げられているものは、「テレワークに適した仕事がない」であることからも、日本企業の企業風土には合わないことがうかがえる。

国内企業におけるテレワーク導入率は、「2019年時点で20.2%（300人以上の企業では32.1%、300人未満の企業では15.1%）」（総務省　情報通信白書　令和2年度版）であった。また、東京商工会議所が発表したデータでも、2020年3月13日〜3月31日までの調査期間において、テレワークを実施していた企業が26%であり、日本国内でテレワークがあまり普及していなかったことがわかる。

ところが、2020年4月7日に発令された緊急事態宣言後においては、テレワーク実施率が67.3%と急激に増加している。

就業者側の立場でのテレワーク実施状況はどうだろうか。2020年6月21日に内閣府が発表した調査データでは、コロナ禍において、日本全国で34.6%の就業者が何らかのかたちでテレワークを経験しており、東京23区内に限定すれば、55.5%の就業者がテレワークを経験していることが記されており、このことからもコロナ禍をきっかけとしてテレワークが急速に普及したことがわかる。

緊急事態宣言により全国的に不要不急の外出自粛が呼びかけられ、「テレワークでできる仕事を探す」ことが求められるようになったことにより、テレワーク導入が急激に進んだと推測する。

①　充実した各種テレワーク導入支援策

急速にテレワークが普及した背景として、国や各地方自治体が実施した中小企業向けのテレワーク導入支援策の効果も大きいと考える。

東京都が実施した「事業継続緊急対策（テレワーク）助成金」は、パソコンやタブレットなどテレワークに必要な機器の購入費用が100％助成されるため、都内に事業所を構える多くの中小企業が申請を行った。また、厚生労働省が実施した「働き方改革推進支援助成金（新型コロナウイルス感染症対策のためのテレワークコース）」は東京都のテレワーク助成金と比較して経費対象が限定され助成率が低くなっているが、全国の中小企業が活用できたため、国内の多くの中小企業が申請をした。

②　Zoomの利用者増加

コロナ禍において、プライベートからビジネス利用まで、老若男女に利用されるようになったWeb会議ツール「Zoom」。企業の会議だけでなく、コロナ禍で通学自粛されていた学校の遠隔授業やスポーツスクールの遠隔トレーニングなどの実施に大きく貢献した。これらの事例については後述する。

一方で、Zoomは一時期、セキュリティ問題も大きく取り上げられた。フェイスブックに情報が送信されていることや、他者のZoom会議に勝手に割り込む「Zoom爆弾」と呼ばれる嫌がらせ行為も発生した。使い勝手が優先されてセキュリティ面の対応が後回しになっていたことが原因の一つであると考えるが、現在はセキュリティ面も改善されており、部外者が勝手に会議に割り込むことができなくなっている。

このように、Zoomのような誰でも手軽に導入できるツールが増え、テレワーク導入に対する敷居が低くなっているが、テレワーク導入時にはリスクが存在することも考慮する必要がある。

③ テレワーク導入時のリスク

テレワークを導入するためには、企業側の設備だけで無く、従業員側も設備を整える必要がある。大企業においては、コロナ禍以前よりIT担当部門が常設されており、セキュリティ対策に十分な投資が可能であるため、ウイルス対策ソフトやソフトウェアVPN[2]が導入されたノートパソコンを従業員に貸与して、情報漏洩リスクを最小限に防いでいる。

一方で、中小企業においては、IT担当部門やITの専門知識を持つ従業員が存在しない企業も多く、企業側のセキュリティ対策が不十分である場合が多い。また、従業員が個人で所有するパソコンで情報のやり取りが行われることが多く、ウイルス対策ソフトが未導入もしくは有効期限切れの状態で利用しているシーンを目撃することが多々ある。

コロナ禍でのテレワーク利用者の増加により、「Emotet（エモテット）」と呼ばれるコンピュータウイルスが添付されたメールが拡散されており、注意が必要である。

「Emotet（エモテット）」は、実在する組織や人物になりすまし、ウイルス付きの添付ファイルを重要資料としてメールで送信し、メール受信者が不用意に添付ファイルを開いてしまうことで感染する。「Emotet（エモテット）」に感染すると、社内の重要な情報が流出するだけでなく、社外へウイルス付きメールがばらまかれてしまい、企業のブランド毀損や損害賠償の対象となる恐れがある。

機密情報漏洩リスク

その他、テレワークを導入する際には、人的なミスとしての機密情報漏洩にも注意する必要がある。昨今では、公共施設やマチナカの飲食店・カフェ等にもフリーWifiが設置されている場所が増えており、自宅以外でもテレワークを行うことが可能である。自宅の通信環境が不十分であっても、手軽にテレワークができる環境が整ってきている一方で、以下に挙げた人的ミスによる機

2 VPN（Virtual Private Network）：暗号化などを用いてインターネット上で仮想の専用回線を作り、安全に情報のやり取りを行う技術（一般的なインターネットVPNについての説明）。

密情報漏洩リスクも増加している。

・のぞき見

カフェなどで作業をしている際には、隣席に座る人や座席の後ろを通る人に作業中の覗かれないように、のぞき見防止フィルムを貼るなどの対策を実施する必要がある。

・ノートパソコンの置き忘れ・盗難

カフェでトイレに行っている最中にノートパソコンが盗難に遭う、電車の網棚に会社貸与のノートパソコンを置き忘れるなど、自宅以外でテレワークを行う際にはノートパソコンの置き忘れ・盗難に細心の注意を払う必要がある。

・フリー Wifi 利用による通信の盗聴

カフェなどに設置されたフリー Wifi の中には暗号化されていないものがあり、暗号化されていないフリー Wifi は通信内容の盗聴されてしまうリスクがある。

④　その他の課題

食品製造業などの一部業種では、取引先企業のテレワーク導入により、取引縮小・停止に追い込まれる中小企業も出てきており、自社以外のテレワーク導入についても意識を向ける必要がある。これについては後述する。

2　中小企業・小規模事業者向けの補助金・助成金

近年、中小企業・小規模事業者に対する各種補助金・助成金が充実しており、中小企業庁が管轄する「小規模事業者持続化補助金」、「ものづくり補助金」、「IT 導入補助金」は、現在までに全国の中小企業・小規模事業者に多く利用されている。

2020 年 5 月には、中小企業生産性革命推進事業による「事業再開支援パッケージ」が策定され、「小規模事業者持続化補助金」、「ものづくり補助金」、「IT 導入補助金」において、コロナ禍での事業再開を強力に後押しするため、「サプライチェーンの毀損への対応」、「非対面型ビジネスモデルへの転換」、

「テレワーク環境の整備」の3類型による支援拡充策が追加された。

各補助金で共通する支援拡充策としては、3類型への投資額が一定水準以上の事業計画であれば補助率を引き上げるといった内容であり、コロナ禍で経営状況が厳しい中小企業にとっては、事業継続の助けとなる非常にありがたい内容となっている。

その他、地方自治体単位でも、中小企業向けの新型コロナウイルス関連補助金・助成金が数多く施行されている。特に財源が豊富な東京都は、新型コロナウイルス感染防止対策として、多種多様な補助金事業が実施されている。以下、中小企業・小規模事業者が活用しやすい補助金・助成金の特徴や課題について、簡単に説明する。都内の企業限定の補助金は【東京都】と記載している。

① ものづくり補助金

中小企業・小規模事業者が試作品開発や新サービス開発を行うための設備投資などを支援する補助金であり、補助上限額が1,000万円となっている。

ものづくり補助金の課題

2019年より電子申請のみでの受付となっており、電子申請を行うためには「gBizIDプライム[3]」の取得が前提条件となっている。

2020年度のものづくり補助金の2次募集は、2020年5月20日が締切であったが、緊急事態宣言発令中は窓口事務局が縮小営業を実施しており連絡が取りづらくなっていたため、締切直前で慌ただしくなる中小企業が多くあった。中小企業側は早め早めの準備を心がけておくのは当然であるが、コロナ禍などの非常時においては従来の郵送でも受け付けるなど、行政側も柔軟な対応を取る必要がある。

② 小規模事業者持続化補助金（コロナ特別対応型）

2020年度に実施された小規模事業者持続化補助金は、一般型とコロナ特別

3　1つのID・パスワードで様々な行政サービスにログインできるサービス。

対応型の2種類が存在するが、本章ではコロナ特別対応型について説明を行う。

コロナ特別対応型は、新型コロナウイルス感染拡大によって売上減少などの影響を受けた小規模事業者が、その困難を乗り越えるために行う販路開拓などに対して、支援を行う内容となっている。一般型の補助上限額が50万円なのに対し、コロナ特別対応型は補助上限額が100万円に引き上げられている。また、前述した3類型のいずれか1つ以上を取り組む必要があるが、「非対面型ビジネスモデルへの転換」または「テレワーク環境の整備」に取り組む場合には、補助率が3分の2から4分の3へと引き上げられる。

補助対象経費も非常に幅広く、生産販売拡大のためのオーブン・冷凍冷蔵庫や、ECサイト追加や予約システム追加のためのウェブサイト新規作成や更新などが具体的な経費例として公募要領に挙げられており、対面型の小売店が新たにECサイトを構築する場合や、飲食店が新たにテイクアウトを開始する場合などに活用されているケースが多い。

申請書式は簡略化されており、事業内容もA4用紙5枚以下でシンプルにまとめるように指示があるなど、コロナ禍で苦しい状況の小規模事業者になるべく負担をかけないように工夫がなされている。

小規模事業者持続化補助金の課題

申請書式はホームページ上からダウンロードできるため、事務所や自宅で手軽に申請書式が準備できる一方で、事務局側のホームページ上の説明には、いささか不十分な点がある。

小規模事業者持続化補助金は、申請者の所在地によって、管轄する事務局が日本商工会議所か全国商工会連合会に分かれる。

小規模事業者・個人事業主の多くは、自身の事業所が所在する地域を管轄するのが商工会議所なのか商工会なのかを認識してらず、商工会議所管轄エリアの事業者が、誤って商工会エリア用の申請書式で準備を行っている事例が見受けられる。

日本商工会議所・全国商工会連合会どちらのホームページ上にも、管轄地域の違いについて簡単な記載はあるが説明が不十分であることが、間違いが起きてしまう原因であると考える。

このような間違いやすい内容については、ページの冒頭に目立つように記載した上で、管轄エリアの違いをわかりやすく説明し、事業者の不利益が発生しないように対応すべきである。

③ 雇用維持に関する助成金

厚生労働省が管轄する「雇用調整助成金」も、コロナ禍で経営環境が悪化し事業活動が縮小している事業主に対して、新型コロナウイルス感染症の影響に伴う特例措置が実施された。

雇用調整助成金は、事業主が従業員に休業手当などを支払う場合に、その一部を助成する制度であるが、特例措置により助成率及び上限額の引き上げが行われ、2020年10月現在、助成上限額が従業員一人あたり1日15,000円、中小企業・小規模事業者においては助成率が最大100%となっている。また、従来の雇用調整助成金は雇用保険被保険者のみが対象であるが、「緊急雇用安定助成金」としてパートタイマー、アルバイトにも対象範囲が拡大しており、コロナ禍で人件費の負担が厳しい中小企業にとっては、雇用調整助成金も事業継続の助けとなる内容となっている。

④ 業態転換支援事業【東京都】

都内中小飲食事業者が、新たにテイクアウト、デリバリーサービス、移動販売を始め、売上を確保するための取り組みにかかる費用の5分の4を補助するもので、補助上限額は100万円となっている。経費項目ごとに上限額はあるものの、デリバリーサービス受注用のタブレット端末購入費や、自社配達用の自転車購入費、店舗内工事費用など対象となる経費は多岐にわたっており、新たにテイクアウト、デリバリー等を開始する中小・小規模飲食事業者にとって非常に使い勝手の良い補助金である。

⑤ 非対面型サービス導入支援事業【東京都】

都内中小企業者が、新たに非対面型サービス（顧客と直接会わずに提供するサービス）を開始する際にかかる費用の3分の2を補助するもので、補助上限額は

200万円となっている。劇場等がオンラインにより演目を有料配信するサービスや、今まで店頭で対面販売を行っていた小売店が新たにECサイトを立ち上げてネット販売を始める際などに活用可能である。

多くの補助金が、汎用的に利用可能なパソコンを対象外にしているなかで、本補助金では、非対面型サービスの導入に直接必要であればパソコンの購入も可能であるところが大きな特徴となっている。

⑥　ガイドライン等に基づく対策実行支援事業【東京都】

都内中小企業者が、自社の事業に関連する業界団体が作成した新型コロナウイルス感染拡大予防ガイドライン等に基づいて実施する取り組みに対して、かかる費用の3分の2を補助するもので、補助上限額は2020年10月現在100万円となっている。事業所のパーティションやアクリル板設置費用や、換気設備・換気扇等の設置工事費など、ガイドライン等に基づく感染予防対策に直接必要な内装・設備工事費が補助対象経費となる。

⑦　補助金・助成金全般で共通する留意点・課題

補助金・助成金は精算払いが原則となっており、事業完了報告後、経費内容が認められてからの補助金支給となる。補助金申請時には問題無く採択されたが、事業完了報告を行ったら経費対象外となってしまうケースも存在するため、対象経費か否かの確認を入念に行う必要がある。

補助金・助成金全般で共通する課題としては、公募要領の難解さが挙げられる。また、多岐にわたって補助金事業が実施されることは大変ありがたいことであるが、中小企業・小規模事業者側は自社の課題を解決するためにふさわしい補助金がどれなのかを判断することが難しく、申請を断念するケースも耳にする。行政側が補助金を設定する段階で、他の補助金との重複が無いように調査は行われているはずであり、その調査結果をもとに、他の補助金との違いを明示して、中小企業・小規模事業者の不安を払拭すべきである。

(3) 中小企業・小規模事業者での新型コロナウイルス対策の取り組み事例

前述した各種施策や補助金が現場ではどのように活用されているのか、コロナ禍での劇的な環境変化によって、現場ではどのような対策を取っているのか、著者の関係先が多い東京都北区の企業・施設を中心に事例を掲載する。

① 飲食店

多くの人が集まり、お酒が入ると大きな声で会話をすることから、感染が懸念される場所として、夜間の酒類提供自粛や営業時間短縮要請など、運営体制に大きな制約を受けた。今回、個人経営の小規模飲食店と、パーティーや宴会などでも利用可能なやや大きめな飲食店の2種類の事例を紹介する。

【店内の感染拡大防止を徹底することで来店客に安心感を与え、来店客数を回復させた飲食店】

- 店舗名：お好み焼きキャベツ（東京都北区赤羽1-67-54）
- 業態：お好み焼き店
- 座席数：16席
- 従業員数：1名

当店は、JR赤羽駅より徒歩3分の場所に立地し、創業35年を迎えた地元民に愛されているお好み焼き店である。緊急事態宣言発令前から従業員のマスク着用を徹底し、店頭にアルコール消毒液を設置するほか、入口と窓を常に開放するなど換気対策も徹底されている。

緊急事態宣言発令時や、東京都の営業時間短縮要請にも積極的に協力しており、東京都感染拡大防止協力金の申請もいち早く行った。

当店はさらに、東京都が実施した補助金【ガイドライン等に基づく対策実行支援事業】を活用して、飛沫感染防止用のビニールシートを座席間に設置して、来店客が安心して飲食ができる環境作りを実施。

これらの徹底した感染拡大防止対策に加えて、2020年10月以降はGoToEatキャンペーンの利用客も増加して、売上・来店客数ともに前年の水準に回復している。

【中食需要を見越して新たな業態にチャレンジした飲食店】

・店舗名：TAGEN　DiningCafé（東京都北区王子1-10-9）
・業態：フレンチダイニングレストラン
・座席数：51席
・従業員数：5名

当店は、家族連れや団体客が多く利用する、駅前立地のフレンチダイニングレストランである。店内にはジャズピアノやプロジェクターを設置しており、定期的にジャズライブなどを開催しているほか、結婚パーティーや2次会などの小規模パーティーも開催している。

コロナ禍では、4月7日に発令された緊急事態宣言による不要不急の外出自粛に加えて、東京都からの営業時間短縮の協力要請により、4月11日から5月25日までの期間中は20時までの営業としていたため、来店客数が大幅に減少した。

一方で新型コロナウイルスの影響により、テイクアウトやウーバーイーツに代表されるデリバリーによる中食需要が大幅に増加しており、当店ではテイクアウトとデリバリーによる中食事業を新たに開始し、好調な売れ行きとなっている。

今後もテイクアウト、デリバリーによる中食需要は増加することが見込まれることから、東京都が実施し

た補助金【業態転換支援事業】を活用して、テイクアウト商品受け渡し窓の設置工事を行い、さらなる売上拡大を目指す。

店内飲食においても、東京都が実施した補助金【ガイドライン等に基づく対策実行支援事業】を活用して、無人で検温が可能なAI検温システムを店舗入口に設置し、健康面の安全対策が徹底されている飲食店として、来店客に安心して店内での飲食を楽しんでもらう計画である。

② ライブハウス

新型コロナウイルス感染拡大が騒がれだした当初に、大阪府内のライブハウスでクラスターが発生し、ニュースなどで大々的に取り上げられたことから、ライブハウスの運営には大幅な制限がかかった。いまだに負の印象を拭いきれない状況下で、小規模ライブハウスはどのような対策を取って運営を行っているのか、事例を紹介する。

【感染防止対策を徹底したなかでの、手探りでのライブ開催】

・店舗名：Music & Bar　Enab（東京都北区赤羽1-31-1 地下1階）

・業態：ミニライブハウス

当店は、収容人数50人のミニライブハウスであり、地元のミュージシャンやお笑い芸人などが気軽にライブを行える場として賑わっている。飲食スペースが併設されており、飲食店営業として保健所から営業許可を得ているため、緊急事態措置により東京都が休業要請した遊行施設の対象外ではあったが、ライブ等のイベントを定期的に開催していることから、4月11日から7月31日までの期間を自主的に完全休業とした（東京都からの休業要請期間は5月25日までであったが、ライブを実施する体制が整っておらず、自主的に7月31日まで休業）。

ライブハウスは不特定多数の人が集まることから、複数の関連団体により策定された【ライブホール、ライブハウスにおける新型コロナウイルス感染拡大予防ガイドライン】にて、接触感染リスク対策について、高頻度接触部位にとしてテーブル、椅子の背もたれ、ドアノブなどの具体的な箇所が明記されている。当店も本ガイドラインに従って、店舗内全体に抗ウイルス・抗菌対策コーティングを施して、接触感染リスクを最小限に抑える対策を行っている。

また、収容人数50人のところ、最大20人の入場制限を行っており、店内のソーシャルディスタンスを保つ対策も実施。舞台と客席の間にはビニールシートを設置して飛沫感染防止対策を施しており、出演者用のマイクは歌のたびに消毒を実施している。

飲食スペースでも感染防止対策を徹底し、従業員はマスク着用で勤務し、使い捨てのゴム手袋を着用して調理を行い、ドリンクは使い捨てのプラカップに変更した。

このような徹底した感染防止対策のなか、徐々にライブ開催の頻度は増えてきているが、人数制限もあり、コロナ禍以前の売上は見込めない。

今後は新たなライブ開催のやり方として、有料オンラインライブ配信などを模索中である。

③　教育関係

全国の小中高に対して、3月2日からの臨時休校要請を政府が行うなど、新型コロナウイルス感染拡大は、国内の学校・教育現場の運営体制にも大きな影響を与えた。学校・教育現場がどのような対策を行ったのか、私立幼稚園・私立校・青少年サッカースクールの事例を紹介する。

【Zoomを活用したオンライン授業の実施】

・企業名：学校法人成立学園（東京都北区東十条6-9-13）

・業態：私立中学校・高校

成立学園は、高校サッカー部・バスケットボール部の強豪校としても有名であり、甲子園の出場経験もある、東京都北区東十条に立地する中高一貫の文武両道の私立校である。当学園では、新型コロナウイルス感染が国内で騒がれ始めた直後から、2月12日には対策委員会を発足させて、東京都や国からの指示を基に本校用にアレンジしたガイドラインを作成した。

登校自粛で学習がストップしないよう、Zoomによるオンライン授業をいち早く取り入れた。最初は映像授業を一方的に見るだけからのスタートであったが、徐々に双方向でコミュニケーションが図られるミーティング形式の授業に変更していった。その結果、授業の進捗具合は、例年通りか、いつも以上に進んだ状況となっている。

各家庭でのオンライン通信環境の整備には大きな問題は発生しなかったが、学校側は教師が一斉にオンライン授業を行うと通信の遅延等が発生してしまうこともあり、教師が自宅で授業を行うなど、教師側の分散授業によってトラブルを回避した。

生徒と学校の距離を重んじて、ホームルームも双方向オンラインによるZoomで行い、コミュニケーションを密に取るようにした結果、100％に近い出席率が達成できた。

当校では保護者会もZoomで実施しており、今後、平常の授業に戻った際でも、オンライン授業を活用できることは、コロナ禍において大きな経験となっている。

【オンラインでの密なコミュニケーションと、密を避けた園内活動の実施】

・企業名：学校法人石川幼稚園（東京都北区西ケ原1-48-16）

・業態：幼稚園

石川幼稚園は昭和26年に創立し、東京都北区のほか、埼玉県に2つの幼稚園を運営している。

政府が要請した3月2日からの臨時休校の対象には、幼稚園は含まれなかったが、コロナ禍での日本全国の自粛要請に沿ったかたちで、当園も3月中は制限をしながらの保育を行い、4月から通園授業を自粛し、オンラインでの授業に切り替えた。

Zoomによる授業を学年別（3学年）に毎日実施し、英語の授業・リトミック・体操の授業については、動画を撮影し繰り返し授業を行った結果、オンラインでも密なコミュニケーションを図ることができた。

新たに幼稚園に通う園児は、入園式を実施する前に通園自粛となってしまったが、担任の先生が毎日、朝の体操・朝の歌など幼稚園の流れをZoomで伝えていたため、幼稚園が6月に再開された際には、スムーズに幼稚園生活に入ることができた。

当園は1クラスに30人以上の園児がおり、通園再開後は園児が一気に集まらないような工夫をしている。例えば、コロナ禍以前はお誕生会などで、全学年の園児300人が一気に集まる集会をしていたが、各教室に設置されたTVモニターに生放送で配信するようにした。

通園時には各家庭で熱を測ってきてもらい、マスク着用とこまめな手洗いを徹底。定員40名の幼稚園スクールバスを定員20名に減らし、コース・便数を増やすなどの対応を実施した。

お昼の食事の際は会話をしないように指導を行い、「ごちそうさまをしたらマスクを付けておしゃべりしましょう」というルールが徹底されている。

体育の授業は、健康面を考慮してマスクを外して行っているが、密にならないような対策を取り実施している。

また、例年は全学年が一斉に行う運動会も、コロナ禍では学年別に分けて3回実施するなど、密を避けた園内活動の実施を続けている。

【オンライントレーニングで見いだした新たなトレーニング方法】

・団体名：スペリオ城北　キッズ＆ジュニアサッカースクール

・運営：株式会社城北スポーツ＆コミュニティー（東京都北区赤羽西2-21-1）

・業態：サッカースクール

スペリオ城北キッズ＆ジュニアサッカースクールは、15歳以下の幼児・小中学生が約90人通っているサッカースクールであり、東京都北区にあるグラウンドを借りて練習を行っている。

コロナ禍となり、3月から練習を中断。6月からはグラウンドでの練習を再開したが、7月末までは練習試合等の対外的な活動は自粛し、その後、地域の大会等も少しずつ再開してきているが、コロナ禍以前ほど活発な対外活動が行えていない状況である。

各家庭で検温して体調不良を確認の上での練習参加とし、練習グラウンドに入るまではマスクの着用を徹底し、練習前後の手洗いも徹底。保護者が見学をする際にも、マスク着用を徹底し、家族で体調不良の人がいた場合は、練習参加を控えるよう徹底している。

グラウンドでの練習が中断している最中は、Zoomを活用してオンラインレッスンを実施した。

10人程度のグループに分けて、1時間のオンラインレッスンを1日4回実施。コーチの年齢が若く、Zoomの導入は容易であり、生徒達もZoomにはほとんど抵抗なく、すぐにオンライントレーニングになじんでいった。

オンライントレーニング内容は、室内でもトレーニング可能な体幹トレーニングや、足の裏を使ってボール感覚をつかむ練習などであったが、オンライン

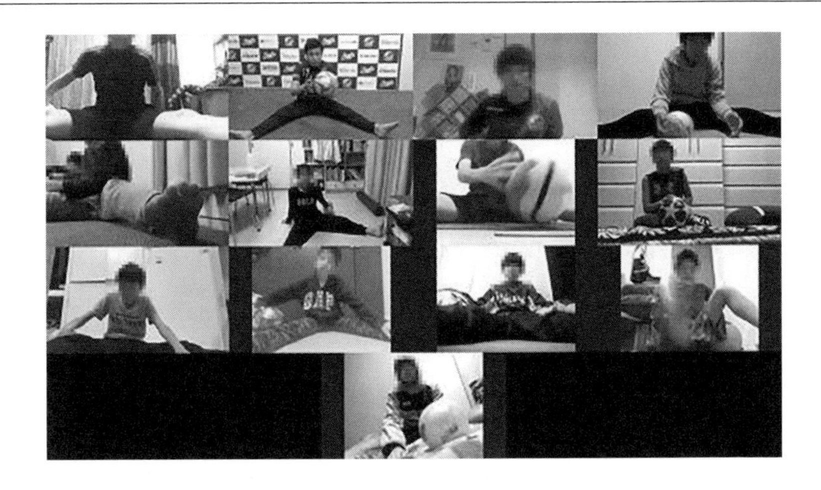

トレーニングを実施することによって、生徒一人一人の技術・能力に向き合ったトレーニングを実施できた。

その結果、6月からのグラウンドでの対面型練習においても、個々人の技術・能力に向き合うトレーニングを取り入れるようになり、練習の効率が向上した。

また、コロナ禍以前は、雨が降った際には練習を中止にしていたが、コロナ禍以後はオンライントレーニングをするようになり、練習の回数が増えたことから生徒達にも好評である。

④　民泊施設

観光立国を目指し、年々増加していた訪日外国人旅行者であったが、新型コロナウイルス感染拡大による入国制限によって、2020年4月の訪日外国人旅行者数は前年同月比99.9%減の2,900人となっており、未曾有の減少となっている。2020年10月現在も入国制限が続くなか、訪日外国人旅行者向けの中小企業の対応策について、民泊施設の事例を紹介する。

【地域資源を活かしたターゲット顧客の転換】

・施設名：ぷらっと末広（東京都北区志茂5-16-15）

・業態：民泊

・部屋数：4部屋

当施設は、築50年の木造アパートの部屋を活用し、昭和レトロ風の小物を設置した民泊である。昭和レトロ風な内装が効を奏して、ゲストはほぼ100%外国人（欧米系50%アジア系50%）でAirbnbにて予約を受け付けていた。

世界的な新型コロナウイルス感染拡大により、最後の宿泊客の滞在は3月中旬で、半月ほどの滞在予定だったが、来日した直後に母国で家族が心配しているから途中キャンセルさせて欲しいとの申し出があり、翌日に帰国してしまった。以降、予約が次々にキャンセルとなり、3月中旬以降、宿泊客はゼロとなっている。

・地域資源を活かしたターゲット顧客の転換

昨今、日本国内の若い世代において、昭和レトロ感を求める非日常体験が人気を博している。

当施設が立地する北区赤羽は、下町情緒が残る飲食店街や、緑豊かで桜の名所にもなっている荒川土手遊歩道など、地域資源が豊富であり、当施設と同じ敷地内には、当施設オーナーの親族が経営する銭湯がある。昭和レトロな下町で飲み歩き、銭湯に入り、昭和レトロな部屋で寝泊まりする体験をパッケージ化し、これらを体験したことのない若い世代の日本人を新たなターゲット顧客として、当民泊施設に宿泊してもらうことを計画。

10月20日よりAirbnbが【GoToトラベルキャンペーン】の対象となり、当施設もGoToトラベルを活用し宿泊客の回復を狙う。

・新型コロナウイルス感染防止対策

その準備として、部屋備え付けの歯磨き粉や石鹸を撤去し、使い捨てアメニティのみに変更するほか、ゲストの人数分の使い捨てマスクをアメニティに追加、プッシュ型の手洗い用石鹸・アルコール消毒液を各部屋に設置するなどの新型コロナウイルス感染拡大防止対策を実施。

さらに【小規模事業者持続化補助金コロナ特別対応型】を活用して、以下の非対面による入退室管理などを実現し、感染拡大防止を図る計画となっている。

・入退室管理用のカメラの設置

・各部屋に電子キーを設置し、宿泊者には事前にメール等で暗証番号を連絡

し、非対面で鍵（暗証番号）の受け渡しができるように変更
・各部屋に空気清浄機を設置

⑤　調剤薬局

新型コロナウイルスの感染拡大により、感染リスクを気にする人々が増加し、病院への受診抑制が発生しているなかで、処方せんを処方する調剤薬局が実施している新型コロナウイルス対策についての事例を紹介する。

【地域密着型の調剤薬局での感染拡大防止対策】

・企業名：有限会社メディカルライフ
・所在地：東京都足立区西新井本町 2-22-6（本社住所・サフラン薬局）、東京都北区豊島 8-11-9（ユーカリ薬局）
・業態：医薬品小売業
・従業員数：15 名

当社は、東京都足立区・北区に 2 か所の調剤薬局を構える医薬品小売業である。

新型コロナウイルスの感染拡大により、感染リスクを気にする人々が増加して病院・クリニックへの受診抑制が発生した結果、当社薬局への来局者数が減少。特に緊急事態宣言発令中は、外出自粛要請も相まって、来局者が大幅に減少した。

高血圧・糖尿病・精神疾患などの慢性疾患を持っている患者は、服薬を中止出来ないために来局していたが、処方日数が従来の 14 日分から 28 日分・56 日分と増えたため、延べ来局者数は減少し、売上減少に大きく影響した。

・新型コロナウイルス感染拡大防止対策

スタッフ出社時の検温、来局時のアルコール除菌を徹底。受付にはビニールカーテンを設置し、待合室のソーシャルディスタンスのために椅子の配置替えを行ったほか、局内の換気徹底に加えて待合室・調剤室に強力な空気清浄機・加湿器を設置し、できる限り浮遊ウイルスを減らす取り組みを実施している。

また、屋外の駐輪場スペースを無くし、そこにパーティション・椅子・消毒用品などの衛生材料・暖房器具を配置した簡易スペースを設け、発熱患者はそこに来局してもらい、服薬指導などの対応を行っている。その際の対応薬剤師は、感染予防を徹底している。

さらに、患者のスマートフォンなどから直接処方せんを送付してもらい、処方せんの受け取り時間を返信し、患者が来局した際に、待機時間を可能な限り無くして処方せんを渡す取り組みを行っている。

⑥ 小売業

緊急事態宣言発令によって不要不急の外出自粛が要請され、マチナカに店舗を構える小売業は大きな影響を受けた。一方で、前述のとおりECサイトの流通量は増加しており、ECサイトを運営する中小小売業では実際にどのような動きがあったのか、事例を紹介する。

【巣ごもり需要の影響でECサイト売上が好調な小売業】

・企業名：株式会社コーダ（埼玉県北本市本町5-91-7）

・業態：手芸用品卸・小売業

・従業員数：13名

株式会社コーダは、編み物用品などの手芸用品を販売する中小企業であり、編み物教室に手芸用品の卸売を行っているほか、自社1階に構える店舗にて一般消費者向けの販売を行っている。

また、数年前より一般消費者向けにオンラインでの小売も開始しており、楽天市場・Amazon などのECショッピングモールにも出店している。

4月11日から埼玉県内に休業要請が発令され、当社は休業対象の商業施設には該当していなかったが、新型コロナウイルス感染拡大防止の観点から、4月11日から5月31日までの期間中に店舗を一時閉店としたため、一般消費者向けの店頭売上がゼロとなった。

また、卸売先の手芸教室も多くが営業を自粛した結果、当社の卸売事業の売上も大きく落ち込んだ。

一方で、この期間中もオンラインでの販売は続けており、全国的な外出自粛で在宅時間が増加した影響から手芸を行う人が増え、当社ECサイトの売上が増加した。

3月から5月にかけては、日本全国でマスク不足となっていた影響から、手作りマスクを制作するためにマスク用ガーゼ、ゴム紐、形状保持用プラスチックバンドの購入者が急増した。

手作りマスク作りをきっかけとしてソーイングを始めた人や、趣味で新たに刺繍や小物作りを始めた人も増えており、緊急事態宣言解除後も当社のECサイト売上は好調である。

⑦ 食品製造業

コロナ禍において主要顧客である飲食店や学校給食の受注が激減した中小企業が、設備投資を行い、新たな顧客層の獲得を目指す事例を紹介する。

【巣ごもり需要を見越した設備投資、新規顧客開拓】

・企業名：玉川食品株式会社（東京都北区豊島7-5-12）

・業態：食品製造業

・従業員数：15名

当社は東京23区内に残る最後の乾麺製造食品メーカーであり、昭和10年の創業以来、地元に根ざした製麺工場としてうどん・そばなどの乾麺を中心に製造販売を行っている。当社の顧客層は地域の飲食店のほか、スーパーや企業給食（社員食堂）などであり、都内6区175校の学校給食指定工場にも認定されている。また、工場の1階に直売場を設けて小売販売を行うほか、ECサイトを立ち上げてインターネット通販も行っている。

新型コロナウイルス感染拡大の影響から、3月～5月の学校給食の注文がほぼゼロとなり、売上が激減。6月からは学校給食が再開されたが様子見状態であり、注文数はコロナ前と比較して減少している。

同じく、主要顧客の一つである飲食店からも、緊急事態宣言発令後は注文数が激減した。

また、コロナ禍での急速なテレワークの普及によって、社員食堂を有する企業へ出社・通勤する社員が減少した結果、企業給食の注文が減少・取引停止する事態に陥っている。

巣ごもり需要により日持ちする乾麺の需要が増加している一方で、新型コロナウイルスの影響によって当社取引先の事業縮小・休廃業が発生しているため、【小規模事業者持続化補助金コロナ特別対応型（サプライチェーンの毀損）】を活用して乾麺粉砕機の導入し、衛生面・品質面の向上を図るとともに、乾麺需要の増加に対応すべく、自社生産体制を強化した。

食品スーパーなどの小売業者は巣ごもり需要から売上が増加傾向にあるた

め、食品スーパーとの取引を拡大するために、食品事業関係者が多く集まる展示会に出展し、新規取引先の獲得を狙う。

また、当社の乾麺製造技術・ノウハウに目を付けた企業や飲食店からの業務提携・OEM 製造依頼が増加しており、コロナ禍においても積極的に新規取引先と新しい製品開発に取り組んでいる。

さらに、今後も巣ごもり需要が伸びることを見越して、一般消費者向けインターネット通販の販売強化を計画しており、今後、楽天市場や Amazon 等の EC ショッピングモールへの出店を検討している。

⑧　印刷業

新型コロナウイルス感染拡大により自粛ムードが続いた3月～5月は、卒業式・入学式・入社式などのシーズンであり、多くの学校・企業ではこれらのイベントの開催の中止や、例年より規模を大幅に縮小しての開催となった。コロナ禍においては、ライブやコンサートイベントも軒並み中止や延期となり、いまだ多くのイベントの中止が続いている。イベントには印刷物は付きものであり、相次ぐイベント中止の影響によって、印刷業界は大きな打撃を受けている。

このような印刷業界において、新型コロナウイルスに立ち向かい新規事業を開始した中小印刷業の事例を紹介する。

【自社の強みを活かして新事業に進出した印刷業】

- 企業名：株式会社新興グランド社（東京都北区赤羽西 2-21-1）
- 業態：印刷業
- 従業員数：15 名

株式会社新興グランド社は、昭和37年の創業より一貫してスクリーン印刷[4]を主体として事業を営んできた印刷業である。当社は技術開発力が優れており、スクリーン印刷の技術を応用した点字印刷やラインストーン印刷などの特殊印刷を開発。付加価値が高い印刷物の製造を手がけていたが、新型コロナウイルス感染拡大の影響によって、イベント等の中止が相次いだ結果、印刷物の受注が大きく減少してしまった。

コロナ禍が続いているなか、印刷業界の先行きが不透明な状況下で、当社は技術開発力の強みを活かして、製造小売という新たな事業への進出を開始した。

最初に開発した『飛沫感染対策パーティション』は、開発直後に引き合いがあり、1日千人が食事をする食堂に導入された。

その後、講演・セミナーやカラオケなど発声するシーンで効果を発揮する飛沫感染対策グッズ『マイクシールド』や、めがねタイプの飛沫感染防止対策グッズ『チェンジングフェイスシールド』など、次々とコロナ感染防止対策製品の開発に着手しており、新規事業が新たな収益源となりつつある。

現在の販売先は東京都内に限定されているが、今後、販売網を全国的に拡大するために、「小規模事業者持続化補助金」を活用して、ECサイトを立ち上げて、さらなる売上拡大を図る計画となっている。

4　紙だけでなく、布・プラスチック・合成樹脂・ガラス・金属など様々な素材に印刷することができ、平面だけでなく局面にも印刷が可能な技術。

4　ウィズコロナ・アフターコロナに向けての提言

新型コロナウイルス感染拡大は一進一退で終息の見通しが立たない状況であり、ウィズコロナの時代は数年続くとも言われている。

中小企業・小規模事業者にとっても、しばらく厳しい状況が続くことが予想され、今後も補助金・助成金による支援が必要であるが、新型コロナウイルスに関連した補助金は時限的なものとなっており、継続して実施されるかが不透明な状況となっている。

また、一部の補助金については、補助金事業が実施された後に補助対象経費やルールの変更があるなど、急ごしらえで策定した印象が否めない。

例えば、東京都が実施している各種補助金は、多方面で活用可能であり、補助金額・補助内容も充実しているが、一方で、補助対象やルールに一部曖昧な部分があるため、審査に大幅な時間を要しており、行政側担当者の負担が増加するだけでなく、早い採択結果を望む申請者にも不利益が出ている状況である。

新型コロナウイルスの感染が拡大するなか、疲弊していく事業者のために、急いで各種補助金の策定をする必要があったとは思うが、これらの反省点を踏まえて、今後の補助金策定の際には、有識者を交えて補助対象・ルールを明確に設定した上で実施されることを望む。

最後に、今回事例として掲載した中小企業・小規模事業者は、ウィズコロナの時代にしっかりとコロナ対策に取り組みながら、前向きな姿勢でアフターコロナの時代に進もうとしている事業者である。本書を目にした読者の方々にとって、新型コロナウイルスに立ち向かう一助になると幸いである。

5. 三大都市圏等における不動産市場の変化と展望

櫻田 直樹・一般財団法人 日本不動産研究所 上席主幹

はじめに

2020年2月28日、北海道はイベントによる新型コロナウイルス感染症（以下、「感染症」という）の集団感染等の感染拡大傾向を踏まえ「新型コロナウイルス緊急事態宣言」を発表し、休日の外出等の自粛を道民に要請した。この北海道の緊急事態宣言に前後して、年初から緩やかな上昇傾向にあった東証REIT指数は下落傾向に転じ、さらに3月には下落傾向を強め、2月最高値の6割程度まで急落した。東証REIT指数は不動産の価格ではないものの、このような東証REIT指数の激変は、不動産市場で取引等を行う市場参加者にとって感染

図1　東証REIT指数の推移

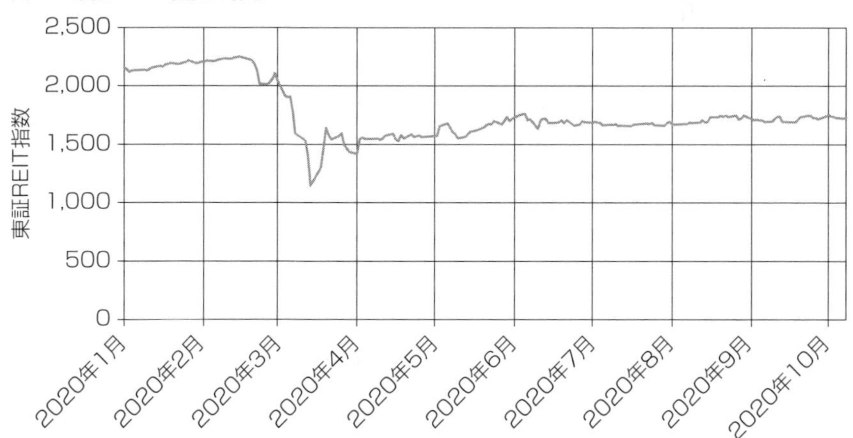

注）東証REIT指数は、東京証券取引所の市場に上場するREIT全銘柄の時価総額を加重平均して求めた値による株価指数であり、2003年3月31日の時価総額の加重平均を1,000として、各時点の時価総額の加重平均を指数化したもの。
出所：日本取引所グループ 東京証券取引所 東証REIT指数

症の感染拡大による影響の大きさを改めて印象づける出来事となった。

本稿では、三大都市圏等に位置する東京都23区、名古屋市、大阪市、札幌市、仙台市、広島市、福岡市を対象に（以下、「主要都市」という。)、感染症の感染拡大による不動産市場の変化を概観し、オフィス市場、住宅市場等の主要な不動産市場の将来動向を展望した。

1　不動産市場の変化

(1)　土地取引件数等の基礎的なデータから見た変化

1）土地取引動向の変化

表1は土地取引規制基礎調査概況調査に基づいて、月別土地取引件数を整理したものである。新型インフルエンザ等対策特別措置法に基づく緊急事態宣言（以下、「緊急事態宣言」という）が発令された2020年4月には、東京都23区、大阪市の土地取引件数は対前年同月比（土地取引動向には季節性が認められるため、対前年同月比によって動向を把握した。以下、本項では省略する。）で -10％超の減少となったが、発令当初は緊急事態宣言の対象外であった名古屋市は2.5％となって微増状態が続いた。また、当初から緊急事態宣言対象区域となった福岡市や、感染拡大が先行した札幌市の土地取引件数は4月に -7 ～ -3％程度の減少となったが、東京都23区と比較すると減少幅は小さかった。

緊急事態宣言の対象区域が全国に及ぶ2020年5月になると、すべての都市で大きく土地取引件数は減少し、前年同月比で見た減少傾向は7月まで続いた。

このように土地取引件数が減少傾向にあったなかで、仙台市の土地取引件数の減少傾向は目立って小幅であった。5月には -8.7％となって減少し、6月もほぼ同程度が続くが、これらの減少幅は他都市と比較して小さく、7月になると -1.2％程度に減少幅は縮小した。

なお、土地取引面積についても取引件数と同様に集計してみると、年ごとに増減の幅が大きく、取引件数ほど明確な減少傾向は確認されないが、緊急事態宣言発令後の2020年5月頃から東京都23区、名古屋市、大阪市等で減少傾向が認められた。

表 1　土地取引規制基礎調査概況調査による月別土地取引件数の推移

		1月	2月	3月	4月	5月	6月	7月
全国	2019年	98,771	120,939	171,616	125,895	117,066	125,928	131,823
	2020年	97,437	114,950	169,553	116,972	93,290	119,706	120,469
		-1.4%	-5.0%	-1.2%	-7.1%	-20.3%	-4.9%	-8.6%
札幌市	2019年	1,148	1,337	1,965	1,719	1,762	1,760	1,953
	2020年	1,219	1,391	1,966	1,665	1,367	1,549	1,688
		6.2%	4.0%	0.1%	-3.1%	-22.4%	-12.0%	-13.6%
仙台市	2019年	831	994	1,513	957	989	1,022	1,068
	2020年	854	1,015	1,811	1,027	903	932	1,055
		2.8%	2.1%	19.7%	7.3%	-8.7%	-8.8%	-1.2%
東京都23区	2019年	10,447	12,649	18,781	14,267	12,654	13,401	14,022
	2020年	10,266	11,816	18,546	12,251	9,428	11,544	11,670
		-1.7%	-6.6%	-1.3%	-14.1%	-25.5%	-13.9%	-16.8%
名古屋市	2019年	1,639	1,975	2,967	2,361	2,097	2,089	2,267
	2020年	1,662	1,793	3,095	2,420	1,625	1,915	2,077
		1.4%	-9.2%	4.3%	2.5%	-22.5%	-8.3%	-8.4%
大阪市	2019年	2,985	3,933	6,075	4,497	3,553	3,736	3,689
	2020年	3,045	3,827	6,502	4,038	2,560	3,127	3,430
		2.0%	-2.7%	7.0%	-10.2%	-27.9%	-16.3%	-7.0%
広島市	2019年	700	844	1,315	1,014	882	1,098	1,210
	2020年	705	881	1,209	1,025	748	913	1,002
		0.7%	4.4%	-8.1%	1.1%	-15.2%	-16.8%	-17.2%
福岡市	2019年	1,495	1,708	2,630	1,791	1,667	1,798	1,873
	2020年	1,497	1,634	2,433	1,673	1,230	1,608	1,658
		0.1%	-4.3%	-7.5%	-6.6%	-26.2%	-10.6%	-11.5%

注）2019 年と 2020 年の上段は土地取引件数（件）、下段は対前年同月比。
出所：「土地取引規制基礎調査概況調査結果」国土交通省

2）建築着工動向等の変化

表 2 は建築着工統計調査に基づいて、着工建築物の棟数と延床面積を月別に整理したものである（データ収集の制約から、東京都 23 区、名古屋市、大阪市等を含む都道府県単位のデータを集計した）。

建築着工棟数、面積ともに各年の変動が大きく、土地取引件数と比較して緊急事態宣言等の感染症対策との関係は明確に現れていないが、大阪府、広島県等では 2020 年 4 月に対前年同月比で（建築着工動向にも季節性が認められるため、対前年同月比で動向を把握した）棟数、床面積ともに大きく減少し、愛知県では 5 月に目立って減少した。

さらに、このような減少傾向は変動しながらも 7 月まで続いており、ここ数

表２　建築着工統計調査による月別着工棟数等の推移

		1月		2月		3月		4月		5月		6月		7月	
		建築数	床面積	建築数	床面積	建築数	床面積	建築数	床面積	建築数	床面積	建築数	床面積	建築数	床面積
北海道	2019年	1,137	242,596	1,148	254,430	1,338	341,761	2,040	536,191	2,127	439,241	2,391	583,926	2,177	621,699
	2020年	956	185,411	1,218	227,630	1,506	390,726	1,823	522,001	1,865	518,266	2,095	566,283	1,841	570,550
		-15.9%	-23.6%	6.1%	-10.5%	12.6%	14.3%	-10.6%	-2.6%	-12.3%	18.0%	-12.4%	-3.0%	-15.4%	-8.2%
宮城県	2019年	982	286,963	855	140,796	995	169,539	1,091	232,033	1,160	235,371	1,124	245,677	1,107	195,369
	2020年	820	151,355	715	130,390	923	175,405	981	205,560	839	293,110	837	197,588	927	148,772
		-16.5%	-47.3%	-16.4%	-7.4%	-7.2%	3.5%	-10.1%	-11.4%	-27.7%	24.5%	-25.5%	-19.6%	-16.3%	-23.9%
東京都	2019年	3,387	935,588	3,715	1,142,412	4,064	1,505,916	3,813	1,155,422	3,979	1,114,439	4,072	883,319	4,553	1,167,194
	2020年	3,477	860,283	3,491	878,381	4,281	1,365,341	3,797	1,038,244	3,448	852,166	4,142	1,041,821	3,925	974,607
		2.7%	-8.0%	-6.0%	-23.1%	5.3%	-9.3%	-0.4%	-10.1%	-13.3%	-23.5%	1.7%	17.9%	-13.8%	-16.5%
愛知県	2019年	3,331	704,618	3,489	711,784	3,518	929,707	3,008	536,581	4,362	1,012,046	4,100	867,582	3,965	891,577
	2020年	2,973	564,889	3,055	675,908	3,425	693,639	3,196	737,475	2,559	686,816	3,443	668,815	3,214	637,599
		-10.7%	-19.8%	-12.4%	-5.0%	-2.6%	-25.4%	6.3%	37.4%	-41.3%	-32.1%	-16.0%	-22.9%	-18.9%	-28.5%
大阪府	2019年	2,097	798,300	2,349	648,244	2,407	631,351	2,303	719,635	2,364	652,920	2,389	636,594	2,956	722,856
	2020年	2,125	700,289	2,344	893,922	2,347	613,536	1,821	494,132	1,913	639,192	2,296	583,652	2,465	700,923
		1.3%	-12.3%	-0.2%	37.9%	-2.5%	-2.8%	-20.9%	-31.3%	-19.1%	-2.1%	-3.9%	-8.3%	-16.6%	-3.0%
広島県	2019年	817	218,721	958	200,544	849	170,346	982	319,745	905	141,727	1,104	265,840	1,010	211,981
	2020年	858	183,340	897	222,292	1,006	203,517	785	148,811	801	190,801	981	261,610	817	241,586
		5.0%	-16.2%	-6.4%	10.8%	18.5%	19.5%	-20.1%	-53.5%	-11.5%	34.6%	-11.1%	-1.6%	-19.1%	14.0%
福岡県	2019年	1,685	483,386	1,756	487,766	1,783	407,410	1,752	428,291	1,701	476,047	2,032	440,915	2,021	565,477
	2020年	1,545	445,697	1,586	359,582	1,582	335,686	1,512	352,379	1,439	375,460	1,545	361,722	1,501	360,497
		-8.3%	-7.8%	-9.7%	-26.3%	-11.3%	-17.6%	-13.7%	-17.7%	-15.4%	-21.1%	-24.0%	-18.0%	-25.7%	-36.2%

注）2020年の上段は建築数（棟）・床面積（㎡）、下段は対前年同月比。

出所：建築着工統計調査（国土交通省）

表３　月別建築費指数の推移（集合住宅、RC）

	2019年	2020年							
	12月	1月	2月	3月	4月	5月	6月	7月	8月
札幌	128.2	128.4	128.3	128.3	128.2	128.1	128.0	128.2	128.2
	－	0.2%	-0.1%	0.0%	-0.1%	-0.1%	-0.1%	0.2%	0.0%
仙台	125.0	125.1	124.6	124.4	124.3	124.1	124.2	124.3	124.3
	－	0.1%	-0.4%	-0.2%	-0.1%	-0.2%	0.1%	0.1%	0.0%
東京	121.1	121.2	121.1	120.7	120.5	120.4	120.3	120.4	120.4
	－	0.1%	-0.1%	-0.3%	-0.2%	-0.1%	-0.1%	0.1%	0.0%
名古屋	120.1	120.2	120.1	120.0	119.8	119.7	119.6	119.9	119.9
	－	0.1%	-0.1%	-0.1%	-0.2%	-0.1%	-0.1%	0.3%	0.0%
大阪	121.8	121.9	121.8	121.7	121.5	121.3	121.3	121.6	121.6
	－	0.1%	-0.1%	-0.1%	-0.2%	-0.2%	0.0%	0.2%	0.0%
広島	118.3	118.3	118.3	118.1	117.8	117.7	117.7	117.9	117.9
	－	0.0%	0.0%	-0.2%	-0.3%	-0.1%	0.0%	0.2%	0.0%
福岡	122.7	122.8	122.7	122.5	122.2	122.0	122.1	122.5	122.5
	－	0.1%	-0.1%	-0.2%	-0.2%	-0.2%	0.1%	0.3%	0.0%

注）都市名は、建築費指数の都市別名称による。　上段は建築費数（集合住宅、RC）、下段は対前月比。
出所：建築費指数（2011 年基準）（一般財団法人 建設物価調査会）

年間の着工棟数、床面積と比較しても、2020 年の減少傾向が予想される。

なお、上記のような建築着工動向の一方で、感染症の影響から建設資材の調達が滞った等の報道が聞かれたが、建築費は**表３**のとおり大きな変動は見られなかった。2 月～ 5 月頃にやや弱含みの動向が見られたものの、建築費は概ね横ばい傾向で推移した。

3）分譲マンションの供給動向等の変化

表４は「CRI」マンション市場動向に基づいて、分譲マンションの月別供給戸数等を整理したものである。

緊急事態宣言期間を含む 2020 年 4 月、5 月には、総販売戸数が対前月比で 4 ～ 7 割前後減少している。特にほぼ 1 か月が緊急事態宣言期間にあたる 5 月の総販売戸数の減少が著しく、首都圏、近畿圏ともに緊急事態宣言発令前の 3 月の総販売戸数と比較し、5 月の総販売戸数は 1/5 ～ 1/6 程度に減少した。しかし、6 月～ 8 月にはほぼ緊急事態宣言発令前の戸数に回復しており、総販売戸数の減少は一時的な現象に止まった。

表４　分譲マンションの月別総販売戸数等の推移

	総販売戸数（戸）				完成在庫数（戸）				平均分譲単価（千円 /㎡）			
	首都圏		近畿圏		首都圏		近畿圏		首都圏		近畿圏	
2019年1月	2,412	−	1,190	−	3,908	−	1,156	−	813	−	638	−
2月	2,781	15.3%	1,469	23.4%	3,799	-2.8%	1,359	17.6%	911	12.1%	654	2.5%
3月	3,642	31.0%	1,643	11.8%	3,825	0.7%	1,302	-4.2%	947	4.0%	670	2.4%
4月	1,940	-46.7%	1,030	-37.3%	3,784	-1.1%	1,264	-2.9%	931	-1.7%	658	-1.8%
5月	2,299	18.5%	1,323	28.4%	3,539	-6.5%	1,127	-10.8%	894	-4.0%	643	-2.3%
6月	2,476	7.7%	1,465	10.7%	3,352	-5.3%	1,088	-3.5%	919	2.8%	653	1.6%
7月	2,255	-8.9%	1,901	29.8%	3,269	-2.5%	964	-11.4%	860	-6.4%	760	16.4%
8月	2,186	-3.1%	1,530	-19.5%	3,649	11.6%	880	-8.7%	895	4.1%	655	-13.8%
9月	2,327	6.5%	1,419	7.3%	3,550	-2.7%	981	11.5%	913	2.0%	690	5.3%
10月	1,787	-23.2%	1,399	-1.4%	3,836	8.1%	959	-2.2%	914	0.1%	719	4.2%
11月	2,768	54.9%	1,176	-15.9%	4,182	9.0%	1,098	14.5%	808	-11.6%	628	-12.7%
12月	4,822	74.2%	2,584	119.7%	4,167	-0.4%	1,192	8.6%	839	3.8%	708	12.7%
2020年1月	1,652	-65.7%	777	-69.9%	4,033	-3.2%	1,113	-6.6%	1,262	50.4%	629	-11.2%
2月	2,010	21.7%	1,109	42.7%	3,966	-1.7%	1,062	-4.6%	974	-22.8%	671	6.7%
3月	2,420	20.4%	1,387	25.1%	3,856	-2.8%	1,247	17.4%	973	-0.1%	762	13.6%
4月	779	-67.8%	528	-61.9%	4,093	6.1%	1,385	11.1%	1,020	4.8%	634	-16.8%
5月	415	-46.7%	267	-49.4%	4,079	-0.3%	1,287	-7.1%	1,084	6.3%	616	-2.8%
6月	1,927	364.3%	1,230	360.7%	3,917	-4.0%	1,272	-1.2%	969	-10.6%	640	3.9%
7月	2,222	15.3%	996	-19.0%	3,626	-7.4%	1,229	-3.4%	913	-5.8%	770	20.3%
8月	2,061	-7.2%	1,612	61.8%	3,605	-0.6%	1,256	2.2%	933	2.2%	694	-9.9%

注）首都圏：埼玉県、千葉県、東京都、神奈川県
　　近畿圏：大阪府、兵庫県、京都府、滋賀県、奈良県、和歌山県
出所：「CRI」マンション市場動向（株式会社長谷工総合研究所）（基礎データの出所は株式会社不動産経済研究所による）

4）中古マンションの流通動向等の変化

上記の分譲マンショの供給等のシェアを考慮し、「月例速報 Market Watch（全国版）」に基づいて、首都圏の主要都県（埼玉県、千葉県、東京都、神奈川県）、近畿圏の主要府県（京都府、大阪府、兵庫県）における中古マンションの月別取引件数等を**表５**に整理した。

表５　中古マンションの月別取引件数等の推移

			1月	2月	3月	4月	5月	6月	7月	8月
件数（件）	首都圏	2019年	2,667	3,484	4,117	3,440	2,749	3,490	3,233	2,584
		2020年	2,680	2,681	2,682	2,683	2,684	2,685	2,686	2,687
			0.5%	-23.0%	-34.9%	-22.0%	-2.4%	-23.1%	-16.9%	4.0%
	近畿圏	2019年	1,058	1,581	1,763	1,504	1,074	1,398	1,346	996
		2020年	994	1,551	1,698	893	718	1,410	1,326	1,275
			-6.0%	-1.9%	-3.7%	-40.6%	-33.1%	0.9%	-1.5%	28.0%
㎡単価（万円/㎡）	東京都	2020年	74.82	71.76	71.05	70.18	70.57	70.19	74.36	72.38
			−	-4.1%	-1.0%	-1.2%	0.6%	-0.5%	5.9%	-2.7%
	大阪府	2020年	40.18	37.19	36.00	35.68	33.02	36.06	37.07	36.76
			−	-7.4%	-3.2%	-0.9%	-7.5%	9.2%	2.8%	-0.8%

注）件数の下段は対前年同月比、㎡単価の下段は対前月比。
出所：月例速報 Market Watch（全国版）（公益財団法人 東日本不動産流通機、公益社団法人　中部圏不動産流通機構、公益社団法人 近畿圏不動産流通機構、公益社団法人 西日本不動産流通機構）

首都圏では、2020年２月～４月にかけて対前年同月比（中古マンションの取引件数にも季節性が認められるため、対前年同月比で動向を把握した）で取引件数が２～３割程度減少した。５月には減少幅が2%程度に縮小したものの、６月、７月には再び２割前後の減少となり、８月には前年同月並みに回復した。

近畿圏では、首都圏から２か月遅れて2020年４月、５月に取引件数が対前年同月比で３～４割程度減少したが、６月には前年同月並みに回復し、８月には３割程度の増加と顕著な回復傾向が見られた。

ちなみに、各都市圏の中心となっている、東京都と大阪府の取引単価（㎡単価）の動向を対前月比で整理すると、下落傾向が2020年２月頃から４月、５月頃まで続いており、６月、７月には上昇月が混在する。１月～８月の動向を全体的に見ると、東京都、大阪府ともに取引単価の変化は小幅であった。

5）オフィスの空室率、賃料動向の変化

表６は、主要都市のオフィス集積エリア（以下、「ビジネス地区」という。）の月

表6　主要都市におけるビジネス地区の月別平均空室率の推移

	2019年12月	2020年1月	2月	3月	4月	5月	6月	7月	8月
東京ビジネス地区	1.55%	1.53%	1.49%	1.50%	1.56%	1.64%	1.97%	2.77%	3.07%
	－	-0.02	-0.04	0.01	0.06	0.08	0.33	0.80	0.30
大阪ビジネス地区	1.82%	1.96%	1.94%	2.00%	2.00%	2.18%	2.46%	2.71%	2.78%
	－	0.14	-0.02	0.06	0.00	0.18	0.28	0.25	0.07
名古屋ビジネス地区	1.92%	1.91%	2.21%	2.27%	2.26%	2.50%	2.83%	2.91%	3.01%
	－	-0.01	0.30	0.06	-0.01	0.24	0.33	0.08	0.10
札幌ビジネス地区	1.91%	1.78%	1.62%	1.58%	1.80%	1.94%	2.03%	2.28%	2.34%
	－	-0.13	-0.16	-0.04	0.22	0.14	0.09	0.25	0.06
仙台ビジネス地区	4.19%	4.49%	4.42%	4.60%	4.57%	4.64%	5.13%	5.42%	5.63%
	－	0.30	-0.07	0.18	-0.03	0.07	0.49	0.29	0.21
福岡ビジネス地区	2.09%	2.01%	2.29%	2.20%	2.26%	2.35%	2.64%	2.87%	2.91%
	－	-0.08	0.28	-0.09	0.06	0.09	0.29	0.23	0.04

注）上段は空室率、下段は前月の空室率に対する当月の空室率の増減分
東京ビジネス地区：千代田区、中央区、港区、新宿区、渋谷区の都心５区
大阪ビジネス地区：梅田地区、南森町地区、淀屋橋・本町地区、船場地区、心斎橋・難波地区、新大阪地区の主要６地区
名古屋ビジネス地区：名駅地区、伏見地区、栄地区、丸の内地区の主要４地区
札幌ビジネス地区：駅前通・大通公園地区、駅前東西地区、南１条以南地区、創成川東・西 11 丁目近辺地区、北口地区の主要５地区
仙台ビジネス地区：駅前地区、一番町周辺地区、県庁・市役所周辺地区、駅東地区、周辺オフィス地区の主要５地区
福岡ビジネス地区：赤坂・大名地区、天神地区、薬院・渡辺通地区、祇園・呉服町地区、博多駅前地区、博多駅東・駅南地区の主要６地区
出所：オフィスマーケットデータ（三鬼商事株式会社）

別平均空室率の推移を整理したものである。

各ビジネス地区の空室率は 2019 年 12 月～ 2020 年 3 月が最も低く、3 月～ 4 月以後は緩やかながら上昇している。しかし 8 月時点で見ると、仙台ビジネス地区（平均空室率は 5.63%）を除けば、いずれのビジネス地区も 3% 前後の空室率に止まっており、相対的に低位な空室率が維持されていると言える。

また、**表7**は主要都市におけるビジネス地区の月別平均オフィス賃料を整理したものである。緊急事態宣言によって経済活動が停滞したといわれている期間も緩やかな上昇を続けるビジネス地区が多く、下落する場合も微少な下落に止まっている。

以上から、主要都市のビジネス地区においては、空室率が微少に上昇しているが低位な状態に止まる都市が多く、オフィス賃料では継続的に下落する動向

表7　主要都市におけるビジネス地区の月別平均オフィス賃料の推移

	2019年12月	2020年1月	2月	3月	4月	5月	6月	7月	8月
東京ビジネス地区	22,206	22,448	22,548	22,594	22,820	22,836	22,880	23,014	22,822
	−	1.1%	0.4%	0.2%	1.0%	0.1%	0.2%	0.6%	-0.8%
大阪ビジネス地区	11,794	11,856	11,907	11,957	11,947	11,957	12,026	11,988	12,006
	−	0.5%	0.4%	0.4%	-0.1%	0.1%	0.6%	-0.3%	0.2%
名古屋ビジネス地区	11,568	11,717	11,756	11,789	11,827	11,856	11,853	11,876	11,886
	−	1.3%	0.3%	0.3%	0.3%	0.2%	-0.0%	0.2%	0.1%
札幌ビジネス地区	9,144	9,244	9,280	9,306	9,336	9,340	9,364	9,385	9,400
	−	1.1%	0.4%	0.3%	0.3%	0.0%	0.3%	0.2%	0.2%
仙台ビジネス地区	9,197	9,267	9,287	9,313	9,316	9,316	9,336	9,339	9,345
	−	0.8%	0.2%	0.3%	0.0%	0.0%	0.2%	0.0%	0.1%
福岡ビジネス地区	10,547	10,658	10,737	10,827	10,843	10,892	10,973	10,998	11,016
	−	1.1%	0.7%	0.8%	0.1%	0.5%	0.7%	0.2%	0.2%

注）上段は坪あたりの平均オフィス賃料（円／坪）、下段は対前月変動率。
　　各都市のビジネス地区の定義は表6のとおり。
出所：オフィスマーケットデータ（三鬼商事株式会社）

は確認されない。

6）店舗賃料動向の変化

店舗賃料については、「主要都市の高度利用地地価動向報告〜地価 LOOK レポート〜」（以下、「地価 LOOK レポート」という）を活用し、「上昇」、「横ばい」、「下落」に該当する四半期毎の地区数を集計し、その変化によって店舗賃料の動向を概観する（地価 LOOK レポートでは、100 地区のうち 69 地区の店舗賃料の動向が公表されている）。

感染症の感染拡大前にあたる 2019 年第 4 四半期から、緊急事態宣言期間を含む 2020 年第 2 四半期までの上昇・下落等の動向に該当する地区数は**表8**のとおりである。

2019 年第 4 四半期は横ばいが 60 地区と全体（69 地区）の約 9 割を占め、上昇も 9 地区となっていたことから、主要都市において、2019 年第 4 四半期の店舗賃料は安定的かつ堅調であったことが理解できる。しかし、2020 年第 1 四半期になると、上昇が 3 地区と減少し、横ばいは 63 地区と全体の 9 割を超えるまで増加し、3 地区が早くも下落に転じた。さらに同年第 2 四半期になると、上昇する地区は皆無となり、横ばいも 45 地区に減少し、下落が 24 地区と

表８　地価 LOOK レポートによる店舗賃料の動向

		上昇	横ばい	下落	合計
2019年	第４四半期	9 地区	60 地区	0 地区	69 地区
		(13.0%)	(87.0%)	(0.0%)	(100.0%)
2020年	第１四半期	3 地区	63 地区	3 地区	69 地区
		(4.3%)	(91.3%)	(4.3%)	(100.0%)
	第２四半期	0 地区	45 地区	24 地区	69 地区
		(0.0%)	(65.2%)	(34.8%)	(100.0%)

出所：主要都市の高度利用地地価動向報告～地価 LOOK レポート～（国土交通省）

全体の35%程度に増加した。このように、店舗賃料は感染症の影響によって、顕著な下落傾向に転じたことが地価 LOOK レポートで確認される。

(2)　地価調査による地価動向の変化

2019年及び2020年地価調査（国土利用計画法施行令第９条に基づく都道府県地価調査。価格時点は各年の７月１日）と、2020年地価公示（地価公示法による。価格時点は2020年１月１日）とに共通する地点を対象に、都市別等の６か月間平均地価変動率（以下、「地価変動率」という）を算出して感染症の感染拡大期前後の地価変動率を比較し、感染拡大による地価動向の変化を概観する。

1）都市別用途別の地価動向

上記の手順に従って、**表９**のとおり主要都市の６か月間の地価変動率を都市別用途別に算出し、下落した地点数（下表では「－地点数」）を期間ごとに集計した。

住宅地、商業地ともに、感染症の国内感染者が確認される以前はすべての都市で地価は上昇傾向にあり、特に商業地は顕著な地価上昇期にあった。例えば札幌市の住宅地、商業地、仙台市の商業地、大阪市の商業地、広島市の商業地、福岡市の商業地は５～10%程度上昇しており、全国的に不動産市場は好況であったことが理解できる。

しかし、感染症の感染拡大によって緊急事態宣言の発令等の対策が実施された後は、東京都23区、名古屋市、大阪市では、住宅地、商業地とも下落に転

表９　主要都市の都市別用途別地価変動率等

	用途	2019年7月〜2020年1月地価変動率	2020年1月〜2020年7月地価変動率	2019年7月〜2020年1月ー地点数	2020年1月〜2020年7月ー地点数	総地点数
札幌市	住宅地	5.2%	1.5%	0	0 (0.0%)	9
	商業地	6.2%	1.3%	0	0 (0.0%)	6
仙台市	住宅地	2.9%	1.2%	0	1 (4.3%)	23
	商業地	6.1%	2.5%	0	0 (0.0%)	6
東京都23区	住宅地	2.0%	-0.6%	0	40 (58.0%)	69
	商業地	4.3%	-2.2%	0	52 (83.9%)	62
名古屋市	住宅地	1.2%	-1.7%	0	24 (96.0%)	25
	商業地	3.5%	-4.3%	0	20 (100.0%)	20
大阪市	住宅地	0.6%	-0.2%	0	6 (31.6%)	19
	商業地	7.7%	-3.6%	2	19 (90.5%)	21
広島市	住宅地	1.9%	0.1%	0	0 (0.0%)	5
	商業地	6.2%	-1.0%	0	2 (40.0%)	5
福岡市	住宅地	4.2%	0.3%	0	3 (30.0%)	10
	商業地	10.5%	-0.1%	0	2 (28.6%)	7
総計		−	−	2	169 (58.9%)	287

注）2020年１月〜７月のー（マイナス）地点数の括弧内は、総地点数を分母とした割合。
出所：都道府県地価調査（都道府県知事）、地価公示（国土交通省土地鑑定委員会）

じ、特に名古屋市では住宅地、商業地とも下落幅が相対的に大きい。また、広島市、福岡市では住宅地の上昇幅が縮小してかろうじて弱い上昇傾向が続いたが、商業地は下落に転じた。札幌市、仙台市では、住宅地、商業地ともに上昇幅が明らかに縮小した。

この状況を感染拡大後に下落に転じた地点数で見ると、住宅地、商業地ともに、地価変動率がマイナスとなった東京都23区、名古屋市、大阪市で下落地点の割合が大きくなっている。特に名古屋市では、住宅地約96%、商業地では100%となっており、ほぼすべての地点が下落に転じた。また、三大都市圏に位置する都市では商業地において下落に転じる地点の割合が大きくなっており、東京都23区の商業地でも約84%の地点が下落に転じた。

2）都市別用途地域別の地価動向

以上の都市別用途別の地価変動率を用途地域（ただし、住居系、工業系の用途地域は下記のとおりまとめた）(注) 別に集計し、地価動向と土地利用との関係を考慮

表10　主要都市の都市別用途地域別地価変動率等

都市	用途地域	2019年7月～2020年1月地価変動率	2020年1月～2020年7月地価変動率	2019年7月～2020年1月－地点数	2020年1月～2020年7月－地点数	総地点数
札幌市	商業	8.9%	1.9%	0	0 (0.0%)	2
	近商	4.8%	1.1%	0	0 (0.0%)	4
	中高層等住居系	5.8%	1.7%	0	0 (0.0%)	7
	低層住居系	3.2%	0.9%	0	0 (0.0%)	2
仙台市	商業	7.8%	2.7%	0	0 (0.0%)	3
	近商	5.0%	3.4%	0	0 (0.0%)	2
	中高層等住居系	3.4%	1.8%	0	0 (0.0%)	11
	低層住居系	2.4%	0.7%	0	1 (8.3%)	12
	工業系	3.1%	0.0%	0	0 (0.0%)	1
東京都23区	商業	4.8%	-2.6%	0	44 (89.8%)	49
	近商	2.5%	-0.8%	0	9 (64.3%)	14
	中高層等住居系	2.4%	-0.7%	0	22 (59.5%)	37
	低層住居系	1.5%	-0.5%	0	15 (55.6%)	27
	工業系	2.6%	-0.4%	0	2 (50.0%)	4
名古屋市	商業	4.0%	-4.6%	0	15 (100.0%)	15
	近商	2.0%	-3.3%	0	5 (100.0%)	5
	中高層等住居系	1.6%	-2.0%	0	15 (100.0%)	15
	低層住居系	0.6%	-1.3%	0	9 (90.0%)	10
大阪市	商業	7.7%	-3.6%	2	19 (90.5%)	21
	中高層等住居系	0.6%	-0.2%	0	6 (31.6%)	19
広島市	商業	6.2%	-2.4%	0	2 (100.0%)	2
	近商	6.2%	0.0%	0	0 (0.0%)	3
	中高層等住居系	2.1%	0.2%	0	0 (0.0%)	4
	低層住居系	0.8%	0.0%	0	0 (0.0%)	1
福岡市	商業	12.5%	-0.8%	0	2 (40.0%)	5
	近商	5.6%	1.7%	0	0 (0.0%)	2
	中高層等住居系	4.9%	0.2%	0	3 (42.9%)	7
	低層住居系	2.6%	0.4%	0	0 (0.0%)	3
総計		－	－	2	169 (58.9%)	287

注）2020年1月～7月の－（マイナス）地点数の括弧内は、総地点数を分母とした割合。
出所：都道府県地価調査（都道府県知事）、地価公示（国土交通省土地鑑定委員会）

して、**表10**に地価変動率を整理した。

注）低層住居系　　：第一種、第二種低層住居専用地域
　　中高層等住居系：上記以外の住居系用途地域
　　工業系　　　　：工業地域、準工業地域

三大都市圏内の都市では、商業地域の下落幅が最も大きくなっている。特に名古屋市の商業地域は-4.6%となって下落幅が最も大きい。商業地域に次いで、近隣商業地域の下落幅が大きく（ただし大阪市には近隣商業地域がない）、中高層等住居系がこれに次ぐ。このように、三大都市圏内の都市の下落幅に関する序列は高度利用の程度と概ね一致しており、感染症の感染拡大以前の上昇幅の大きさの序列とも概ね一致している。また、札幌市、仙台市はすべての用途地域で上昇傾向が続いたものの（ただし、仙台市の工業系は横ばいとなっている）、いずれの用途地域でも上昇幅は大きく縮小し、特に商業地域での上昇幅の縮小が目立つ。

以上のように、感染症の感染拡大傾向が顕著であった期間について地価動向を概観すると、商業地域で感染拡大の影響が強く現れており、高度利用の程度が高い地域ほど強く現れた可能性がある。また、住宅系の用途地域では上昇幅が縮小し、下落に転じた場合でも商業系用途地域と比較して下落幅が小さくなっている。名古屋市も同様であるが、中高層等住居系と低層住居系ともに下落に転じており、他都市と比較しても下落幅が大きい。

⑶ 地価LOOKレポートによる四半期毎の不動産市況の変化

国土交通省による地価LOOKレポートでは、主要都市等の高度利用地内に設けられた調査地区（100地区）の地価変動率（四半期毎の調査であり対前期地価変動率）が公表されているとともに、調査地区別の不動産市況が概説されている。以下では、この地価LOOKレポートによって、感染症の感染拡大下にあった主要都市の不動産市況を概観する。

1） 主要都市の四半期毎の地価動向の特徴

地価LOOKレポートに基づいて、2019年第4四半期から2020年第2四半期までの対前期地価変動率が該当する変動率区分別に調査地区数を集計すると

表 11　主要都市が位置する都市圏等の地価変動率区分別の地区数

都市圏	2019 年 第４四半期	2020 年 第１四半期	2020 年 第２四半期
東京圏 (43 地区)	3～6％：4 地区 0～3％：37 地区 横ばい：2 地区	0～3％：26 地区 横ばい：16 地区 -3～0％：1 地区	横ばい：38 地区 -3～0％：3 地区 -6～-3％：2 地区
大阪圏 (25 地区)	6％以上：3 地区 3～6％：8 地区 0～3％：14 地区 横ばい：0 地区	3～6％：3 地区 0～3％：22 地区 横ばい 0 地区	横ばい 8 地区 -3～0％：13 地区 -6～-3％：4 地区
名古屋圏 (9 地区)	3～6％：3 地区 0～3％：6 地区 横ばい：0 地区	0～3％：9 地区	-3～0％：8 地区 -6～-3％：1 地区
札幌市 (2 地区)	3～6％：1 地区 0～3％：1 地区	横ばい：2 地区	横ばい：2 地区
仙台市 (2 地区)	3～6％：2 地区	3～6％：1 地区 0～3％：1 地区	0～3％：1 地区 横ばい：1 地区
広島市 (2 地区)	0～3％：2 地区	0～3％：2 地区	横ばい：2 地区
福岡市 (2 地区)	3～6％：1 地区 横ばい：1 地区	0～3％：1 地区 -3～0％：1 地区	横ばい：2 地区

出所：主要都市の高度利用地地価動向報告～地価 LOOK レポート～（国土交通省）

表 11 のとおりであり、**表 12** に都市圏別の地価動向の主な特徴を整理した。

2)　感染症の感染拡大期における都市圏別不動産市況の概要

地価 LOOK レポートによって都市圏別の地価動向の特徴を整理すると、国の緊急事態宣言の期間を含む第 2 四半期において地価変動率の変化が大きく、三大都市圏の地価動向にその特徴が現れている。そこで、2020 年第 2 四半期の地価 LOOK レポートの「不動産鑑定士のコメント」（調査地区別に地価動向の背景となった不動産市況が簡潔にまとめられている）に基づいて、三大都市圏の不動産市況の主な変化を以下のとおり整理した。

①　東京圏の市況概要

ア．拠点的な商業地等の概要

東京圏では、**表 12** で整理したとおり、銀座中央地区等の商業系調査地

表 12　都市圏別の地価動向の特徴等

都市圏	不動産市況の概要
東京圏 (43 地区)	・東京圏では、2019 年第 4 四半期（以下、「前年第 4 四半期」という）には、銀座等に位置する 2 地区が横ばいとなっていたが、ほとんどの調査地区で上昇傾向が続いていた。 ・2020 年には感染症の感染拡大傾向が強まったことが影響し、第 1 四半期には調査地区の 4 割程度、16 地区が横ばいとなった。 ・緊急事態宣言期間にあたる第 2 四半期には 9 割程度の 38 地区が横ばいとなって、感染症の感染拡大の影響によって市場全体の上昇傾向に歯止めがかかったことがうかがわれる。 ・このような不動産市場においては、小売等の商業拠点となっている銀座中央地区、新宿三丁目地区、上野地区、歌舞伎町地区が下落に転じており、商業拠点で影響が強く現れた。 ・なお、調査地区のオフィスエリアでは、リモートワーク等によって従業者の一時的な減少傾向が目立ったが、オフィス賃料は安定的に推移していた。
大阪圏 (25 地区)	・大阪圏の中でも大阪市の前年第 4 四半期の上昇傾向は相対的に強く、6 %以上の上昇となった 3 地区を筆頭に、大阪圏のすべての調査地区は上昇傾向にあった。 ・しかし、2020 年になると第 1 四半期には 3 ～ 6 %の上昇が 3 地区、0 ～ 3 %が 22 地区となって大阪圏のほとんどの調査地区は緩やかな上昇に留まり、全体的に上昇幅は急速に縮小した。 ・第 2 四半期になると、大阪圏の 7 割程度に相当する 17 地区が下落に転じ、横ばいに留まる地区は住宅系を主に 3 割程度となった。特に -3 %を超える強い下落傾向を示す地区が 4 地区となって、大阪圏では全国でも強い下落傾向を示す地区が目立った。
名古屋圏 (9 地区)	・大阪圏と同様に、前年第 4 四半期の上昇傾向は相対的に強く、3 地区が 3 ～ 6 %の強い上昇傾向となっている等、すべての調査地区が上昇傾向にあった。 ・しかし、2020 年になると第 1 四半期にはすべての調査地区が 0 ～ 3 %の上昇となって上昇幅が急速に縮小し、第 2 四半期には商業系調査地区のみならず、住宅系調査地区も含めてすべての調査地区が下落に転じた。 ・-3 %を超える強い下落は 1 地区に止まっているが、住宅系も含め、上昇傾向から、一転して全ての地区で下落したのは名古屋圏が唯一である。
主な地方圏 札幌市、仙台市広島市、福岡市 (合計 8 地区)	・前年第 4 四半期には福岡市の住宅系調査地区（1 地区）が横ばいとなったが、これを除いた調査地区は上昇傾向にあり、広島市以外の都市では 3 ～ 6 %の上昇となった調査地区が 1 地区確認された。 ・感染拡大が先行した札幌市では、早くも第 1 四半期で 2 地区が横ばいに転じ、その他の都市では上昇幅は縮小しているものの上昇傾向が続いていた（福岡市では 1 地区下落となっていたが、ローカルな市況の変化が影響した結果であるため、省略する）。 ・しかし、第 2 四半期には、再開発事業の効果等が市場を牽引する仙台駅前の 1 地区を除いて概ね横ばいに転じ、主要な政令指定都市の高度利用地でも地価の上昇傾向に歯止めがかかった。

出所：主要都市の高度利用地地価動向報告～地価 LOOK レポート～（国土交通省）

区が下落に転じている。国内有数の商業地である銀座中央地区では訪日外国人観光客はもとより、国内買い物客等の来街者も大幅に減少して小売店等の売上高は大幅に減少し、一時的な店舗賃料の減額要請や一部では解約申し入れも確認されるようになっており、店舗賃料は下落傾向に転じていた。しかし、銀座中央地区では、店舗等の需要は底堅く、市場が大きく崩れることは予想されていない。地価 LOOK レポートでは、2018 年第 3 四半期から銀座中央地区の地価動向は横ばいとなっており、この横ばい化の理由として、店舗賃料の上昇によって当該四半期の水準以上に上昇することが期待できないと不動産市場で認識され始めたことが記載されている。2020 年第 2 四半期に下落に転じた背景として、こうした店舗賃料の天井感も影響したのではないかと考えられる。

また、訪日外国人観光客の消費需要の恩恵を受けていた上野地区では、緊急事態宣言発令に先駆けて行われた入国制限措置等によって訪日外国人観光客は激減し、これらインバウンド消費を重視していた店舗やホテルでは売上も激減し、緊急事態宣言発令以前に店舗等の家賃負担力は低下していた。家賃負担が困難となったテナントからの賃料減額要請に止まらず、解約の動きも見られ、店舗賃料が下落に転じる等により地価動向は下落となっている。

イ．オフィス集積エリアの概要

東京の代表的なオフィス市場を観測するため、地価 LOOK レポートでは丸の内地区や東京駅東側の八重洲地区、さらに、近年大規模な再開発事業や建替事業等によってオフィスの集積が進む虎ノ門地区等を調査対象としており、いずれも地価動向は横ばいとなっていた。これらの調査地区にはテレワークに取り組む多数の企業が立地しており、全国でもテレワークの実施率は上位に位置すると思われるが、地価動向を決定する主たる要因となっているオフィス賃料は横ばいとなっており、下落する兆候は確認されていない。また、東京都心部の主要なオフィスエリアの空室率は、**表6**のとおり緊急事態宣言発令前後を境に微少な上昇傾向が確認されるが、空室率は低位な水準を維持しており、主要なオフィスエリアの需要の安定ぶりが印象的である。

以上の状況を背景に、取引利回りは安定して横ばいが続いており、感染症の感染拡大はオフィスワーカーの働き方を変化させたものの、主要なオフィスエリアの不動産市況のトレンドを変えるほどの影響力は確認されていない。

ウ. 東京都心部のブランド力のある住宅地の概要

東京都心部には国内有数の高級住宅地が分布しており、地価LOOKレポートでも皇居に近接する番町地区、渋谷に近接する南青山地区、近年複数の超高層マンションが供給されている東京湾岸部の佃・月島地区、品川地区等の住宅地を調査対象としている。これらの住宅地では、いずれも地価動向は横ばいとなっており、番町を例にとれば、ブランド力のある高級マンションの需要は安定し、富裕層等の購入需要は依然として強い。感染症の感染拡大による影響は、所得階層によって異なることが如実に現れている。

② **大阪圏の市況概要**

大阪圏では、**表11**のとおり第2四半期に下落傾向が相対的に強く現れており、特に大阪市都心部に位置する調査地区の下落傾向が強い。例えば、梅田駅に近接して店舗、オフィス、ホテル等の多様な用途が共存し、大阪市でも有数の繁華性を有する茶屋町地区では、2020年第2四半期の店舗賃料が下落傾向となっており、このような店舗賃料の変化を受けて、前期まで上昇傾向にあった地価が一転して -6 ～ -3%と大きな下落に転じた。感染症の感染拡大による経済活動の停滞、特に小売・飲食業における売上高の減少が店舗賃料を下落させたとともに、回復時期を見通せない不透明感が地価動向の判断に影響したと思われる。

また、茶屋町地区では当該地区周辺の西梅田地区等と一対となって、店舗のみならず大小様々なオフィスビルが集積しており、梅田駅に近接する等の優れた立地条件を背景に大阪圏では上位に位置するオフィスエリアを形成している。これらのオフィス市場では、**表6**のとおり空室率は緩やかな上昇傾向にあるものの低位な状態が維持されてオフィス需要は安定しており、2020年第2四半期もオフィス賃料は横ばい傾向が続いた。

なお、地価LOOKレポートでは、このような茶屋町地区等の市況感が、心斎橋地区やなんば地区等の主な商業拠点や中之島西地区等の主要なオフィスエリアにも記載されている。

一方、大阪市の中でも、相対的に品等の高い住宅地との評価を得ている天王寺地区は、2020年第2四半期も地価動向は横ばいとなっており、高額な分譲マンションの販売状況は良好で、住宅需要は安定していた。

③　名古屋圏の市況概要

名古屋圏の調査地区は、名古屋市都心部の主要なオフィス拠点や商業拠点と、これら拠点へのアクセス性が優れる住宅地に設けられており、いずれも名古屋圏の不動産市場では相対的に需要が強いエリアに位置する。

このような名古屋圏の調査地区において、2020年第2四半期には、前期の上昇傾向から一転し、すべての調査地区が下落に転じた。特に大津通を軸に小売等の店舗が集積する栄南地区は -6 ～ -3%の下落となっており、名古屋圏では最も下落幅が大きくなった。

また、名駅駅前地区や伏見地区等の大規模なオフィスビルが立地する主要なオフィスエリアでは、**表6**のとおり空室率は緩やかに上昇しているが3%程度に止まって低位な水準を維持している。地価LOOKレポートでもオフィス賃料は横ばいと判断されているものの、取引が停滞し、将来的に下層階の店舗賃料やオフィス賃料が下落に転じる等の懸念も混在して取引価格が弱含み、地価は緩やかながら -3 ～ 0%の下落に転じていた。

さらに名古屋圏では、住宅系調査地区も -3 ～ 0%の緩やかな下落に転じた。愛知県内に自動車産業等の製造業が多数立地し、東京都や大阪府と比較すると製造品出荷額は2倍以上の規模となっている。製造業では感染拡大による影響が相対的に大きく、雇用環境の悪化等の恐れから住宅需要の弱まりが懸念されていたことが地価動向に影響したのではないかと思われる。

2.　不動産市場の展望

わが国の不動産市場は、不動産証券等の流動化手法や低金利政策等の金融政策、都市再生、更にはインバウンドによる需要拡大が複合的な推進力になって、リーマンショックによる市況悪化の過程から脱却した。近年は、東京圏等の三大都市圏を中心に緩やかな好況期を享受するまで不動産市場は回復し、三大都市圏を中心として、再び「ひと」、「もの」、「かね」の集中を加速させる一要因になり、その典型が東京圏の一極集中であったと思われる。このような状況のなか、東京圏の人口は増加傾向が続き、都市再生等によって都市機能の集積も進み、高度経済成長期に始まった通勤ラッシュ等の都市問題は未解決のままで現在に至っている。

以下ではこれらの社会状況を踏まえ、感染症の感染が拡大する過程で確認された不動産市場の主な変化を再考し、不動産市場の将来動向を簡潔に展望してみたい。

(1) オフィス市場

1）テレワークの普及

テレワーク（在宅勤務）は、感染症の感染拡大が進行する以前から、働き方改革の一環として大手IT企業等多数の企業に導入されていたが、オフィス市場の需給バランスへ影響するほどの潮流ではなかった。しかし、感染症の感染拡大傾向が顕著な圏域では、2020年3月頃から感染防止のために通勤通学を含む様々な活動自粛が要請される事態となってテレワークの導入が進んだと言われている。

総務省による「令和2年版 情報通信白書」によると、2019年9月末時点の企業のテレワーク導入流率は約2割程度であった（厚生労働省調査）。2020年3月31日に国土交通省から発表された「テレワーク人口実態調査」でも、同年2月～3月上旬に勤務先から感染拡大防止策の一環としてテレワークが指示され、あるいは推奨された者はほぼ2割程度であった上に、その7割程度の者がテレワークにおいて資料閲覧・参照等の問題があると指摘し、3割程度の者が取引先、上司、同僚との連絡・意思疎通に苦労したと回答していた。

しかし、国による緊急事態宣言発令後にテレワーク人口は東京圏を中心に増加した。上記の情報通信白書に掲載された「新型コロナによるテレワークへの影響について、全国2万人規模の緊急調査結果」と「緊急事態宣言（7都府県）後のテレワークの実態について、全国2.5万人規模の調査結果」（パーソル総合研究所2020年3月、4月）によると、緊急事態宣言発令前の3月中旬には全国正社員2万人に対して約13%のテレワーク実施率であったものが、緊急事態宣言発令後の4月中旬には全国2.5万人の正社員に対し約28%の実施率となり、1か月でテレワーク人口は2倍以上に増加した（上記調査結果を、4月当初の緊急事態宣言における対象地域となった7都道府県で見ると、テレワーク実施率は約39%であったことから、この時期のテレワークの増加は感染症の感染拡大防止策の影響であったと思われる）。公益財団法人日本生産性本部による「新型コロナウイルスの感染拡大が働く人の意識に及ぼす調査」（2020年5月）では、テレワークの継続を希望する者が6割を超えており、また、国は働き方改革等の施策の一環として各種テレワーク導入支援策を実施していることから、感染症終息後もテレワークが通勤による勤務形態と併存することが予想される。

2）テレワークとオフィス需要

感染症の感染拡大が契機となってテレワークは感染拡大防止対策として有効であることが証明されたとともに、その副次的な効果として通勤ラッシュから解放される手段となることを改めて多数のオフィスワーカーが実感することとなった。

しかし、テレワークは自己の住宅等にワークスペースを確保しなければならない等の問題があるとともに、上記の「テレワーク人口実態調査」に記されているとおり、労働生産性を低める要素もあり、さらに企業経営者からは勤務管理の問題、テレワークを行うための端末貸与やセキュリティ対策、適切な通信インフラの確保等多数の問題が指摘されており、急激にテレワークがオフィスワーカーの主たる勤務形態に取って代わるとは考えにくい。また、多数のオフィスワーカーがテレワーク、リモート会議を経験することによって、リアルなコミュニケーションの重要性を確認したとの指摘も聞かれた他に、オフィスを構える経営層にはオフィスを企業の内外に発信するコーポレートアイデンティティの一部と捉え、企業のブランディングにも通じる役割を期待する者も多いと思われる。

IT技術を先導する企業や、ソフトウエア事業者等のベンチャー企業では、積極的なテレワークの導入によってオフィス空間を削減する例も確認される。しかし、上記の理由から、一般的な企業ではテレワークを部分的に導入するものの現状のオフィスを維持し、テレワークによるオフィス需要の変化は当面小さいと思われる。感染症の感染拡大対策としての換気・密度コントロール等の衛生面の改善と、快適さを求めるオフィスワーカーに応えるために、戦略的にワークプレイスのあり方を見直す等によって空間の余裕も必要になり、当面は現行のオフィス需要は維持されるのではないかと思われる。

3）オフィスの地方移転の可能性と都心部近郊への展開

感染症の第2波ともいわれる感染拡大のまっただ中にあった2020年8、9月頃、人材派遣大手企業が本部機能を地方に移し、社員の過半が地方に移住するとの計画を公表した。これを受け、移転先の地方公共団体からは、地方活性化への大きな期待から歓迎するとのコメントが発表されている。感染症の感染拡大以前から、物的な設備が軽微なソフトウエア事業者では、プログラマー等の発想力の醸成等の目的もあって、多様なライフスタイルを実現するために地方移転を選択する例も見られたが、上記の事例は感染拡大が地方移転の流れを加速させた例と言える。

多数の感染者が確認された東京圏等の三大都市圏の土地利用等の実態から、感染症の感染拡大は高密な大都市の社会病理の一つとの見方もあり、感染症によるリスクを重視する企業では、今後も地方移転が選択肢の一つになると思われる。しかし、テレワークの課題として挙げたとおり、地方では三大都市圏の多数の取引先等とのコミュニケーションのしにくさがあげられる等によって、ビジネスチャンスの多寡や業務の効率性に課題があり、また企業のブランディング等の無形のニーズも考慮すれば、地方移転を選択する企業は特定の条件を備えた、一部企業に止まるのではないかと思われる。

一方、東京圏では、感染拡大防止と同時に通勤の負担軽減を実現し、テレワークの課題をも回避する手段として、都心近郊あるいは都心外周部のターミナル駅周辺等にサテライトオフィスを設ける取り組みも一部で見られる。これは、下記のシェアオフィス等の小規模供用型レンタルオフィスの利用形態の一つと考えられるが、テレワークの発展系と捉えることもできる。このようなサテライトオフィスは、基幹となる従来型オフィス（以下、「基幹オフィス」という）の存在を前提とすることから、追加的なオフィス需要の発生と捉えるべきであり、テレワークによるオフィスワーカーの負担軽減にもなる。サテライトオフィスは、都心近郊の主要駅周辺（または主要駅の駅ナカ等）での立地が想定されるため、ニューアーバニズムの考え方に沿った駅中心のまちづくりにもなじみやすく、国が取り組むコンパクトなまちづくり（コンパクトシティ＋ネットワーク）に適する機能を有すると考えられる。

4）オフィス需要の多様化と将来動向

上記のとおり、従来の基幹オフィスとともに、在宅でのテレワーク、さらにサテライトオフィスの３つのワークプレイスが今後併存すると考えられるが、感染症の感染拡大以前から存在するシェアオフィスも上記のオフィス需要の隙間を埋めるニッチなワークプレイスとして定着すると思われる。特にスタートアップ段階にあるベンチャー企業にとって、シェアオフィスはインキュベーション機能の一つともなり、社会的なインフラとしても維持すべきものである。

感染症禍にあって、シェアオフィスの形態は変化しつつある。多数の主体で供用する（会員等に限定される場合もあるが）シェアオフィスは感染症の感染を拡大させるとの指摘に対応し、感染拡大防止対策を施した小規模個室を設置する等変化の様相はバリエーションに富んでいる。例えば、メガネメーカーとコーヒーチェーン店が連携して設けたシェアオフィスでは、オンラインで個別化した空間を予め使用できる等のサービスを実現しており、IT を活用した非接触型サービスによってシェアオフィスの短所を回避しつつ、個々人のデスクワークに最適化した単位空間の提供を実現している。

オフィス市場では、以上のように多様なオフィス需要に応じてニッチな供給が進んでいるとともに、基幹オフィスの補完機能としてサテライトオフィスが地理的に分散して立地することが予想される。また、経済状況が悪化してテナント企業の賃料負担力が低下する等の悲観的シナリオが現実にならない限り、一定の都市圏の範囲で安定した基幹オフィスの需要が存在し続けると思われる。

表 13　東京圏の人口移動（転出入状況）

	2020 年転入超過数（人）		
	6月	7月	8月
東京都	1,669	-2,522	-4,514
埼玉県	1,061	553	1,528
千葉県	803	1,189	1,674
神奈川県	725	-679	853
東京圏	4,258	-1,459	-459

注）東京圏：東京都、神奈川県、埼玉県、千葉県
出所：住民基本台帳（総務省）

⑵　住宅市場

1）東京圏等の住宅需要の安定性と地方移住

住宅は生存権に関わる居住の器となる不動産であるため、住宅需要は変化しにくいと言われる。住宅市場で感染症の蔓延が長期化すれば経済活動の停滞等によりエンドユーザーの所得水準が低下し、住宅需要そのものが縮小するのではないかとの懸念もあるが、感染症の終息が見込めない中、様々な経済活動は再開して住宅市場も徐々に例年並みの状態に戻しつつあるため、デベロッパー等は長期的な人口減少社会における住宅需要の変化を念頭におきつつ、保守的な選択をすることによって市場の動向を見極めようとしている。

表 13 は、住民基本台帳による転出入人口から転入超過数（人口）を抜粋したものである。2020 年 6 月、東京都を始め東京圏の 1 都 3 県は転入超過の状態にあった。しかし、7 月には東京都の転入超過数は -2,522 人となって転出超過状態に転じ、神奈川県も -679 人と転出超過に転じた。神奈川県は 8 月に転入超過となったが、東京都は 7 月の転出超過水準を更に超えて 8 月に -4,514 人の転出超過となり、転出超過傾向が強まった。しかし、8 月の東京都以外の県の転入超過数が顕著に増加しており、また、東京圏全体で見ても、7 月の転入超過数 -1,459 人から、8 月には -459 人と 1/3 程度に縮小していることから、東京都の転出人口の多くが東京圏内の 3 県に転入したことが予想できる。以上から、東京圏では感染症の感染拡大の影響下にあっても 6 月までは明らかな転入超過にあり、7 月には転出超過に転じたものの、東京圏内で人口が移動する傾向が強まって、8 月の転入超過数のマイナス幅は大きく縮小したことに

なる。

「不動産経済 マンションデータ・ニュース」（株式会社不動産経済研究所）によると、2020年以降に完成を予定する超高層マンションは全国で258棟、10万3,100戸となっており、そのうち首都圏では177棟、81,525戸と全国の約79%を占めている。また、2020年9月の分譲マンション販売戸数は前年同月比で約5%増、前月比で約48%と回復傾向が顕著であり、上記の東京圏内での人口移動傾向と合わせて考えると、東京圏の住宅需要の強さがうかがわれる。

一方、東京一極集中を是正するため、地方移住に関する様々な支援策が国等で行われており、ふるさと回帰支援センター（認定NPO法人）による「2019移住希望者の動向プレスリリース」によって、「地方移住に関する問い合わせは増加傾向にあり、2019年には上記センターへの問い合わせ件数が49,401件、40歳未満の問い合わせ件数も2万件を超えた」と発表されている。このような地方移住の動きは今後も続くとともに、感染症の感染拡大が地方移住を後押しする要因になると考えられるものの、上記の東京圏の人口移動の状況や、マンション市場の動向を考慮すると、東京圏を中心とした安定的な住宅市場のトレンドを左右するほどの大きなうねりには当面ならないと思われる。

注）2020年の感染症の感染拡大状況を地方都市で見ると、岩手県が典型であるとおり、地方圏の県庁所在都市でも感染リスクが相対的に低い都市は多い。したがって、地方都市でも鉄道等の交通手段が整い、道路等のインフラも整って居住環境が優れ、一定の教育環境も期待できる地方圏の拠点的な都市は、東京圏等からの移住先として選択される可能性があるのではないかと思われる。

2）テレワーク等の影響

感染症の感染拡大によって、テレワークが普及したことは上記のとおりであり、テレワークの普及によって住宅に対するニーズの変化も予想される。そこで、全仕事量の中でテレワークの割合が10%以上のオフィス等のワーカーに対して行った「テレワーク×住まいの意識・実態調査」（2020年2月（調査時期は2019年11月）株式会社リクルート住まいカンパニー）と「新型コロナ禍を受けたテレワーク×住まいの意識・実態調査」（2020年5月（調査時期は2020年4月）株式会社リクルート住まいカンパニー）に基づいてテレワークによる住宅需要の変化を整理すると、交通利便性等の従来どおりの基本的な生活利便性を重視する一方で、テレワークによって在宅時間が増加し、作業スペースも必要になることから、テレワークの普及は、多少通勤先より遠くなっても、住環境が優れ、広めの住宅を求める住宅需要者を増加させると予想される。

以上から、東京圏等の三大都市圏でテレワークが普及することによって、各都市圏近郊に位置し、住戸規模、部屋数等に柔軟性がある一戸建て住宅の需要が強まる可能性がある。このような需要の変化を先取りした例として、東京都心部へのアクセス性も比較的優れ、リゾートの要素も兼ね備えた良好な住環境が期待できる千葉県房総半島周辺や、神奈川県湘南エリアの住宅需要の強まりが確認されている。

ただし、東京圏等の三大都市圏は、土地価格水準の高さとともに土地の供給量に限界があるため、マンションによって住宅需要の相当部分を受け止めざるを得ないのが現実である。そのため、マンションデベロッパーは、間取りの自由度を高める供給形態（フリープラン方式等）の導入や共用施設としてテレワークに対応した居住者用シェアオフィスを備えたマンションを供給する等によって、需要の変化に対応することが予想される。

⑶ 店舗等の不動産市場

1）店舗等が立地する商業地の変化

地価調査における基準地の地価変動率等で整理したとおり（**表10**参照）、感染症の感染拡大による影響によって、三大都市圏等の商業系用途地域の地価水準は下落した。

商業系用途地域において、生活必需品等の最寄り品を扱うスーパー等では売上げが好調であったものの、緊急事態宣言の発令等を契機に営業自粛や3密（密閉、密集、密接）回避等の感染防止対策の徹底が求められた飲食店等では売上高が激減した。さらに都心部等の拠点エリアの買い回り品店舗や飲食店、アミューズメント等の集客施設が中心となっている拠点的な商業地では、「不要不急の外出」の典型とイメージされやすい都市機能が集積する等によって、緊急事態宣言期間はもとより、解除宣言発令後も売上高が2020年当初の水準に回復しない状態が続いている。

このように、売上高が著しく減少した店舗が多数立地する商業地では、テナントによる賃料減額要請が頻発し、資金力が乏しく固定費の割合が大きい小規模テナント等が閉店を選択する例も確認された。

2) Ｅコマースの進展

不要不急の外出自粛によって消費者の消費行動が抑制される一方で、短期的に変化が少ない家計が多いため一般消費者の購買意欲はほとんど衰えず、満たされない購買意欲はＥコマースに向かったと言われている。Ｅコマースサイトを運営する事業者の急成長は、感染症の感染拡大以前から始まっていたことであり、Ｅコマース無しには一般消費者の消費需要に対応できない状況にまで至っている。感染症の感染拡大は、Ｅコマースに対する消費需要の強さを改めて印象づける機会になったとともに、Ｅコマースへの取り組みが有効な生き残り策になると多くの商業者が再認識する契機となった。

そのため、感染拡大によってさらに後押しされたＥコマースの急速な進展は、不動産市場における商業等の施設需要の脅威と見なされるほどになっているものの、この状況は感染症の直接の影響ではなく、従来のトレンドが加速された結果である。リアルな店舗等の商業用不動産に依存する事業者は、Ｅコマースの脅威によってあり方が問われ、いずれは新たな魅力づくり等で対応せざるを得ないと思われる。

3)　感染症と拠点商業地の魅力

不要不急の外出自粛等による影響は感染症が終息すれば消滅するが、将来的に新たなウイルスの蔓延はあり得ることであり、そうした感染症に対する恐れから、感染拡大防止策の一部は営業スタイルとして残る可能性がある。また、2020年9月末から10月中旬頃には主要な観光地や都心部等の拠点商業地の人出はかなり回復しており、例年の平均値程度となっているエリアも確認された。この時期の感染状況は、第2波と言われる最も大きな感染拡大のピークは過ぎたとは言え第1波に近似する感染率が継続していた時期であり、感染症の感染防止対策と経済活動が両立した状態に相当する。

一般論ではあるが、都市機能が集積する都市拠点等の拠点的商業地には多くの人々を集める魅力があり、その魅力の普遍性が上記の人出回復の根底にあると思われる。国内外の感染症に見舞われた都市の歴史を振り返ると、スペイン風邪等の感染症では人口等の密度が高いエリアほど死者が発生しているが、感染症の終息によって都市拠点等の商業地は再び多くの人々を集めてきた。このような過去の事例から考えると、感染症の感染拡大リスクは急速にゼロになることはないものの、そのリスクがある水準を下回ることによって商業地は集客力を回復し、賑わいも復活すると考えられる。感染症が蔓延した2020年においても、こうした拠点的商業地の魅力は不変であり、感染症の終息を待たずに一定の感染者の減少によって回復過程に着くことが予想される。

4）都市の賑わいと不動産の価値

上記のような魅力ある商業地には多数の都市機能が集積し、地価水準も一般的に高い。**表9、表10**で整理した地価調査においても、各都市の最高価格地は概ね商業地域に位置し、この地価水準の序列は変化していない。

国土交通省による「市街地再開発事業の費用便益分析マニュアル案」では、このような不動産市場の現状から、都市機能を説明変数とした下記の地価関数によって市街地再開発事業の効果の一部を算出するとしている。

$$y=a+b\chi_1+c\chi_2+d\chi_3+e\chi_4+\cdots\cdots\cdots$$

y：非説明変数（地価）、a：定数項、b～e偏回帰係数、χ_1～χ_4：説明変数
（説明変数として、実効容積率等の一般的な価格形成要因の他に、商業等の都市機能へのアクセシビリティデータが採用される。）

この地価関数は、都市機能の集積によって土地の価値が大きくなることを示しており、単純に表現すれば都市機能の集積等による都市密度の高さと、地価水準の高低は正比例の関係にあると言える。したがって、高度利用が達成される等によって適正に高密化した商業地は、感染症の感染リスクが高くなる可能性があると同時に、都市機能が集積する等によって生産性の高い不動産が集積するエリアと見做され、投資対象としての高い的確性を保持し、感染症禍にあっても不動産市場で重要なポジションを占め続けると考えられる。

注）商業地を不動産鑑定評価（以下、「鑑定評価」という）する場合は、一般的に収益還元法が主たる鑑定評価手法として適用される（土地価格を求める場合であり、取引事例

比較法等も適用しなければならない)。収益還元法は鑑定評価の対象となる不動産(土地)が将来生み出すであろうと期待される純収益の現在価値の総和を求めることによりその土地の試算価格(鑑定評価では一手法で求めた価格を鑑定評価額と区別するため試算価格と定義している)を求める手法である。通常は新規に土地を取得し、その土地に最有効使用に合致した建物を建築することを想定して賃貸に供する等の収益事業をさらに想定することによって純収益を求めることになる。そのため、建物の建築期間等が考慮されることになり、土地取得時点の感染拡大リスク等の影響がそのまま鑑定評価に反映されず、建物竣工後・収益事業開始後の上記リスクの影響等を判断して鑑定評価が行われることになる。

(4)　不動産市場の展望

感染症の感染拡大は、以上のように不動産市場でも様々な影響をもたらし、特定の用途に対応した需要を変化させ、不動産市場での取引等を介して土地利用の代謝を促している。例えば、インバウンド需要が消滅し、経済活動自粛により国内旅行客も激減して大きな損失を被ったホテル業界では、新たな開発を延期または中止し、場合によっては既存事業者が廃業する等の事例が確認された。このような動向に対応し、ホテル開発のための用地需要は激減し、分譲マンション、オフィス等の用地需要がこれに変わって供給を促す等の変化が不動産市場で起こり、当面はこうした変化が続くと予想される。

一方、急速に普及するEコマースによって、物流施設に係る用地需要は不動産市場の主役の一角を占めるようになった。物流施設の特性と大規模化の傾向から、都市拠点等に立地する商業施設やオフィス等の用地需要と競合することはないものの、感染拡大防止のための不要不急の外出自粛等によってさらに需要が強まった物流施設は、その機能自体が変化して機動性を増し、ブランチ化や商業施設との一体化によって、商業地内の需要の一角を占める例も確認されるようになった。オフィス、商業、住宅等の既成市街地の主要な土地利用以外でも、感染症の感染拡大は、このように需要の潮流を変化させる原因の一つとなっている。

少子高齢化による人口減少期のまっただ中にあるわが国において、長期的には空家、空地といった未利用不動産が増加する等、不動産市場でも多数の問題・課題が生起することが予想される。しかし、一方で中枢管理機能の重要性や都市機能の集積による生産効率の高さから、三大都市圏の都市拠点等の高度利用地に立地する不動産は、海外の投資需要が流入する等によって潤沢な資金を集め、感染症が終息した後も、長期にわたって高度な都市機能の器として利用され続け、不動産市場を牽引すると思われる。

6. Before/With コロナ：地方創生の致命的盲点 ――「20 代女性大流出で失う人口の未来」

天野 馨南子・㈱ニッセイ基礎研究所 生活研究部 人口動態シニアリサーチャー

はじめに

―ヒト分野は誰でも一家言ある、だからこそ正しい数字の収集と解釈を―

「若い人が東京に出て行ってしまって、地方の過疎と都市の過密とに人口分布が二極化し、それが加速している」

数年前、まだ小学生だったわが子が、進学塾で「カソトカミツ！」をパワーワードとして習い、大合唱して帰ってきたのを覚えている。

都市への人口集中問題は、それくらい誰でも知っているはずの日本の人口動態の一大問題である。しかし、その実態をしっかり把握している人は極めて少ない。講演会において、データをもとに日本における人口動態の最大の課題「東京一極集中」を解説すると、悲鳴にも似た驚きの声があがる。

実はこれには致し方ない理由がある。そもそも日本には人口学を独立して学べる学府がない。大学の授業単位においてさえも、人口学を独立して学ぶ機会の提供はこれまでは皆無だったといってよいだろう。ゆえに、誤った人口問題のデータ解釈がまかり通っていても、それを即座に止め、正しい解釈を与える専門家が育成されてこなかったのである。

そこで１では、国の長期統計データをもとに、コロナ禍以前そしてコロナ禍中の「東京一極集中」の推移を一極集中が発生する以前の 1980 年代から解説する。日本におけるもっとも大きな人口移動エリア東京都における人口転出入のエビデンスの解説を丁寧に行い、一極集中の対極にある「地方創生」を読

人口動態からみた「あるべき地方創生」の戦略プロセス

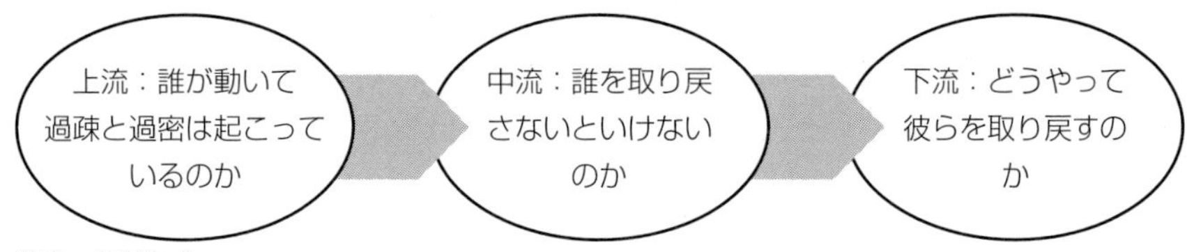

出所：筆者作成。

者が考える際の「正確な前提条件」を提示してみたい。

地方創生を考える読者にとって、この正確な前提条件こそが上流思考となり、中流思考となる「誰を集めるべきなのか」、そして下流思考である「どうやって集めるのか」が導き出されることが、戦略策定のプロセスとして「あるべき姿」であることには異論がないだろう。

もし上流にある「正確な前提条件」を見失ったまま地方創生戦略が策定されたとしても、それは思うように奏功しないか、奏功したとしても偶々であるか、一時的人口増加に効果がとどまり、いずれにしても中長期的な地方の人口の未来につながらない、という結果に帰着するであろうことは予想に難くない。

人口問題の解決にとどまらず、われわれはあらゆる問題において「事実を置き去りにして、解釈に溺れる」ことだけは回避しなければならない。しかし残念ながら、特に社会問題においては「事実を置き去りにして、解釈に溺れる」迷走が発生しているのが現状である。例えば、金融工学のように「全くわからないので、専門家以外はあまり口をはさめない」という人口数が多くなりがちなテーマとは異なり、あらゆる人々がそれなりに「見解」を述べることができてしまう分野だからである。たとえその見解が間違っていても、権威的、情緒的、扇動的、弱者目線的、人口多数派目線的などの理由から、まかり通ってしまうことが大いにありうるのが、社会問題の戦略策定が持つ罠であり、怖さなのである。

1　Before コロナ・東京都の人口移動の長期推移

1-1　注目すべきは「転出・転入の差」

いわゆる地方創生の観点から人口移動を見る場合、大切なのは転出総数（エリアから出ていった数）、転入総数（他のエリアから入ってきた数）そのものではない。

講演会でも何度もお伝えしてきたが、転出・転入そのものはダイバーシティの結果である。県外に出ていくことが悪であり、県内に来てくれることが善、という一方通行しかみない支配的な考えでは、ライフデザインのダイバーシティそのものを否定することになる。どこに生まれようとも、山が好きな人がいる一方で、海が好きな人がいる。そんな多様な感性の集合体の社会だからこそ、人口移動は起こるのである。人口移動自体を否定してはならない。そのような多様な感性への支配を匂わせるような地方創生戦略は、ダイバーシティを当然として教育を受けてきた若い世代に特に嫌悪されやすく、益々過疎をもたらす結果にもなりかねない。

しかし、転出・転入の差（入ってくる人－出ていった人）はしっかり見なくてはならない。大きく転入超過するエリアは「沢山の人々に選ばれる」その時代の人々に好まれるエリア傾向であり、その反対はその時代の人々に選ばれないエリア傾向であることが示されている。

ダイバーシティを差し引いても、沢山の人に選ばれない転出超過エリアであるとすると、もしそのエリアを人口で栄えさせたいという意志があるならば、選ばれるように修正していく必要がある。

1-2　東京都の長期人口移動が示す「3つのステージ」

東京都の2019年までの人口移動を転出入の差の推移で観察すると、3つのステージを確認することができる（**図表1**）。

グラフから見て取れるように、

ステージ1は1986年から1995年の「人口拡散期」

ステージ2は1996年から2008年の「人口集中期」

ステージ3は2009年以降の「男女集中格差拡大期」

である。

図表 1：東京都における転入超過の長期推移（人）

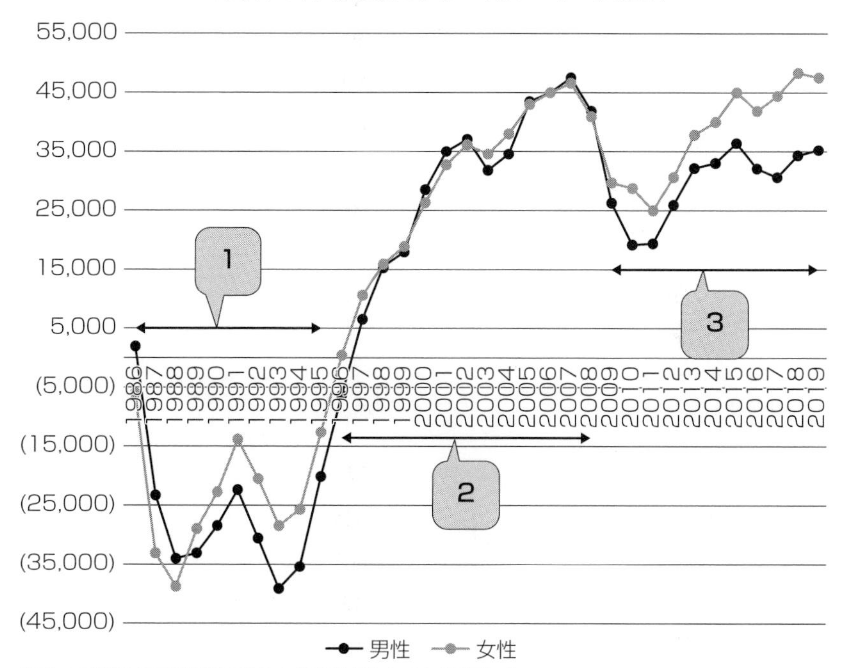

出所：東京都「東京都住民基本台帳移動報告」より筆者作成。

ステージ1、ステージ2につては、一般的にそれなりに認知されているようにも思われるが、ステージ3は「そうだったのか」という驚きの声が、講演会等において多いデータである。

この3ステージがどのような背景で起こり、どのような特徴をもっているのかをそれぞれ解説したい。

1-3　ステージ1（1986年から1995年の10年間）「人口拡散期」

ステージ1は東京都から都外へと人口が転出超過していた、東京都から地方に向けた人口拡散が生じていた時期であったことがみてとれる。そして、このステージ1はバブル景気（1986年～1991年）とバブル崩壊（1991年～1993年）に時期がほぼ一致する。ちなみに、バブル景気において人々が好景気をリアルに

図表2：東京都におけるステージ1の転入超過推移（人）

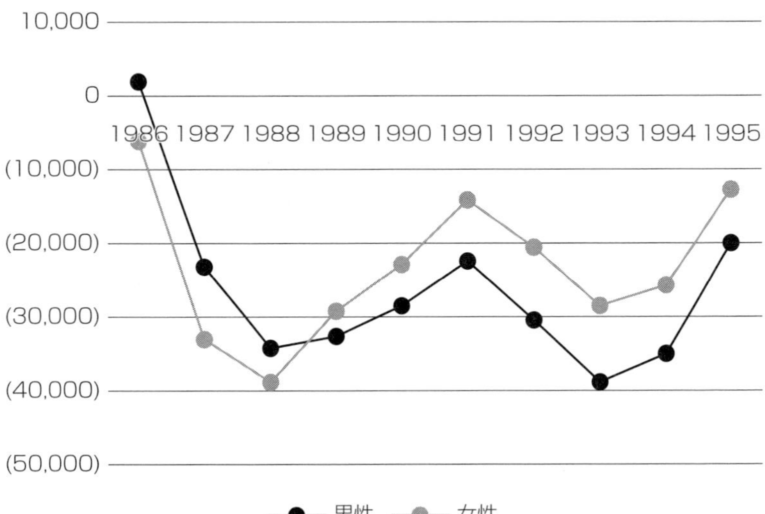

	男性	女性	男性ー女性
1986	2,013	-5,981	7,994
1987	-23,258	-33,045	9,787
1988	-34,190	-38,671	4,481
1989	-32,709	-29,105	-3,604
1990	-28,489	-22,587	-5,902
1991	-22,373	-13,875	-8,498
1992	-30,377	-20,447	-9,930
1993	-39,050	-28,509	-10,541
1994	-35,089	-25,767	-9,322
1995	-19,985	-12,552	-7,433
期間計	-263,507	-230,539	-32,968

出所：東京都「東京都住民基本台帳移動報告」より筆者作成。

体感したとされるのは、1989年10月のブラックマンデー後から、バブル崩壊後の1992年までといわれている。

ステージ1期間の象徴的な出来事としては、1989年12月29日の日経平均株価3万8,957円の史上最高値があげられ、まさに日本中が好景気に沸き立ち、都市、地方に関わらず生活に困ることがないという感覚を人々が味わっていた時期といえる。1987 年にはリクルートのアルバイト誌の編集長が「フリーター」という言葉を造語し、若者が安定した仕事を持たなくとも自由に生きていけるかのような時代観が醸成されていたのがこの時期である。

この空前の全国的な好景気に感応したとみられる東京都の転出超過の動きは、実はまずは女性から起こっている（**図表 2**）。

1986 年、男性はまだ東京に転入超過のまま、女性だけが転出超過に転じる。86 年から 88 年のステージ 1 の前期は、男性を超える女性の転出超過が起こっていたことに注目したい。

この頃の就業力の観点から考えると、1985 年に男女雇用機会均等法が制定され、労働者の募集における性別表記が禁止されるようになるなど、これまでとは異なり、女性の一般会社員等としての雇用の道がようやく開けつつあった時期である。「東京に出なくても仕事はある」という労働市場に、まずは男性よりも就労が困難であった女性が敏感に反応した様子がうかがえる。

ステージ 1 の前期は女性の方が男性よりも多く地方へ転出超過するも、バブル景気の拡大で中盤以降の 7 年間は男性の転出超過がメインとなる。10 年間の合計でみると、男性が 26 万人、女性が 23 万人の転出超過となり、空前の好景気であっても、男性の方が女性より多く地方へ拡散した（1.14 倍）様子が示されている。人口拡散期において、地方は東京都から女性よりも「男性の呼び戻し」により強みをみせた、ということが指摘できる。

1-4　ステージ 2（1996 年から 2008 年の 13 年間）「人口集中期」

ステージ 2 は、再び地方から東京都への転入超過が発生した、東京都の人口集中が発生した時期であったことがみてとれる。時期的には、バブル崩壊後からリーマンショックまでに一致している。

このステージにおいても、東京都への転入超過に転じる動きを先に見せたのは女性であった。

1995 年にまず女性が東京都への転入超過を開始し、翌年、男性が転入超過に転じる。ステージ 1 の完全に逆の動きとなっており、ステージ 2 前期の 3 年間（96 年から 98 年）は女性が男性よりも多く東京都へ転入超過し、その後、

図表3：東京都におけるステージ2の転入超過推移（人）

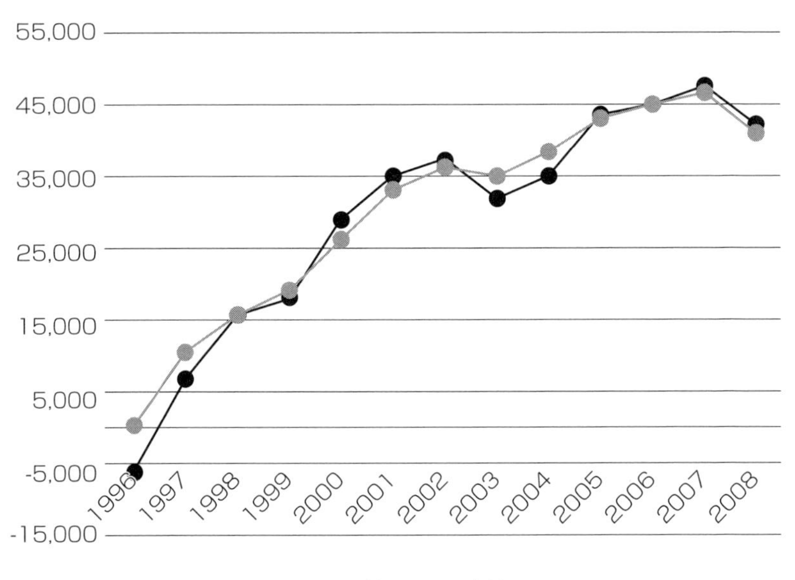

	男性	女性	男性ー女性
1996	-6,022	504	-6,526
1997	6,622	10,669	-4,047
1998	15,395	15,924	-529
1999	17,980	19,176	-1,196
2000	28,714	26,206	2,508
2001	35,191	32,927	2,264
2002	37,114	36,161	953
2003	31,856	34,544	-2,688
2004	34,895	37,986	-3,091
2005	43,681	42,881	800
2006	45,058	45,021	37
2007	47,731	46,769	962
2008	42,108	40,892	1,216
期間計	380,323	389,660	-9,337

出所：東京都「東京都住民基本台帳移動報告」より筆者作成。

男性が女性に追い付くという動態構造が示されている。

ステージ1・ステージ2からは、女性人口の動きの変化は、その後の東京都（ならびに地方）の中期的な人口動態を常に先駆的に示すものであることがみてとれる。

ステージ2において女性の動きが先んじた理由としては、ステージ1の終わりごろの1992年にようやく育児休業法が施行され、女性が結婚・出産と仕事の両立を叶えるためのベースとなる法的土壌が整うなど、女性は男性よりも常に「就業継続に関する壁に向き合わなくてはならない」という労働市場の課題が背景にある。

国家全体の経済事情は労働市場に敏感に反映される。そして、その労働市場の変化には男性よりも女性の感応度の方が高い。というよりも、高くないと就業継続の希望が叶わないために、意識が高くならざるを得ないネガティブ要因が女性にはあり、それが「東京都と地方の人口動態の預言者」的な位置づけを女性の人口移動に与えてきたと思われる。

そうはいっても、ステージ2ではそのような労働市場のネガティブ要因がありつつも、まだ男女がバランスしつつ東京へ集中していた時期であった。期間計で男性が38万人、女性が39万人、東京都に転入超過しており、女性の定着は男性の1.02倍にとどまっていた。

1-5 ステージ3（2009年以降コロナ前の11年間）「男女集中格差拡大期」

ステージ3は、東京都における転入超過人口が恒常的に女性＞男性となり、その差が拡大していく時期である（**図表4**）。時期的には、リーマンショック以降、コロナ前である。

このステージ3の推移こそが、コロナ前における直近の11年間であり、人口移動の「過去の話」ではなく足元の状況であったため、地方創生を考える人々に最も周知されるべきデータであった。

しかし、この男女の集中格差がほとんど認知されてこなかったことが、人口動態推移データからみた地方創生の最大の問題点であったと考える。

ステージ3では、男性の東京都への定着を女性が恒常的に上回る状況へと「人口集中の質的変化」が生じ、特に2016年以降、集中の男女差が拡大した。

図表４：東京都におけるステージ３の転入超過推移（人）

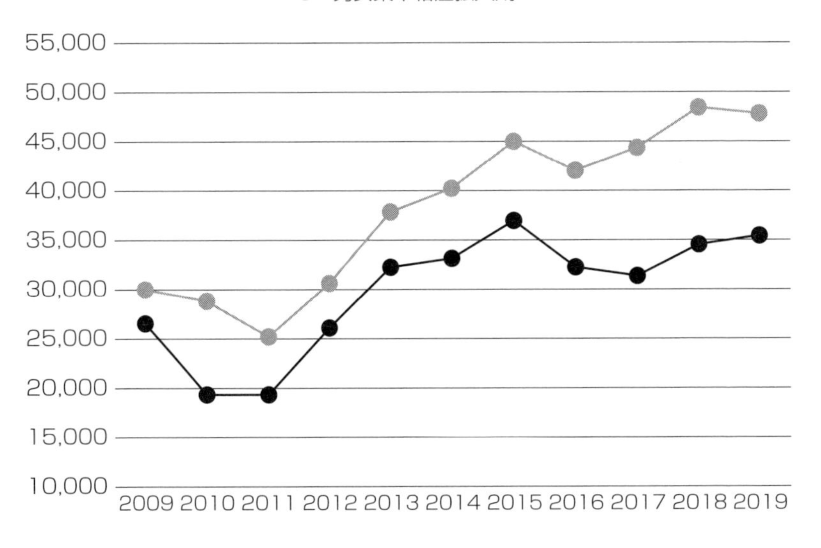

	男性	女性	男性ー女性	女性／男性
2009	26,334	29,886	-3,552	1.13
2010	19,323	29,008	-9,685	1.50
2011	19,365	25,117	-5,752	1.30
2012	25,873	30,624	-4,751	1.18
2013	32,243	37,929	-5,686	1.18
2014	33,084	40,196	-7,112	1.21
2015	36,714	44,982	-8,268	1.23
2016	32,267	41,910	-9,643	1.30
2017	31,038	44,460	-13,422	1.43
2018	34,431	48,343	-13,912	1.40
2019	35,340	47,642	-12,302	1.35
期間計	326,012	420,097	-94,085	1.29

出所：東京都「東京都住民基本台帳移動報告」より筆者作成。

2017 年以降は実に 1.4 倍前後にも集中格差が拡大している。

この 2016 年以降の男女集中格差拡大の一つ目の理由としては、以下の 2 つの法整備が挙げられる。

一つ目は、2014 年 11 月の国会における「まち・ひと・しごと創生法」「地域再生法の一部を改正する法律」地方創生関連二法の可決・成立である。これによって、ステージ 1 で経験した地方における過去の成功経験、すなわち女性よりも男性を多く呼び戻せたという成功体験に立脚した動きが、地方において強化されることとなる。試行錯誤の最初の段階においては、人はどうしても着手しやすいところから手をつけてみよう、という心理が働くからである。例えば、英語と数学を受験科目とする A 大学があったとする。主に英語を得点源として A 大学に無事合格した受験者は、別の同じ科目を要する B 大学でも、できれば英語を得点源に合格したいと考えがちであるのと同じである。もしくは、B 大学が英語よりも数学の配点が大きい場合は B 大学の受験をあきらめて、別の A 大学のような大学がないかを探しがちである。地方創生においても、ステージ 1 での成功経験の手法に頼る、つまり結果的には男性にいい仕事を与えるための戦略がメインとなった。

しかし、地方が成功経験を持つステージ 1 の時代は、非農林業における家族形態において専業主婦が大半という状況から専業主婦と共働き世代が半々という状況への移行期であった（**図表 5**）。この時代においては、仕事といえば男性のものであり、女性は専業主婦が多く、パートの女性も徐々に増え始めたか、くらいの家族イメージである。ところが、ステージ 3 においては、共働き世帯は過半数を占め、東京への男女集中格差が拡大した 2016 年以降においては、共働き世帯が 7 割を占めるという、ステージ 1 時代とは全く異なる家族形態へと社会変化が起こっていた。このような労働市場に大きな変化をもたらす家族構造の変化が全く織り込まれないままの、過去の成功経験からの戦略に基づく地方創生となったのである。あえて女性に仕事を用意し、盛んに誘致を呼びかけることを地方創生の柱とした道府県は皆無であったといってよい。

男性にいい仕事があれば家族形成が行われたステージ 1 と、夫婦がともに経済力をもつことが主流となったステージ 3 の人口誘致戦略が、同じであるはずがない。男性の仕事をメインに用意して定着を呼びかける地方に対し、女性が

図表５：非農林業における専業主婦世帯と共働き世帯の推移（世帯）

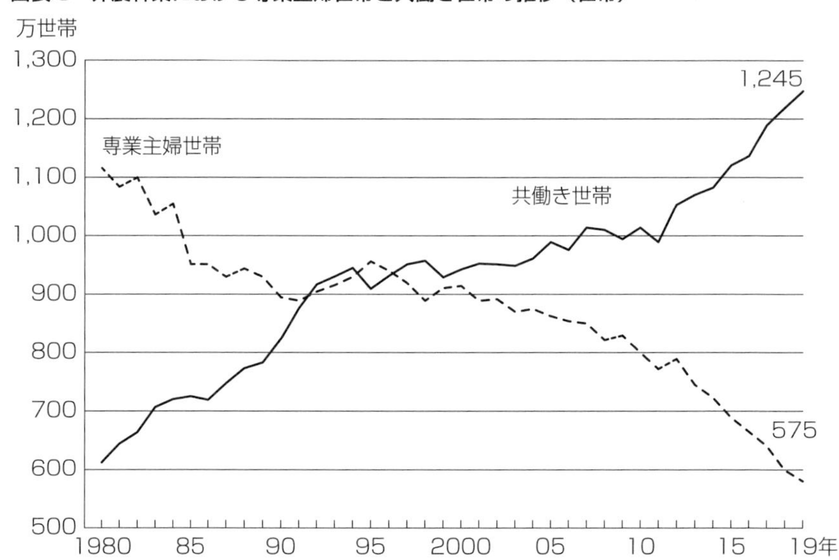

資料出所　厚生労働省「厚生労働白書」、内閣府「男女共同参画白書」、総務省「労働力調査特別調査」、総務省「労働力調査（詳細集計）」

注１　「専業主婦世帯」は、夫が非農林業雇用者で妻が非就業者（非労働力人口及び完全失業者）の世帯。

注２　「共働き世帯」は、夫婦ともに非農林業雇用者の世帯。

注３　2011 年は岩手県、宮城県及び福島県を除く全国の結果。

注４　2013 年～ 2016 年は、2015 年国勢調査基準のベンチマーク人口に基づく時系列用接続数値。

出所：労働政策研究・研修機構 HP より転載。

男性よりも地方離れを起こす結果となったのは当然ともいえる。

加えて二つ目は、2016 年 4 月　女性活躍推進法の施行（当時は 301 人以上の大企業に義務付けられ、300 人未満の中小企業は努力義務止まりであった）である。これが東京都への女性の集中に拍車をかけた。大企業が最も集中する東京都において、法的な義務から大企業は、厚労省のネット上等に学生たちに見える形で「女性活躍レベルを示す指標」を次々と開示することになる。例えば、女性の平均就業継続年数、女性正社員の平均年齢、女性管理職比率、女性正社員比率などが公開されるようになった。デジタルネイチャー世代の若い学生たちは、こういったデジタル情報の開示には敏感に反応する。

特に日本の女子学生には、世界的に見て特殊事情が存在する。2019年開催の世界経済フォーラムで発表されたジェンダーギャップ指数において、「経済分野で153か国中115位（下から数えて1/4）」アフリカ諸国レベルの男女格差のある労働市場にいまだ彼女たちは向きあっているのである。ゆえに女性活躍の可能性を拡大するかのような東京都の大企業を中心とした雇用改革と情報開示に、女性たちが大きな反応を示したことは想像に難くない。こうして、東京一極集中は、見事なまでに女性集中へと変化したのである。

ここで、東京都における男女集中格差がさらに拡大した2015年（地方創生関連二法可決・成立の翌年）前後での男女集中格差の変化について、データでより詳しく確認しておきたい（**図表6**）。

地方創生法前後で比べると、地方による東京都からの女性の奪還率（東京からの転出人口 / 東京へ転入人口）が82.2%から77.5%と4.6ポイント悪化している。男性の奪還率が87.1%から84.8%と2.3%の悪化であるので、変化の男女差（4.6−2.3）は2.3ポイントと僅差のように見えるかもしれない。しかし、もともと地方創生法前から男女の奪還率格差が4.9（87.1−82.2）ポイントあったことから、地方創生法後は7.3ポイントに格差が拡大したのである。

また、地方創生法前後の転出、転入の実数同士で確認すると、東京都から地方へ出ていく男女人口数は136万人から137万人であまり変わらない。しかし、地方からくる転入人口数は161万人から168万人へと増加している。よって地方創生法後は、地方が取り戻せる男女人口はあまり変わらないままで、地方から出ていく男女人口が増加した、ということが指摘できる。地方から東京都へ出てくる女性の数がとくに増加しており、法前後で75万人から80万人へと女性転入数の増加が発生している（男性は86万人から88万人）。

にもかかわらず、11年もの間、この集中格差が放置されてきたのはなぜだろうか。

これには、戦略策定者が人口移動数を転出数、転入数それぞれのグロスでみる癖があるか、両者の差である転入超過数、すなわちネットでみる癖があるか、という「人口移動の中立的・俯瞰的な見方ができるかどうか」が大きく関係する。

今一度、**図表6**をみてみたい。総数ベースでは転入も転出も、常に男性>

図表6：地方創生開始前後各4年で比較した東京都における人口動態の変化（人）

地方創生関連法前

	他道府県からの転入者数			他道府県への転出者数		
	総数	男	女	総数	男	女
2011	394,116	210,566	183,550	349,634	191,201	158,433
2012	400,274	214,231	186,043	343,777	188,358	155,419
2013	407,711	217,183	190,528	337,539	184,940	152,599
2014	404,736	214,691	190,045	331,456	181,607	149,849
期間計	1,606,837	856,671	750,166	1,362,406	746,106	616,300
地方奪還率：転出／転入	-	-	-	84.8%	87.1%	82.2%
	奪還率の男女乖離					4.9%

地方創生関連法後

	他道府県への転出者数			他道府県からの転入者数		
	総数	男	女	総数	男	女
2015	426,084	225,877	200,207	344,388	189,163	155,225
2016	413,444	218,211	195,233	339,267	185,944	153,323
2017	419,283	218,753	200,530	343,785	187,715	156,070
2018	423,617	220,246	203,371	340,843	185,815	155,028
期間計	1,682,428	883,087	799,341	1,368,283	748,637	619,646
地方奪還率：転出／転入	-	-	-	81.3%	84.8%	77.5%
実数変化：後／前	104.7%	103.1%	106.6%	100.4%	100.3%	100.5%
	奪還率変化			-3.5%	-2.3%	-4.6%
	奪還率の男女乖離					7.3%

出所：東京都「東京都住民基本台帳移動報告」より筆者作成。

女性となっていることがわかる。つまりグロス思考で移動データをみている限り、人口移動の問題は、常に「女性よりも男性において深刻である」といった錯覚が生じるのである。「今年も男性が女性よりも沢山出ていった。男性の転出を何とかしなければ」の解釈である。しかし、人口移動をネットで見ることができているならば「男性は多く出ていくが、結局は多くを連れ戻せている。女性は一見、男性より少なく出ていっているかにみえるが、取り戻し率が悪いので、結果的に女性が男性より大きく減って人口減少が起こっている」といった解釈となる。

東京への転入数（地方から東京への転出人口数）だけ見ると、男性が女性よりかなり多いために、男性の呼び戻しを最優先に意識してしまった姿が、地方創生法後の地方の姿と見える。

しかし、人口減少抑止の観点から見れば、「男女それぞれの奪還率の格差」と、その結果最終的に減少した人口数が注目されるべき点であり、女性の方が多く東京に定着し、地方は女性人口をより多く失っていった、という状況の改善を最優先に着手しなければ、男性は子どもを生むことができないため、今後も地方の人口減少はとどまることはない、という状況に気がつかねばならない。

以上、ステージ3をまとめると、

地方創生⇒地方は男性に仕事を考えることに熱心なイメージアップ

女性活躍推進法⇒都会には女性が長く働ける様々な仕事があるようなイメージアップ

によるダブルパンチで、これから就職を迎える若い男女ともに、「地方は女性の望む仕事が男性よりもない」状況を強くイメージづけられた可能性が指摘できる。この「地方は女性の仕事の選択幅が少なく女性が出ていくので、女性が少ない」イメージは、若い女性のみならず、若い男性にとっても決していいイメージとは言えず、地方創生にとって逆風のイメージが若い男女の間に作り上げられ、東京への人口集中の加速化と男女の集中格差の拡大が発生した時期がステージ3の時期であるといえるだろう。

2　Before コロナ、コロナ禍直前の47都道府県の人口動態

2-1　2019年　転出超過39エリアの特徴

「誰が動いて過疎と過密は起こっているのか」について、次はコロナ禍直前年の2019年の人口動態について、総数ならびに男性女性別に都道府県ベースで見ておきたい。

2019年の男女総数ベースの人口転入超過状況からは、「令和元年における令和人口のエリア選好」を確認することができる。

47都道府県中、39道府県が転出超過による人口減少となり、8都府県にお

いて転入超過による人口増加となった。そのうち転出超過となった39エリアについて、減少人口数をランキング形式で並べ替えてみると次のとおりとなる（図表7）。

2019年の人口移動の結果として、人口数を減らした（人口減少）エリア47都道府県中39エリアは、合計で16万1546人の転出超過による人口減少となった。そのうち5,000人以上もの人口を減らしたエリアは12エリアとなっている。

この12エリアを広域で見ると、北海道、東北エリアは福島県・青森県、関東エリアは茨城県・栃木県、中部エリアでは新潟県・岐阜県・三重県・静岡

図表7：2019年　転出超過エリアにおける人口減少数ランキング（男女総数／人）

区分	順位	都道府県	転出超過数	順位	都道府県	転出超過数	区分
5千人以上減少	1	広島県	-8,018	21	山口県	-3,659	3千人以上減少
	2	茨城県	-7,495	22	奈良県	-3,435	
	3	長崎県	-7,309	23	和歌山県	-3,376	
	4	新潟県	-7,225	24	徳島県	-3,357	
	5	福島県	-6,785	25	福井県	-3,336	
	6	岐阜県	-6,765	26	大分県	-3,024	
	7	三重県	-6,321	27	山梨県	-2,933	
	8	静岡県	-6,129	28	京都府	-2,688	
	9	青森県	-6,044	29	宮崎県	-2,635	
	10	兵庫県	-6,038	30	石川県	-2,602	
	11	栃木県	-5,775	31	高知県	-2,458	
	12	北海道	-5,568	32	富山県	-2,326	
3千人以上減少	13	岩手県	-4,526	33	群馬県	-2,208	
	14	長野県	-4,306	34	宮城県	-1,983	
	15	愛媛県	-4,305	35	島根県	-1,971	
	16	山形県	-4,151	36	愛知県	-1,931	
	17	鹿児島県	-4,105	37	佐賀県	-1,754	
	18	岡山県	-4,014	38	香川県	-1,677	
	19	熊本県	-3,900	39	鳥取県	-1,516	
	20	秋田県	-3,898				

出所：総務省「住民基本台帳移動報告」より筆者作成。

県、近畿エリアでは兵庫県、中国エリアでは広島県、九州エリアでは長崎県、となっており、5,000 人以上減らしたエリア数的には、中部エリアが 12 エリア中 4 エリアを占め、大きく数を減らしているといえる。これは前年度（2018 年）までの傾向とは異なり、前年度までは東北エリアがより上位に多かった。しかし、東北エリアはこれまで続いた転出超過の影響から、転出超過を生み出す地元の人口母数自体の縮小が大きく、その結果として、中部エリアに減少数規模を譲る結果になってきている。東北に続く新たな東京都への人口供給元が中部エリアに移動したとみられ、中部エリアの転出超過数が前年より増加する結果となっている。

次に 2019 年単年の人口移動を男女別の内訳によっても確認してみたい（**図表 8**）。

転出超過（人口減少）となった 39 エリアのうち、女性が男性よりも多く減少したエリアは 31 エリア（8 割）にのぼり、転出超過となったエリアの傾向として、圧倒的に女性の転出超過＞男性の転出超過である傾向が確認できる。男性の 1.5 倍以上もの女性の転出超過が起こったエリアが 13 エリア、転出超過エリアの 3 分の 1 にのぼる。最も男女格差が大きい群馬県は、男性は 75 人の減少にとどまる一方で、女性は 2,208 人も減少しており、男女格差は 28.4 倍にのぼる。群馬県は前年 2018 年においても目立つ男女格差を示しており、男性は増加する一方、女性は減少する、という人口動態をみせる唯一の県となった。同県は女性の誘致に対して極めて関心が低いのではないか、といった印象の人口動態の推移をみせている県として特筆しておきたい。

ここで、先述のステージ 3 と 2019 年単年の都道府県別の人口動態から、次の点を強調しておきたい。

POINT1 「カソトカミツ」のカソの原因は、男性の減少よりも女性の減少が主要因（影響が大）である

データから導かれる事実ベースで考えるならば、転出超過エリアの 8 割が男性よりも女性を減らし、男性の 1.5 倍以上も女性を減少させているエリアがその 1/3 にのぼることから、男性誘致をメインとするような地方創生戦略は、ほ

図表8：2019年　転出超過エリアにおける減少人口の男女内訳（人／倍）

総減少ランク	都道府県	総数	男性	女性	男性－女性	どちらが多く減少したか	女性／男性
1	広島県	-8,018	-3,501	-4,517	1016	女性	1.3
2	茨城県	-7,495	-3,636	-3,859	223	女性	1.1
3	長崎県	-7,309	-3,479	-3,830	351	女性	1.1
4	新潟県	-7,225	-3,160	-4,065	905	女性	1.3
5	福島県	-6,785	-2,680	-4,105	1425	女性	1.5
6	岐阜県	-6,765	-2,704	-4,061	1357	女性	1.5
7	三重県	-6,321	-2,507	-3,814	1307	女性	1.5
8	静岡県	-6,129	-2,400	-3,729	1329	女性	1.6
9	青森県	-6,044	-2,674	-3,370	696	女性	1.3
10	兵庫県	-6,038	-3,485	-2,553	-932	男性	0.7
11	栃木県	-5,775	-2,774	-3,001	227	女性	1.1
12	北海道	-5,568	-1,940	-3,628	1688	女性	1.9
13	岩手県	-4,526	-1,434	-3,092	1658	女性	2.2
14	長野県	-4,306	-1,745	-2,561	816	女性	1.5
15	愛媛県	-4,305	-1,904	-2,401	497	女性	1.3
16	山形県	-4,151	-1,724	-2,427	703	女性	1.4
17	鹿児島県	-4,105	-1,527	-2,578	1051	女性	1.7
18	岡山県	-4,014	-1,488	-2,526	1038	女性	1.7
19	熊本県	-3,900	-1,822	-2,078	256	女性	1.1
20	秋田県	-3,898	-1,610	-2,288	678	女性	1.4
21	山口県	-3,659	-1,166	-2,493	1327	女性	2.1
22	奈良県	-3,435	-1,777	-1,658	-119	男性	0.9
23	和歌山県	-3,376	-1,488	-1,888	400	女性	1.3
24	徳島県	-3,357	-1,682	-1,675	-7	男性	1.0
25	福井県	-3,336	-1,416	-1,920	504	女性	1.4
26	大分県	-3,024	-939	-2,085	1146	女性	2.2
27	山梨県	-2,933	-1,461	-1,472	11	女性	1.0
28	京都府	-2,688	-1,341	-1,347	6	女性	1.0
29	宮崎県	-2,635	-1,368	-1,267	-101	男性	0.9
30	石川県	-2,602	-991	-1,611	620	女性	1.6
31	高知県	-2,458	-1,028	-1,430	402	女性	1.4
32	富山県	-2,326	-1,054	-1,272	218	女性	1.2
33	群馬県	-2,208	-75	-2,133	2058	女性	28.4
34	宮城県	-1,983	-1,258	-725	-533	男性	0.6
35	島根県	-1,971	-841	-1,130	289	女性	1.3
36	愛知県	-1,931	-1,301	-630	-671	男性	0.5
37	佐賀県	-1,754	-930	-824	-106	男性	0.9
38	香川県	-1,677	-719	-958	239	女性	1.3
39	鳥取県	-1,516	-758	-758	0	同じ	1.0

出所：総務省「住民基本台帳移動報告」より筆者作成。

※ランクや都道府県名にも網点のあるエリア――男性の 1.5 倍以上の女性が転出超過。

とんどのエリアにおいて 1 で図示した人口減少の上流条件をスルーしたものとなり、明らかに戦略ミスである、ということが指摘できる。

特に、女性の転出超過数が男性の 1.5 倍を超えるアンバランスな減少を見せている 13 エリア（以下、減少数の大きい順に）福島県、岐阜県、三重県、静岡県、北海道、岩手県、長野県、鹿児島県、岡山県、山口県、大分県、石川県、群馬県については、これまでの人口誘致策が男性誘致をメインとした戦略に傾斜しすぎていなかったか、もしくは女性誘致について軽視してこなかったか、早急に地方創生戦略を見直す必要があるエリアだといえるだろう。

2-2　2019 年　転入超過 8 エリアの特徴

2019 年の 1 年間に 39 エリアにおいて 16 万人を超える人口移動による人口減少が起こった一方で、それと同数の人口増加（転入超過）が起こったエリアが 8 エリアある（**図表 9**）。

東京都、神奈川県、埼玉県、千葉県の首都圏エリア、三大都市の一つ、関西エリアの中核都市をもつ大阪府、九州エリアの中核都市をもつ福岡県、そして滋賀県、沖縄県、である。

2018 年までは、三大都市の一つ、中部エリアの中核都市をもつ愛知県も常に転入超過エリアにランクインしていた。しかし、転入超過エリアとしては珍しく男性＞女性の転入超過を続けていた。人口誘致の仕方としては転出超過エ

図表 9：2019 年　転入超過エリアにおける増加人口の男女内訳（人／倍）

総増加ランク	都道府県	総数	増加総数占有率	男性	女性	男性－女性	どちらが多く増加したか	女性／男性
1	東京都	82,982	51%	35,340	47,642	-12302	女性	1.3
2	神奈川県	29,609	18%	14,689	14,920	-231	女性	1.0
3	埼玉県	26,654	16%	13,474	13,180	294	男性	1.0
4	千葉県	9,538	6%	2,511	7,027	-4516	女性	2.8
5	大阪府	8,064	5%	1,245	6,819	-5574	女性	5.5
6	福岡県	2,925	2%	1,077	1,848	-771	女性	1.7
7	滋賀県	1,079	1%	874	205	669	男性	0.2
8	沖縄県	695	0%	577	118	459	男性	0.2

出所：総務省「住民基本台帳移動報告」より筆者作成。

リア型（男性が女性よりも減少しない／増えるエリア）だったために、人口動態の方程式的には転出超過になる可能性を示唆していた。

転入超過9エリアを転入超過総数に占める定着人口割合でみてみると、東京都とその隣接エリアである神奈川県、埼玉県の圧倒的な吸引力が理解できる。この3エリアで転入超過人口の86％を占める。また、東京都に神奈川県や埼玉県と同じく一部隣接する通勤圏である千葉県も含めると、実に転出超過人口の92％が「東京都とその隣接県」に吸収されている。

つまり、

POINT2　「カソトカミツ」のカミツは、東京都での発生が5割、東京都隣接エリアでの発生を含めると9割が東京都とその隣接県で起きている

大阪府や福岡県などの地方中核都市にも人口が集まっているイメージをもたれがちであるが、人口移動の最終結果としてみると、東京都とその隣接県以外での人口集中はほぼ起こっていない、とまでいえる状況である。

また、転入超過を果たしているエリアの特徴として、8エリア中5エリアが男性よりも女性の方が多く増加（加えて埼玉県はイーブン）しており、人口を増加させるエリアは女性の定着力が高い傾向がある、という点で、転出超過エリアとの明確な違いがあることがみてとれる。

中でも大阪府は、長く女性よりも男性を多く増加させてきていた点で、愛知県と類似していた。しかし、政策転換を果たしたのかは不明であるものの、ここ数年で男性よりも女性を大きく増やすエリアへと変貌を遂げてきている。

以上から、

POINT3　「カソトカミツ」のカミツエリアは、男性よりも女性人口の定着力の高さを特徴としている

ことが示されている。

3 Before コロナ・年齢ゾーンでみた東京一極集中の構造

3-1 上流の所在―地方なのか、東京なのか

ここまでに示したデータを勉強会などでお伝えすると、転出超過エリアからは「東京都に人口を返してほしい」という声もあがる。この言葉は「東京都が人口を奪っていく」というイメージからくるものなのだろう。しかし、当然ではあるが、東京都が人々を地方から奪ったわけではなく、東京都が地方の人々に選ばれてきた結果である。

ダイバーシティの時代に個々の感覚がより尊重されるようになり、落合陽一氏の指摘するデジタルネイチャーの時代[1]において、まるで隣で起きたことのように遠い東京都の情報がスマホ等を通じて地方の人々の個々の眼前に広がっている。そして、眼前に示された情報の中で、個々の感覚で人々が東京都を目指して動いている状況にある。

そうであるとするならば、東京都の女性をメインとした吸引力を嘆くよりも、地方における男性よりも高い女性流出構造という実態をしっかりと見つめて、その課題を東京のせいにするのではなく、地方が主体となって正面から対処していく、という方が地方にとって建設的な未来へとつながるのではないだろうか。

「地方の人口減少の要因は、男性よりもむしろ女性の流出超過にある」

このように上流思考が変化すれば、誰を集めるか、どう集めるか、中流・下流政策も大きく変わる。

コロナによって東京都におけるカミツが問題視される中、地方部はいま、変化に向けて千載一遇のチャンスを迎えている。地方がこのチャンスを活かせるようになるために、上流思考を構成する「東京一極集中のエビデンス」をさらに「年齢ゾーン」から分析した結果を解説しておきたい。

1 落合陽一「働き方5.0」（小学館新書）2020年

3-2　集中を年齢ゾーンレベルまで認知し、正確な集客イメージをもつことが大切

「東京で地方移住フェアを見てきたら、小さなお子さんを連れた家族が多く見に来ていた。だからやっぱり移住は子育て世帯向けに考えるべき」

「うちの周りにやってきた移住者は子育て世帯ばかりだから、子育て世帯誘致が大事かと思う」

地方創生に関して、地方の方から出てきた意見である。

しかし、統計的な実態を認知した上で、一極集中を解消したいと考えるならば、これらの意見はすべて不正解である。

その理由のデータ説明は後述するが、こういった統計的に見た「地方創生によくある誤解」がなぜ生じるのか、理由となるデータを解説する前に少し触れてみたい。

上のケースでは、「東京のフェアに来たときに実際に見た光景」「自分の周りで起きている移住」という地方創生戦術に関する意見形成の前提（根拠）がある。

しかし、この「前提」の確からしさ（妥当性）を考えると、

「そもそも子育て世帯が関心をもつ話題しかその移住フェアで取り扱っていなかった（子育て世帯誘致色の強いイベントだった）可能性」

「そもそもその自治体が子育て世帯誘致に力点を置いているからこそ起きる移住バイアスの発生」

が指摘できなくもない。

ということは、

「移住フェアに来てくれる人々には子育て世帯が多い」「移住は子育て世帯の希望が多い」

というよりも、

「あえて子育て世帯しかアクセスしないようなフェア、地方創生の設計である」

という前提条件（根拠）の下で形成された意見かもしれない、ともいえるのである。

このように東京一極集中問題に関する意見に関して、よく聞いてみると「本

当にそうだろうか」「根拠の妥当性（客観的母集団からえたエビデンス）はあるのだろうか」と思わざるをえない意見を耳にすることが少なくない。

本レポートは前述のとおり、国の統計データをもとに客観的な人口動態の解説を行い、東京一極集中問題を読者が考える際の「正確な前提条件」を提示することを目的としている。地方創生にかかわりを持ってきた読者ほど、読者の中にある移住者イメージをまずは脇において、人口動態の年齢ゾーンでみた呼ぶべき人口の「本当の姿」を確認し、コロナ禍以前においては全く奏功しなかったといえる地方創生戦略を再考していただければと願っている。

3-3 「転出・転入の差」は何歳で、起こっているのか

いわゆる地方創生の観点から人口移動を見る場合、大切なのは転出総数（出ていった数）、転入総数（やってきた数）そのものではなく、転出・転入の差（入ってくる人－出ていった人）であると先述した。繰り返しになるが、大きく転入超過するエリアは沢山の人々に選ばれる、その時代の人々に好まれるエリアであり、その反対は選ばれないエリア、であることが示唆されるからである。

ダイバーシティを尊重した自由な選択から生じる移動であったとしても、沢山の人に選ばれない転出超過エリアであるとすると、もしそのエリアの人口減少を阻止したいという意志があるならば、選ばれるように修正していく必要があるが、必ずしもそうならないエリアも存在する。一部のエリアでは移住者がすぐに転出してしまった際などに「合わない人には出て行ってもらって結構」といった強気な発言すら聞かれるが、先進国最速の出生数の減少が起きている日本において、それではそのエリアの未来はない、とはっきり断じることができる。

東京都への一極集中は、男性よりも女性において強く起こっている現象であることをすでに解説したので、次に、年齢的な傾向がどのようになっているのかについて解説してみたい（**図表10**）。

2019年に東京都に転入超過した人口は8万2,982人であるが、そのうち57.4％が女性である。男性の転入超過人口の1.35倍の女性が1年間で東京都に増えた計算になる。

その年齢ゾーン別の内訳をみると、男女とも20代前半人口が圧倒的な割合

図表 10：2019 年　東京都における転入超過人口の年齢ゾーン分布（男女別）

	総数	0〜4歳	5〜9歳	10〜14歳	15〜19歳
男性転入超過数	35,340	-2,571	-21	554	6,898
女性転入超過数	47,642	-2,103	-56	615	7,471
男性　年齢階層占有率	100%	-7%	0%	2%	20%
女性　年齢階層占有率	100%	-4%	0%	1%	16%
男性と女性どちらが多く定着か	女性	女性	男性	女性	女性
女性／男性	**1.35**	0.82	-2.67	1.11	1.08
	20〜24歳	25〜29歳	30〜34歳	35〜39歳	40〜44歳
男性転入超過数	25,512	10,915	1,759	-266	-586
女性転入超過数	31,685	10,555	1,883	421	664
男性　年齢階層占有率	**72%**	31%	5%	-1%	-2%
女性　年齢階層占有率	**67%**	22%	4%	1%	1%
男性と女性どちらが多く定着か	女性	男性	女性	女性	女性
女性／男性	1.24	0.97	1.07	-	-
	45〜49歳	50〜54歳	55〜59歳	60〜64歳	65〜69歳
男性転入超過数	135	-585	-804	-1,656	-1,479
女性転入超過数	834	57	-697	-973	-580
男性　年齢階層占有率	0%	-2%	-2%	-5%	-4%
女性　年齢階層占有率	2%	0%	-1%	-2%	-1%
男性と女性どちらが多く定着か	女性	女性	女性	女性	女性
女性／男性	6.18	-	0.87	0.59	0.39
	70〜74歳	75〜79歳	80〜84歳	85〜89歳	90歳以上
男性転入超過数	-1,125	-636	-387	-226	-90
女性転入超過数	-355	-279	-383	-524	-593
男性　年齢階層占有率	-3%	-2%	-1%	-1%	0%
女性　年齢階層占有率	-1%	-1%	-1%	-1%	-1%
男性と女性どちらが多く定着か	女性	女性	女性	男性	男性
女性／男性	0.32	0.44	0.99	2.32	6.59

出所：総務省「住民基本台帳移動報告」より筆者作成。

を占めていることが見てとれる。転入超過人口に20代前半人口が占める割合は、男性では72%、女性では67%と、双方ともに約7割が20代前半人口となっている。2番目に多いのは20代後半で、男性の31%、女性の22%を占める。

つまり20代だけで、実に男性転入超過人口の103%（他の年齢ゾーンで転出超過となる分があるので20代だけで100%超過となる）、女性転入増加人口の89%を占めている。

このことから、

POINT4　東京一極集中の原因は、その7割が20代前半人口の転入超過である

POINT5　東京一極集中の原因は、20代人口移動のアンバランスの結果であるといえる

と断じることが可能である。

ここで注意したいのは「20代前半人口が集中しているというが、実際は大学入学で東京へ出ていく男女が多いから、10代後半の割合がもっと多く、つまり、大学の所在バランスの問題ではないか」「地方によい大学を作ることは、地方創生の効果が高い戦略なのではないか」という指摘の存在である。

確かに、大学生の段階では親元に住民票を残したままで、住民基本台帳上は地元にいるかに見えつつも東京都に居住する大学生は相当数存在する。しかし、だからこそ、（親元に住民票を残したままの中途半端な転居ではなく）住民基本台帳上の移動の結果に注目しなくてはならない。なぜなら、住民基本台帳上の年齢ゾーン別移動結果は、「住民票を移動させるくらいの覚悟で移動したかどうか」を示唆する移動の結果だからである。

地方の高校生が卒業後、4年ないし6年くらいの在学期間の間、大学生として東京に出ていたとしても、卒業後に地元に戻る、または地元以外の地方に就職で移動するのであれば、それは「一極集中を解消する」という地方創生のもつ目的から考えれば、全く問題がない。それればかりか、東京の学府で得た知見を地方の仕事に活かす、という意味で歓迎される側面すらある。

逆に言えば、ある地方エリアに大学在学中だけ学生が増加したとしても、「一極集中の解消はできない」のである。

大学生が集まることによって、そのエリアの教育関連の一時的な産業発展にはつながるかもしれない。急速に進む少子化と転出超過による過疎のダブルパンチによって余ることが明確な地方の教員数を絞らない限り、教育関連において地方は確実に労働人口の供給過多に陥る。そのため、大学誘致といった余る教職の就職先確保のための超短期施策に走りやすい傾向も発生する。実際、地方創生がらみで若い女性を集めようと看護学部を創設した地方大学がある。しかし、その期待の看護学部で育成された看護学部の卒業生の女性たちは、そのほとんどが近郊の大都市を持つエリアに県外転出してしまう結果となったと聞く。大都市には看護士が活躍可能な多様な就職先があるからである。

このように、大学在学期間だけ人口を集める施策のみならば、「短期かつ一過性の人口集め」に終わってしまう。むしろどこの大学をでても、その卒業後の就職地、そして家庭形成地に選ばれてこそ、そのエリアの長期的な発展が経済面、人口面でもたらされるのである。

この視点から見ると、東京都の人口集中の7割が20代前半、つまり大卒新卒または、高卒や大卒の若い時期での転職時期にあたる20代前半で起こっていることから、一極集中の解消は教育機関の配置問題よりもむしろ「若い男女の就職地として選ばれるエリアであるかどうか」にかかっていることが年齢ゾーン分析から指摘できる。

コロナ禍前の東京への集中人口の年齢ゾーン解説の終わりに、コロナに関係なく、コロナ前から東京都からの「転出超過」が発生している年齢ゾーンもあわせてみておきたい（**図表10**）。

まず、0-4歳の未就学児童が転出超過している。この人口は単独移動は不可能なため、その保護者となる人口も併せて転出している。母親父親の第一子から第三子平均出産（授かり）年齢からアラサー人口がともに動いているとみられるが、アラサー女性人口が東京都へ転入超過しているため、この年齢ゾーンにおいて、地方は子どもを連れた人口を呼び寄せる一方、子どもを持たない人口をそれより多く転出させているとみられ、独身人口の集客に弱い地方の姿がうかがえる。

次に、30 代後半以降の男性（いわゆるアラフォー男性）が転出超過傾向にあり、女性の転入超過と真逆の特徴的な動きを示している。実数は多くないため、大企業の転勤族の単身赴任などによる住民票の移動が主たる原因ではないかとも考えられる。また、50 代から 70 代と男女とも東京都からの転出超過が大きく増加しているが、やはり男性の方が圧倒的に転出超過となる。

50 歳において婚歴のない独身割合（2015 年全国　男性 24%　女性 14%）について、男性は女性を実数でも割合でも大きく上回っているため、老後を見据えた転職といった理由から、何かしらの地方移住が起こっている可能性もあるかもしれない。ただ、これらの中高齢者の地方への移住は、次世代人口形成の観点からは影響が小さい、ということに留意したい。

3-4　一極集中年齢ゾーン人口のもつ、注目すべき「ある特徴」

東京都への転入が超過している人口について、その 7 割が男女とも 20 代前半であること、また、20 代後半も加算すると東京一極集中は、ほぼすべてが 20 代人口によって形成されていることを解説した。地方で誤解されがちな「進学先問題」といった大学進学時期ではなく、卒業後数年間の就業行動の時期におこる人口の集中的移動は、東京と地方の就業先としての吸収力の格差が顕著であることを示唆している。**図表 10** からは、20 代後半においては男女の転入超過数がバランシングしているものの、20 代前半では女性が男性の 1.24 倍転入超過している、という東京都への転入超過の高い性差が示されている。新卒就職先、または高卒や大卒後数年での転職先として若い男女、とりわけ女性に選ばれることに対する地方の弱みがあわせてみてとれる。

そして、このように東京都に 7 割という圧倒的な割合で転入超過している 20 代前半人口は、将来的な人口動態問題を考える上で見逃してはならない、ある特徴を持っている（**図表 11**）。

最新の国勢調査年である 2015 年から算出された婚姻状況をみると、20 代前半の男性の 94.8%、女性の 90.9% が未婚であることが示されている。つまり、20 代前半人口は都会、地方に関係なく、ほとんどが未婚者（統計上は婚歴のない独身を表す）である。

図表 11：年齢ゾーン別に見た配偶状況（2015 年）

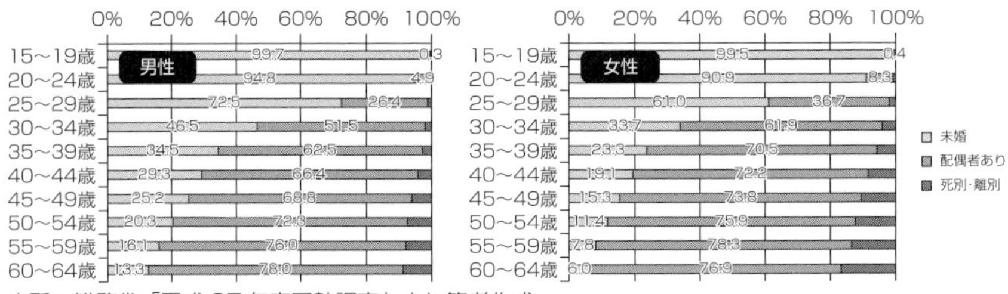

出所：総務省「平成 27 年度国勢調査」より筆者作成。

東京の転入超過人口の 7 割を占める 20 代前半人口は、独身者がほとんどであると考えられることが示唆されており、さらに、2 番目に転入超過数の多い 20 代後半においても、男性の 7 割、女性の 6 割が独身者であることもみてとれる。

つまり、統計的に見れば、「東京都に転居で増え続ける人口は、そのほとんどが独身者である」ということができる。

もっというと、独身であるからこそ、ライフデザインの大きな変更を伴うような大胆な越境が可能となって移住してきている、という、ある意味当然とすらいえる人口移動の結果が示されている。

以上から、

POINT6　東京に移住によって増加し続けている人口はほぼ「独身者」である

ということを理解しておきたい。

4　With コロナにおいても変わらぬ、地方創生の課題

4-1　2020 年 1 月～ 9 月の東京都の転入超過状況

2 と **3** は 2019 年のコロナ前の状況、**1** は 2019 年以前も含めた長期推移の人口動態の解説であるので、読者は「もしかするとコロナ禍で随分変わったのではないか」「東京都から転出超過が起こったというニュースを見たので、状況は随分変わったのではないか」と思うかもしれない。

しかし残念なことに、少なくとも9月までのデータの結果からは、一極集中が抱える課題は何も変わらないといった状況である。

コロナ期間中における「人口動態の今」について、月次データを示しつつ解説したい（**図表 12、13**）。

コロナによる緊急事態宣言が東京都において発令された翌月の 2020 年 5 月、1996 年からの東京都への転入超過発生（ステージ 2、ステージ 3）以降、実に 24 年ぶりに東京都は転出超過エリアとなった。

その後 6 月には、緊急事態宣言解除による安心感の広がりから、再び東京都は転入超過エリアに戻る。しかし、感染者の再拡大と一定数の感染者の発生が続く中で、7 月から 9 月まで転出超過状態が続いている。

確かに 2020 年の転入超過総数でみると、9 月時点で対前年 56%の人口集中

図表 12：2020 年における東京の転入超過人口の状況―男女別 1（人）

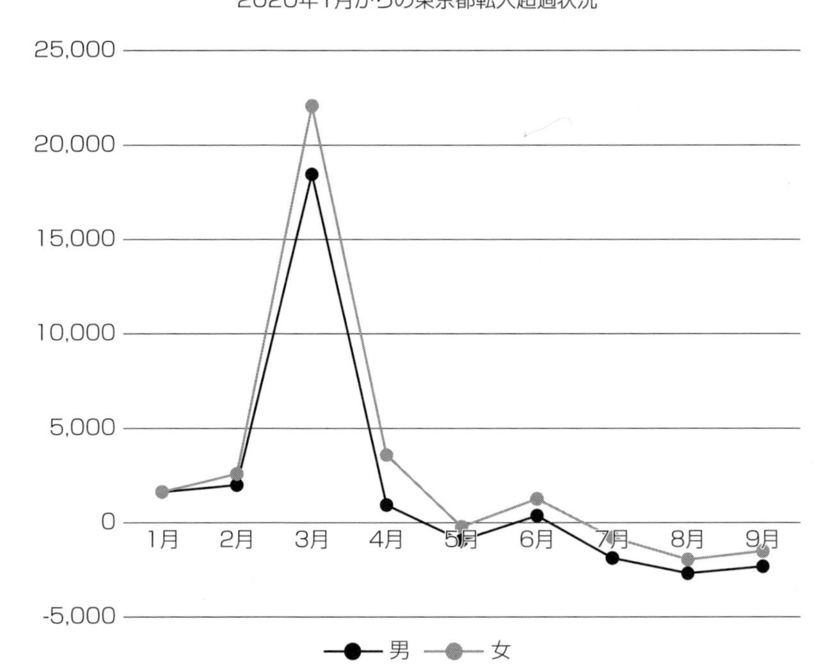

出所：総務省「住民基本台帳移動報告　月報」より筆者作成。

図表 13：2020 年における東京の転入超過人口の状況─男女別 2（人）

	2020 年				2019 年			
	総数	男	女	女性 / 男性	総数	男	女	女性 / 男性
1 月	3,286	1,620	1,666	103%	3,763	1,661	2,102	127%
2 月	4,578	2,017	2,561	127%	4,271	1,831	2,440	133%
3 月	40,199	18,236	21,963	120%	39,556	18,022	21,534	119%
4 月	4,532	1,001	3,531	353%	13,073	4,892	8,181	167%
5 月	-1,069	-860	-209	24%	4,481	1,479	3,002	203%
6 月	1,669	438	1,231	281%	3,175	1,229	1,946	158%
7 月	-2,522	-1,760	-762	43%	1,199	335	864	258%
8 月	-4,514	-2,553	-1,961	77%	3,648	1,766	1,882	107%
9 月	-3,638	-2,127	-1,511	71%	3,362	1,388	1,974	142%
期間計	42,521	16,012	26,509	**166%**	76,528	32,603	43,925	**135%**

	対前年比ベース：2020/2019			
	総数	男	女	女性 / 男性
1 月	87%	98%	79%	81%
2 月	107%	110%	105%	95%
3 月	102%	101%	102%	101%
4 月	35%	20%	43%	211%
5 月	-24%	-58%	-7%	12%
6 月	53%	36%	63%	177%
7 月	-210%	-525%	-88%	17%
8 月	-124%	-145%	-104%	72%
9 月	-108%	-153%	-77%	50%
期間計	56%	49%	60%	123%

資料）総務省「住民基本台帳移動報告　月報」より筆者作成。

（転入超過）状況ではあるので、コロナ発生により東京都への集中は 9 か月間で対前年 6 割程度に抑えられていることになる。

しかし、男女人口別でみると、コロナ前の 2019 年の 9 月までの 9 か月間の転入超過は、男性の 1.35 倍の女性の集中であったのに対し、2020 年は同じ 9 月までの 9 か月間で 1.66 倍にも男女の集中格差が拡大している。

つまり、コロナによって、男性の方が女性よりも地方により多く転出超過している（女性は男性の 2 割から 7 割程度の地方への呼び戻し数で毎月推移）状況のために、むしろ男女比でみるならばコロナ前よりもコロナでバランスが悪くなっている様子がみてとれる。

東京一極集中の課題である集中の男女アンバランスが、コロナによって解消するどころかむしろ悪化しているということは注意喚起しておきたい。

こういった東京都と地方における男女の居場所の格差拡大が、After コロナに東京都への人口の揺り戻し移動が起こった場合において、地方と東京都の男女の居場所の違いをより一層、鮮明に示しかねない状況も考えられる。

4-2　2020 年 5 月転出超過以降の東京都の年齢ゾーン別転入超過状況

また、東京都から転出超過が発生した 5 月以降の状況を年齢別にみてみると、男女とも 20 代人口はコロナにかかわらず転入超過が続いていることがわかる（**図表 14**）。

つまりコロナであっても、東京都の 20 代人口の人口集中は変わらず続いているということになる。東京都の転出超過人口は、コロナ前でも発生していた未就学人口、アラフォー人口、ならびに、アラカン人口（60 歳前後）において発生している。コロナは 60 歳以降で感染の影響がより大きくなっていくことから、高齢者は東京都から離れた方が安全であるという意識を若年層よりも持ちやすいだろう。ゆえに、高齢であってもまだ即転居に耐えうるだろう年齢として、60 歳前後人口が転出超過をみせているのではないかとも考えられる。また 30 代人口の転出超過が大きいが、転出エリアを見ると首都圏に集中していることから、東京都に通勤せずにリモートワークしやすく、また子どもがいても保育園にも預けやすい、といったライフデザインが支持されている様子がうかがえる。

コロナによって一極集中の規模感は確かに縮小したものの、その質的動態の問題（東京都への 20 代の人口集中、地方への中高齢層の転出、女性＞男性人口集中アンバランス）の是正は全く起こっていない、ということが指摘できる。

コロナの性質として、若い人口にとっては「無症状感染が多い」といった感染のデメリットが小さいこと、高齢者で重症化しやすいことを考えると、コロナの感染リスクを回避して、20 代の転出超過が大きく促進されるとは考えにくい。むしろ、地方への中高齢層の転出の増加によって、東京一極集中がこれまでよりもより若い人口の集中へと角度がつく可能性も考えねばならないだろ

図表 14：2020 年 5 月以降における東京の転入超過人口の状況─男女別・年齢ゾーン別（人）

男性（人）	総数	0～4歳	5～9歳	10～14歳	15～19歳	20～24歳	25～29歳	30～34歳	35～39歳	40～44歳	45～49歳
5月	-860	-287	-78	-20	170	582	224	-252	-214	-112	-64
6月	438	-205	-57	-20	483	1,014	581	-148	-259	-145	-106
7月	-1,760	-371	-67	22	179	638	268	-319	-430	-279	-230
8月	-2,553	-402	-91	-25	65	469	45	-553	-401	-360	-266
9月	-2,127	-310	-77	-34	387	414	4	-549	-521	-321	-199
総数	-6,862	-1,575	-370	-77	1,284	3,117	1,122	-1,821	-1,825	-1,217	-865
占有率	100%	23%	6%	1%	-19%	-57%	-24%	27%	28%	19%	14%

男性（人）	総数	50～54歳	55～59歳	60～64歳	65～69歳	70～74歳	75～79歳	80～84歳	85～89歳	90歳以上
5月	-860	-108	-170	-173	-103	-127	-68	-25	-17	-18
6月	438	-44	-102	-153	-145	-106	-56	-30	-31	-33
7月	-1,760	-225	-166	-261	-206	-170	-71	-32	-20	-19
8月	-2,553	-202	-167	-231	-169	-131	-66	-49	-26	7
9月	-2,127	-157	-133	-191	-134	-153	-75	-45	-26	-7
総数	-6,862	-736	-738	-1,009	-757	-687	-336	-181	-120	-70
占有率	100%	11%	11%	15%	11%	10%	5%	3%	2%	1%

女性（人）	総数	0～4歳	5～9歳	10～14歳	15～19歳	20～24歳	25～29歳	30～34歳	35～39歳	40～44歳	45～49歳
5月	-209	-227	-73	-8	175	782	205	-224	-156	-116	-50
6月	1,231	-126	-59	-3	601	1,264	432	-66	-107	-63	-81
7月	-762	-278	-40	20	216	806	152	-340	-272	-86	-107
8月	-1,961	-414	-117	-16	104	473	46	-424	-341	-292	-172
9月	-1,511	-314	-25	7	544	317	-1	-525	-375	-275	-124
総数	-3,212	-1,359	-314	0	1,640	3,642	834	-1,579	-1,251	-832	-534
占有率	100%	61%	17%	0%	-64%	-195%	-49%	62%	51%	33%	24%

女性（人）	総数	50～54歳	55～59歳	60～64歳	65～69歳	70～74歳	75～79歳	80～84歳	85～89歳	90歳以上
5月	-209	-45	-106	-108	-53	-61	-28	-47	-31	-38
6月	1,231	-9	-88	-116	-96	-58	-43	-52	-70	-29
7月	-762	-190	-134	-143	-72	-92	-23	-49	-67	-63
8月	-1,961	-194	-158	-131	-86	-84	-27	-41	-48	-39
9月	-1,511	-195	-133	-116	-85	-40	-47	-46	-49	-29
総数	-3,212	-633	-619	-614	-392	-335	-168	-235	-265	-198
占有率	100%	26%	29%	29%	18%	17%	7%	11%	13%	10%

出所：総務省「住民基本台帳移動報告　月報」より筆者作成。

う。

With コロナの人口動態データからは、東京都はペースダウンしつつも 20 代人口を集め続けつつ、中高齢層をコロナ前より多く地方に転出させるようになった、ということを繰り返しになるが、注意喚起しておきたい。

次世代人口の育成の観点から見ると、これから父親、母親となる若年人口の転出超過とはいえないために、「コロナによる東京都からの転出超過は、人口問題から考えると現時点ではもろ手を挙げて歓迎できるという性質のものではない」ということが指摘できる。

POINT7 With コロナでも、東京は 20 代人口、特に女性を集め続けている

POINT8 With コロナの転出は中高齢人口を中心に発生している

5 ターゲットの誤解がないか、今すぐ戦略の見直しを

5-1 集中の次世代ループ構造─東京生まれの子は 9 割東京を出ない

ここまでに延べてきた、東京への人口集中の POINT1 ～ 8 を考えれば、その裏返しとなる地方の転出超過エリアの人口減少問題の解決の鍵は、「20 代前半の独身男女、しかも男性より多くの独身女性を引き寄せる」ことであることは、明白であろう。

地方からの 20 代独身男女が東京に集中した結果、カップリングして家庭形成が行われた場合、一極集中は次世代人口集中ループを開始する、というデータを最後に紹介したい。

実は東京一極集中は、現状では「次世代の一極集中」をも意味する「次世代人口集中ループ構造」をもっている。

地方から 20 代の未婚男女がメインとして集まってきているが、その男女が東京で家庭形成した場合、その次世代は 9 割以上が東京から出ない、という分析結果がある（図表 15）。東京都で生れた子ども達は、その 9 割以上が東京から住居地を変えることがないため、そのまま東京の次の世代の親候補となっていくのである。

その一方で、四国、京阪、東北で生れた赤ちゃんは、3 割程度が出生地を離れて次世代を形成する。次世代再生産構造としては、9 割を地元にキープする東京圏と中京圏を除いては、他のエリアに地元人口を転出させ取り戻せないことによって、出生数の減少以上に加速的に地元人口が縮小していく構造をもっ

図表 15：広域エリアでみた「出生地」＝「現住地」割合（%）

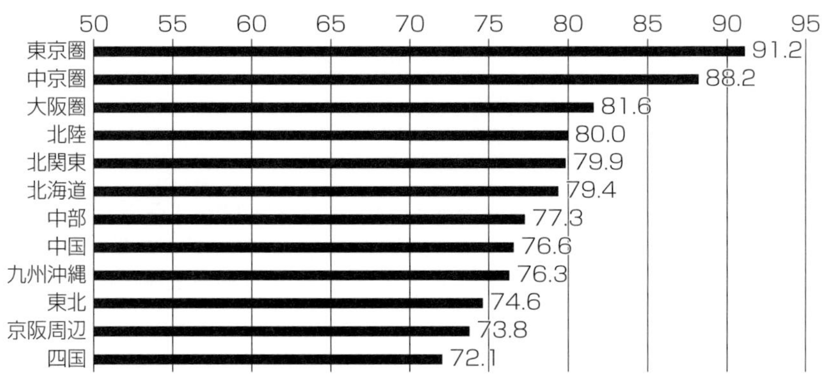

出所：国立社会保障・人口問題研究所 「第８回人口移動調査報告書」より作成／有効回答４万 8477 世帯

ていることが示されている。

5-2　女性が出ていくのは仕方ない＝エリアの消滅

東京都にステージ2、ステージ3の1996年からコロナ前2019年の24年間に転入超過（社会純増）した人口は、男性70万6,335人にのぼり、この数は2020年1月1日現在47都道府県中人口数45位の高知県の人口または岡山県岡山市の人口に匹敵する。一方、女性は80万9,757人で、2020年1月1日現在47都道府県中42位の佐賀県人口または静岡県浜松市人口に匹敵する。

男女の転入超過の差は10.3万人で女性が多く、横浜市西区に同じ人口に匹敵し、大阪市中央区の人口よりも多い。

四半世紀のうちに、人の移動だけで東京都には地方からの人口増加によって男女それぞれ1つずつ、合計2つの県レベルの人口が増加し、大都市の特別区に相当する女性人口を男性よりも多く得ることとなった。

東京都はコロナにもかかわらず、次世代人口（出生数）を生み出す20代女性、つまり母親候補人口の定着に強みをもち続けていることから、中長期的な地域人口の発展（労働人口、納税人口、消費人口）が望める。

そして20代女性人口の定着への強みを持つことは、人口戦略として「最強の戦略」である。この理由を少々過激な例になるが、戦争で解説してみたい。

島国で本土戦の歴史のない日本人には、大規模な民族戦争が勃発した場合、どのような戦略が最も自国民族を残し、相手民族を淘汰するか、と問われたときに即答できる人は少ないだろう。

答えは「妊娠可能な若い女性をできるだけ多く、可能であればすべてを捕虜とし、他国男性はすべて排除する」である。

次世代をうみだす女性人口を（たとえ男性人口とアンバランスでも）多く持てば持つほど、そのエリアの、文化の未来が長く続く。その反対に「若き女性人口なきエリアに未来なし」が長期でみた人口動態の基本ルールである。

しかしながら、縁あって様々な地方へ出向き、人口問題に絡んだお話をさせていただいてきたが、地方創生関係の話において「20 代前半の独身の男女、しかも男性より多くの女性を引き寄せる」といった人口基本戦略に立脚した諸施策をうかがうことが全くないのが現実である。

移住話題でいまだ必ずと言っていいほどでてくる「子育て世帯誘致」「子育て支援」は、東京に一極集中し続ける 20 代の若い独身男女が、東京都で家族形成を行った後のライフデザインに働きかけるにはかなり有効なタイプの「東京型人口増加策」とはいえる。

しかし、地方においては、移住に伴う大きなライフデザインの変更を誘致ターゲットである子育てカップルに強く要請せざるをえない難しい戦略であることについては理解されていない。

独身者の誘致と異なり、子育て世帯の誘致は、「夫の仕事、妻の仕事、子どもの育つ環境」の少なくとも非常に大きな 3 つのライフデザインに関する変更を移住者に要請するものである。まだ家庭形成していない若い独身男女へのアプローチよりも、はるかに複雑な意思決定を誘致対象者に対して迫ることになるのだが、これを女性誘致、子ども誘致の柱に掲げている自治体はいまだに多い。

人口誘致ついては、首都圏の子育て支援政策をまねしても、人口動態上有効といえるほどの成果を 20 代独身男女の転出超過が課題といえる過疎エリアでは得ることができない、ということを地方創生に関係するすべての人々に強く訴えたい。

ではどうしたらいいのか。

東京都に集中する20代独身男女、特に母親候補となる20代の独身女性たちが、東京都へ移住する際のように、「独身のまま」安心して移動したいと思えるような安定した多様な仕事を提供する戦略が地方にあるだろうか。今や3組に1組が離婚する時代[2]において、近い将来の結婚に不安を抱える20代の独身の彼女たちが、一人で生きたとしても経済的に問題なく、一人で生きていても自己肯定感をもって生きていけるような価値観を内包した労働市場を地方は用意できているだろうか。逆説的ではあるが、女性一人で生きていける経済基盤があるエリアほど女性が集まり、家族が形成され、子どもが増えている。これが人口動態の真実の姿である。

経済的に自立した若い男女同士がカップリングできるような土壌があるかどうか、地方創生を考えるエリアの人々は、これまでの家族のあり方を前提としたソフト拡充ではなく、もっとハードな（より構造的な）労働市場の改革を求められている。

第二次世界大戦後75年。

人口構造は大きく変わり、40代人口を100とすると、30代人口85、20代人口67、10代人口60となる（2015年　国勢調査）。

エリアの持続的未来を支えるのは、政治活動等でターゲットとして目が行きやすい人口マジョリティたる中高齢層ではなく、人口マイノリティたる若い人口であることを今一度確認したい。

エリアのマジョリティ人口におもねることなく、若い世代の夢や希望に真摯に向き合い、若い世代の求めるライフデザインに寄り添い、若い世代に選ばれる労働市場をもったエリアづくりができるかどうかが、そのエリアの持続可能性の未来を決めるであろう。

2　天野馨南子、「ニッポンの離婚はいつ起こっているのか？（1）－離婚統計2018年齢ゾーン考察」2020年4月27日　ニッセイ基礎研究所「研究員の眼」

第 2 部

Before/With コロナと
都市・まち（地域）・住まい

7. コロナ禍がもたらすまちづくりの変化とは

米山 秀隆・大阪経済法科大学 経済学部 教授

1　テレワークによって住む場所の制約はなくなるのか

1.1　評価の定まらないテレワーク

コロナ禍によって出社が困難になり、否応なくやらざるをえなくなったテレワークであったが、当初は意外とそれでもできるとの評価が少なくなかったように思える。好意的な評価が多かったのは、思っていたよりもできるとの、そもそもの期待値が低かったことの裏返しという面もあったかもしれない。それに伴い、IT 系などの一部企業が、ほぼ完全にテレワーク化して、都心のオフィスを引き払ったりする動きを見せたことで、働く場所の制約がなくなって郊外、地方、さらには海外も含め、住む場所が自由に選べる近未来に対する期待が高まった。

しかし、テレワーク期間が長引くにつれ、コミュニケーション不足やそれに伴う生産性低下といった問題を無視せざるをえなくなるに至り、やはり出社は欠かせないとの意見も多くなっている。コロナとの共存が進みつつある現在は、テレワークを実施しているとしても週のうちの何日かで、接触機会をできるだけ減らす目的で残しているに過ぎないケースが多いと思われる。そうであれば、コロナが完全に収束すれば、通常の働き方に戻していく可能性が高い。つまり、現時点では働く場所、住む場所の制約を取り払うような、本格的なテレワーク導入企業はごくわずかで、出社を前提とする働き方には、今のところそれほど大きな変化がないとの評価をすることもできよう。

実際、日本経済新聞社が行った調査（2020 年 9 月）によれば[1]、テレワークの頻度（週に 1 日、2 日、3 日、4 日、5 日以上から選択）はピーク時には週 5 日以上と

1　日経電子版会員に対するアンケート調査、日本経済新聞 2020 年 10 月 7 日

回答した人が50.1%と最も多かったが、現在は週に1回が33.7%と最も多くなっている。テレワークを経験した人は全体の86.6%で、そのうち今後については「現状程度で維持したい」が55.0%と最も多く、「増やしたい」は32.5%、「減らしたい」は12.6%だった。生産性については「変わらない」が42.2%と最も多く、「上がった」とする人は31.2%でその理由としては、「移動時間が減り作業時間を確保しやすくなった」、「実務を中断される機会が減った」、「静かな環境で集中しやすい」の順で多かった。逆に生産性が「下がった」とする人は26.7%でその理由としては、「同僚や部下、上司とのコミュニケーションが取りにくい」、「私生活と仕事の切り替えが難しい」、「チームの仕事の進捗状況が把握しづらい」の順で多かった。

コミュニケーション不足について経営層はより深刻に捉えており、日本経済新聞社が行った別の調査（2020年9月）では[2]、テレワーク導入による変化について、「コミュニケーション」は52.4%が「不足した」と回答し、「活発化した」は2.5%に過ぎなかった。このほか、「従業員の管理がやりにくくなった」は48.0%、「従業員の評価がやりにくくなった」は44.3%であった。一方、「経費」は「減った」が58.1%、「労働時間」は27.3%が「減った」とし、こうした点ではテレワークのメリットが出てきているという結果なった。テレワークについてはその是非、効果については評価が分かれている。

1.2　問われるオフィスの役割

完全テレワーク化できる業務は、IT系であるかどうかには関わりなく、対顧客でほぼ一人で業務を完結できるような場合や、チームで行う業務でも分担がはっきりしている場合など、やるべきことが明確かつ固定されている傾向があるように思われる。それ以外の多くの業務では、社員同士がコミュニケーションをとりながら、業務を進めその改善を図ったり、新たな財・サービスの提供を考えたりしながら、行っている場合が多い。対面に基づく社員同士の創発は、思いがけず発生する場合も多く、オンラインではこれが困難であることも、テレワークに対して否定的な意見が出る要因ともなっている[3]。そのほ

2　社長100人に対するアンケート調査、日本経済新聞2020年9月28日

か、テレワークでは社員同士の一体感も築きにくく、会社独自の文化、カラーといったものも育みにくくなると難点があるとの指摘もある。

この点については、一見、小回りがきき、テレワーク導入にも積極的と考えられるベンチャー企業の意見も大差ない。東洋経済新報社による調査（2020年9月）によれば[4]、今後も「オフィスが必要」との認識がほとんどだった。具体的には、「コミュニケーションを通して、新しいビジネスアイディアが生まれる場所。コロナ禍におけるもろもろのリスクをとってでも、投資すべき場所」、「働く場所というよりは、人間関係やカルチャーをつくりメンテナンスしていく場所になる」、「オフィス自体は必要で新しい役割が求められるようになる」などの意見があがっていた。

このようにコロナ禍は、なぜ会社がオフィスを持ち、そこで一緒に働く必要があるのかについて、その意味を根本的に問い直しているともいえる。コロナ収束後に、オフィスに集まっての勤務に戻すにしても、集まって働くことでどのような効果が発揮されるべきなのか、またそのような効果が発揮されるオフィスの形態や、必要な出社日数はどの程度なのかなど、新しい出社形態のデザインが求められている。

大手企業でも、一部電機メーカーなどは、いち早く完全テレワークに近い形態を導入し、都心のオフィスを縮小する動きを見せているが、この根本的な問いに対して向き合った結果の対応とは思われない。むしろ、自社開発のテレワーク関連のツールを売り込むために、まずは率先して自社でテレワークをして見せようということなのであろう。もし本当にこうした浅薄な考え方に基づいた行動だとすれば、いずれ自社内でのコミュニケーションや創造性の発揮

3　将棋界では、数人の棋士がオンラインで集まり、その時点で行われている対局をリアルタイムで検討するなどの研究活動が活発に行われており、地理的に普段交流のない棋士と意見交換できるなどの効果が発揮されているという（谷口浩司「あすへの話題 テレワーク」『日本経済新聞』2020年10月29日夕刊）。いわば、テレワークでも創造性が触発できるケースといえるが、ルールや最終的な目的、参加者すべき人がはっきりしている場合には、目的に向かって、オンラインでも十分なコミュニケーションが可能ということを示している。これに対しビジネスなどの現場では、そもそもの枠組みや最終的な方向性、必要な人などがはっきりとしていない中で、問題を検討していかなければならない場合が多く、この場合はオンラインでのコミュニケーションだけでは限界があるという違いがあるように思われる。

4　ベンチャー企業31社に対するアンケート調査、週刊東洋経済2020年10月31日号

に、致命的な問題を発生させかねない可能性すらある。

したがって、このような点を考慮すれば、テレワークの普及に基づき、人々の働く場所や住む場所の制約がなくなり、それに伴い郊外や地方への人口移動が本格化するなどといった見通しは、筆者は抱いていない。テレワークを単純に継続することではなく、根本的には新たな出社形態のデザインが求められているのであり、オフィスに通う形自体はなくならない。そうした観点からは、住む場所の制約は完全にはなくなることはない。これが現実であろう。

2　コロナ後のまちづくり

2.1　オフィスの都心脱出は限定的

こうした前提で今後のまちづくりの方向性を考えていく場合、コロナ禍がこれまでの根本を揺るがすような変化をもたらすとは考えられない。問われているのはオフィスという箱の中で何を行うべきなのかということである。どの箱を使って何を行っていくのかということを再設計することが、企業として求められており、その答えは、郊外や地方移転とは限らない。むしろ、都心脱出の動きが少し出ていることでオフィス需給がやや緩んでいる今こそ、利便性の高い立地にオフィスを確保するという選択肢もありうる。

先に紹介したベンチャー企業に対する調査では、オフィス移転の予定がある企業は35.5%でその理由としては、「テレワークの導入」や「固定費削減」のほか、「採用強化・立地改善」があげられていた。オフィス選びの際に重視する要因としては、「賃料の安さ」と「立地のよさ」が多く、移転先候補としては都心５区（渋谷、千代田、中央、港、新宿）が圧倒的だった。自社ビジネスの成長に伴い、最近同じ港区内に移転したが、この際、密を避けるためにも十分なオフィススペースを確保した例もある。

大企業はより多くのオフィススペースを抱え、移転のため中途解約となると違約金が重くのしかかり、退去の際の原状回復、移転先での内装工事などのコストも大きくなる。加えて、先に述べたようにテレワークの評価は分かれており、そこまでのコストを負ってオフィスの大幅縮小や移転に踏み切る企業は、現実にはわずかと考えられる[5]。むしろ、数年してコロナが完全に収束すれば、都心のオフィス需要は元に戻るとの見方をすることもできよう。東京都心部では、例えば2023年には虎ノ門を中心にオフィスビルの再開発が完成・開業を迎えるなど再開発が進められており、新たな需要に対応する余力が着々と蓄えられている。

ただコロナ禍を契機に、今後もテレワークは一定程度行われていくと考えられるため、現在は、都市開発面ではサテライトオフィス用の物件確保、一方、地域発の動きとしてはテレワークやワーケーション人材誘致のための物件確保や環境整備などの動きが現れている。これらの動きは、デジタル化の進展によりテレワークが徐々に普及していけば、いずれは出てくる動きであったともいえるが、コロナ禍のテレワーク需要急増に応えるべく短期間で表面化した。このような動きが多数出てきた場合、それぞれが需要をつかむことができるのかという問題は出てくると考えられる。

2.2　今後のまちづくりに必要な要素

ここで、コロナ後のまちづくりにおいて、変化があるとしたらどのような点にあるのかという点に視点を移していこう。かねて筆者は、地方を中心としたまちづくりにおいて、次のような要素が必要になると主張してきた[6]。

まずは、まち（市街地）のコンパクト化である。人口減少が本格化する中、これまで広げてきたまちのコンパクト化がより一層求められるようになっている。人口増加時代に広げたまちの全域を維持するためには、インフラや公共施設の維持更新費の負担が重くなりすぎている。薄く広がったまちは、高齢者にとっても暮らしづらい。まちのコンパクト化は以前から必要とされてきた課題であるが、「居住誘導区域」の設定をうまく行うことで、進めていくことが期待されている。

次に、エリアマネジメントである。今後ともまちとして残る、あるいは残し

5　大企業が移転に踏み切った例としては、パソナが淡路島に本社を移転させた例があるが（東京・大手町の本社などの約1,800人のうち約3分の2を2024年5月までに淡路島に段階的に異動）、淡路島で行っている同社の事業を人口増加によってテコ入れしたいとの思惑もあるといわれ、例外的なものと考えられる。

6　米山秀隆『縮小まちづくり』時事通信社、2018年

ていくべきエリアにおいては、エリアの価値向上活動であるエリアマネジメントが、様々な形で現れるようになっている。エリアマネジメントとは、住民や事業主、地権者などが主体となってエリアの魅力や活力を維持しようとする活動である。

さらに人口減少時代において地域が問われる課題は、まちを持続していくために、いかに人材やマネーを呼び込むかという点である。人材は、人口減少時代では奪い合いとなりがちであるが、必要とされる人材のターゲットを絞って移住を呼びかけ成功する例も出ている。マネー呼び込みの仕掛けについては、かつてブームとなった地域通貨が、IT 技術を活用することで再活性化する兆しが現れつつある。また、クラウドファンディングを活用した資金調達も活発化している。

このように人口減少時代においては、まちを維持可能な範囲にたたみ、残していくエリアの価値を最大限高め、同時に必要とされる人材とマネーをエリア内に囲い込む戦略が求められることになる。こうした方向性について、コロナ禍はどのような影響を及ぼしていくと考えられるだろうか。本稿の後半では、それぞれの現状と事例を紹介するともに、コロナ禍が及ぼす影響について考えていくことにする。

3　コンパクトシティ政策

3.1　コンパクト化の必要性

人口減少時代においては、まちをたたんでいく必要性が高まっている。人口増加時代にまちが大きく広がったケースでは、その後の人口減少により空き家や空き地が増え、まち全体の維持が難しくなっているケースは少なくない。まちが郊外に広がる過程では、中心市街地の空洞化が進んでいる場合も多く、コンパクトシティ化は中心市街地活性化政策とも密接にリンクする。

コンパクトシティ化の必要性が主張される場合、主な理由は次の3つである。第一は、高齢化社会において、日常の買い物や通院において自分で車を運転しなければ用を足せないまちは、暮らしにくいことである。第二に、薄く広く拡散したまちの公共施設やインフラを、人口減少が進んでいく中では、すべて維持することは財政的に困難ということである。第三は、地方においては税収に占める固定資産税の割合が高いが、中心市街地が空洞化してその価値が下がると、固定資産税収が維持できず、財政に悪影響が及ぶことである。

一般には、第一の理由が強調されることが多いように見受けられるが、自治体にとっては財政上の第二、第三の理由がより切実である。

3.2　立地適正化計画の策定状況

コンパクトシティ政策は従来、改正中心市街地活性化法（2006年8月施行）の枠組みで行われることが多かった。しかし、成功事例として取り上げられるのは富山市くらいで、十分な成果が上がったとはいえない。

そこで、新たなコンパクトシティ化の枠組みとして、改正都市再生特別措置法（2014年8月施行）により「立地適正化計画」の仕組みが導入された。立地適正化計画は、住宅と都市機能施設の立地を誘導することでコンパクトなまちづくりを目指すもので、都市計画マスタープランを補足するものと位置づけられる。策定する動きは急速に広がっており、2020年7月末時点で542都市が立地適正化計画に取り組んでおり、うち339都市が計画を策定、公表した（国土交通省調べ）。

立地適正化計画では、住宅を集める「居住誘導区域」と、その内部に商業施設や医療施設、福祉施設などの立地を集める「都市機能誘導区域」が設定される。居住誘導区域外では、例えば3戸以上の住宅開発には届出が必要になり、開発が抑制される。

3.3　コンパクトシティ政策の事例

まちのコンパクト化に対するこれまでの取り組みは、その契機や進捗度合いによって、およそ3つに分類することができる（**表1**）。

第一は、財政破綻で否応なくコンパクトシティ化に踏み切らざるをえなくなったケースである。夕張市がそれで、住宅の多くを占める公営住宅（旧炭鉱住宅）の集約という形でまちのコンパクト化を進めている。中心市街地活性化計画や立地適正化計画によるものではなく、破綻後の取り組みという特殊なケースであるが、目指す方向は同じである。

表1　コンパクトシティ政策の事例

都市名	都市規模	契機	手法	新たな公共交通	段階
富山市	中核市 418,686人 (15年) 15～45年で人口-14.8%	広く薄く拡散した市街地の維持困難	公共交通整備と、中心市街地・公共交通沿線への居住誘導	LRT（既存鉄軌道の活用）	一定の成果
岐阜市	中核市 406,735人 同上-20.4%		バスネットワークの構築を先行。次いで居住誘導	BRT、コミュニティバス	一定の成果
宇都宮市	中核市 518,594人 同上-7.2%		東西の公共交通軸整備。同時に居住誘導	LRT（全区間新設）	これから
毛呂山町	37,275人 同上-40.2%	ゴーストタウン化の懸念、財政危機	衰退阻止のため、誘導区域の利便性向上	バス	これから
夕張市	8,843人 同上-74.5%	財政破綻	公営住宅の集約	デマンド交通（JR廃線後）	一定の成果

出所：都市規模は、国立社会保障・人口問題研究所「日本の地域別将来推計人口（2018年3月推計）」による。

第二は、将来への危機感からいち早くコンパクト化を進め、一定の成果を出しているケースである。前述の富山市がそれに当たる。富山市の場合は、既存の鉄軌道を利用してLRT（次世代型路面電車）を整備するとともに、中心市街地や公共交通沿線に移り住むインセンティブを設け、近年は中心市街地の人口増加、地価回復という成果が明確になってきた。

岐阜市は公共交通の整備を先行させてきた。岐阜市は、路面電車が廃止された後、BRT（バス高速輸送システム）やコミュニティバスなど、バスを中心とする公共交通ネットワークの構築を進め、今はまちの集約を進めている。

第三は、将来への危機感から取り組み始めたが、まだこれからというケースである。その一例には、LRTを導入しようとしている宇都宮市がある。富山市と異なるのは、既存の鉄軌道を活用するのではなく、全区間新設という点である。それだけに財政的負担が大きく、また、期待通りの成果が発揮されるのかの見極めが難しいものとなっている。

埼玉県毛呂山町もまだまだこれからである。毛呂山町の立地適正化計画は、空き家率や地価上昇率の目標値を設定している点がユニークである。空き家対策とリンクさせ、また、地価上昇によって固定資産税の税収維持を図ろうとしている。町村で最初に立地適正化計画を策定したのは毛呂山町であり、それだけ危機感が強いことを示している。

3.4　公共交通の選択肢

これら事例のうち、将来の衰退に対する危機感が特に強い例は、夕張市、毛呂山町である。富山市、岐阜市、宇都宮市はそれほどの危機感があるわけではないが、薄く広がったまちを維持できなくなるという問題意識が強い、地方の大都市という共通点を持つ。

また、これら事例は、新たに整備する公共交通として、バスを重視するか（岐阜市、毛呂山町）、LRTを重視するか（富山市、宇都宮市）、それ以外か（JR廃線後はデマンド交通重視の夕張市）に分けることができる。LRTを重視する場合、既存鉄軌道を活用するか（富山市）、全区間新設するか（宇都宮市）の違いがある。

公共交通として何を選択するかは、地域の状況によって異なる。富山市の場合は、恵まれた鉄軌道のストックを活用した。岐阜市は路面電車が廃止された上、鉄道は市外との交通手段に過ぎないため、バスネットワークを充実させるしか方法がなかった。宇都宮市では南北の鉄道軸はあるが東西軸がないため、LRTの新設で補おうとしている。毛呂山町は旧市街地の人口維持で既存の鉄道路線を保つとともに、ニュータウンと鉄道駅を結ぶバス整備に注力しようとしている。このように、コンパクト化を進めていく前提としては、公共交通の整備が重要になる。

一方、居住誘導区域の設定は、客観的な基準に基づくのがわかりやすい。例えば富山市では、中心市街地と、鉄軌道駅半径500m以内およびバス停半径300m以内の地域としている。

現状出ている339都市の立地適正化計画では、ほとんどの都市が都市機能誘導区域、居住誘導区域をともに設定している（336都市、99%）。ただし居住誘導区域に関しては今後、近年の大雨や台風被害の頻発により、防災上危険なエリアに多くの人が居住している実態が明らかになったことへの対応が急務となる。すなわち、居住誘導区域から防災上危険なエリアは除外していく必要がある。

居住誘導区域からはずれた場合、その土地の価値は下がっていかざるをえず、地権者にとっては歓迎できることではない。それでも自治体は、将来の財政状況を考え、居住地として残すべきエリアを絞り込んでいかざるをえなくなっている。自治体にとっては、財政破綻後に否応なくコンパクト化を迫られるか、それとも、その前の段階でコンパクト化に踏み切ることができるかという選択の問題になりつつある。

3.5 コンパクトシティ政策の今後とコロナ禍の影響

コンパクト化の課題に対しては、行政とともに都市開発や交通網整備などの関連産業も積極的に関わっていく必要がある。都市開発面では、中心市街地への投資が必要になる。例えば富山市では中心市街地に、賑わい創出のための広場や商業施設整備の投資が行われた。

投資の狙いは市の財源維持にある。富山市の場合、中心市街地の面積は全体の0.4%に過ぎないが、固定資産税・都市計画税収は全体の22.4%を占める(2016年度当初予算)。固定資産税収の維持のためには、中心市街地に投資し地価の維持、上昇を図る必要がある。コンパクト化を進めていく過程では、そのような都市開発需要が増大していくことになる。

コンパクト化の方向性に対し、コロナ禍が影響を及ぼすことは基本的にはないと考えられる。ただ、移住が可能になったテレワーカーが、移住先として今後、居住地として存続させることが望ましくないエリアを選ばないよう、居住誘導区域の適切な設定およびその広報を急ぐべきと考えられる。

4 エリアマネジメントおよび人の呼び込み

4.1 エリアマネジメントの必要性

エリアマネジメントは、「地域における良好な環境や地域の価値を維持・向上させるための、住民・事業主・地権者等による主体的取り組み」(国土交通省)と定義される。現在においては人口減少が本格化し、空き家、空き地が増加する中、良好な住環境を維持、創出するためのマネジメント活動が、より一層必要になっている。

空き家問題は近年、大きくクローズアップされ、空家対策特別措置法の施行など行政による対応も進んできた。しかし、これまでのところ、個別の問題空き家への対処やまだ使える空き家の再生など「点としての対応」が中心であり、まちづくり全体の中で空き家問題に対処していくという「面（エリア）としての対応」はあまり進んでいない。

一方で、市民や事業会社、NPOなど民間を主体とする活動の中には、個別の物件再生の動きから始まりながらも、エリア全体の再生を視野に入れた活動に発展する例も出ている。あるいは、当初からエリアを永続させることを志向して成長管理的な手法でまちづくりを行い、各地でエリアの衰退が進む中、その活動の先進性が際立つような例も現れている。

活動の発展形態も多様で、民間主体の活動から出発しながらも、行政がその成果に注目し行政との連携に発展したりする例、また、逆に行政が仕掛けることで民間の潜在力を呼び起こす例などがある。活動開始時期も、当初から活動をしてきた例、逆に衰退の極みに至って民間や行政による仕掛けが登場し、それが成果を出し始めているような例もある。

4.2　エリアマネジメントの事例

ここでは、エリアマネジメントが導入された時期別に、エリアの開発当初から導入されたケース、エリアの衰退予防の活動として立ち上がったケース、衰退後の再生活動として立ち上がったケースの3つに分け、その事例を簡単に紹介する（**表2**）。

エリアマネジメントを開発当初から導入したケースとしては、シーサイドももち（百道浜四丁目戸建地区町内会が実施）、ユーカリが丘（山万㈱が実施）があげられる。前者は、景観にも配慮した住宅地が開発され、それがその後の住民の活動によって維持されているケースである。後者は、業者がニュータウンの建設に当たり、一気には開発せず、時間をかけて少しずつ開発し、その後の高齢化の進展に合わせ、空いた戸建てをリノベーションして新たな住民の呼び込みに使うといった成長管理型のまちづくりとして知られる。

この2つは、ともに良質な住宅地として成長した。適切な維持管理、成長管

表２　エリアマネジメントの事例

名称	契機	主体	成果	採算性	地域特性
福岡市百道浜四丁目戸建地区町内会	開発当初から	住民	美しい街並みの創出、維持による住宅地としての価値向上	○エリア価値維持	郊外型高級住宅地
山万㈱		事業会社	空き家を発生させず、住民を循環させる事業としてのまちづくり	○エリア価値維持	郊外型住宅地
東急㈱	衰退予防	事業会社	空き家を発生させず、住民を循環させる事業としてのまちづくり	○エリア価値維持	高級住宅地
㈱ MYROOM	衰退後の再生	事業会社	空き店舗、空き家の事業としての再生	○	中心市街地
NPO 法人尾道空き家再生プロジェクト		NPO、行政	官民連携による空き家、空き店舗の再生	×要補助金	中心市街地
NPO つるおかランド・バンク		NPO、行政	官民連携による空き地所有権の移転、再利用コーディネート	×要補助金	中心市街地

理を行うことが住宅地としての価値を維持することにつながるため、住民や業者にとってエリアマネジメントは、費用がかかっても十分採算の合う活動となっている。人口減少下でも持続可能なエリアを形成するためには、当初からエリアマネジメント活動を行うことが望ましい。

衰退を未然に防ぐため、エリアマネジメントの考え方を取り入れた例として、東急沿線（東急㈱が実施）の例がある。沿線の高齢化に対処するため、駅近のマンションにシニア層を誘導し、空いた戸建てをリノベーションして子育て層を呼び込むなどの取り組みを行い、衰退を食い止めようとしている。衰退を防ぐことができれば、業者にとって採算に合う活動となる。ただ、当初は導入しておらず、中途段階でエリアマネジメントを導入して衰退を防げるエリアは、そもそもエリアとしての魅力を備えた場所でなければ難しい。

すでに衰退してしまった場合で、民間の活動が行政をも巻き込むエリアマネジメント活動に発展している例として、長野市善光寺門前（㈱ MYROOM が実施）と尾道市旧市街（NPO 法人尾道空き家再生プロジェクトが実施）がある。空き家、空き店舗の新たなユーザーへの橋渡し役を、前者では地元の業者、後者では地元のNPOが担い、活用を進めたケースである。前者は民間事業として採算の合う活動となっており、後者は民間事業として採算を取ることは難しいが、補助金やクラウドファンディングの助けによって、継続している。ただしいずれにしても、一度、衰退したエリアの再生を図るためには、エリアの潜在力を引き出すアイディアや人材を発掘することが必要になる。2つのケースは、再生のキーマンがいずれも地元出身で、エリアの再生に貢献したいという思いが強かった。

すでに衰退してしまったケースで、行政が主体となってエリアの再生を促す仕掛けをつくったのが鶴岡市中心市街地（NPOつるおかランド・バンクが実施）である。行政が資金面で支え、民間の助けを得ることで土地利用の再編を行っている。権利関係を調整し、空き家・空き地を道路拡幅や隣家の敷地拡張に使うことで居住環境を改善するもので、官民で3,000万円のファンドを組成し活動している。民間の採算が合わない場合にエリアマネジメントを導入するためには、行政による支援が不可欠になる。

4.3 エリアマネジメントの今後とコロナ禍の影響

人口減少下で将来的に生き残るエリアの選抜が行われつつあるのが現在の状況であり、生き残るエリアについては、民間や行政、NPOなど何らかの主体によるエリアマネジメント活動が出現しつつあると考えられる。

前述のように自治体の多くは、すでにすべてのエリアを存続させることが難しくなっており、まちのコンパクト化で生き残りを図ろうとしている。そうしたケースでは、今後とも残すエリアにおいて、再開発する場合にエリアマネジメントを導入するか、あるいは残すエリアの衰退を食い止めるためのエリアマネジメントを求められることになる。

民間事業として成り立つためのハードルは高い。しかし、少しでも公費投入して成り立つ余地があるのであれば、公費投入する価値はある。あるいは行政が是非残したいと考えるエリアについては、行政が主体となり、民間の協力を得る形でエリアマネジメントを導入することは今後、増えていくと考えられる。関連産業の取り組みが求められる。空き家、空き地の権利関係の調整、境界の確定などの知見も必要になる。

人の呼び込みについては、エリアマネジメントにはもともと地域の魅力を高めることで、人を呼び込む要素が含まれているが、コロナ禍を契機に、テレワーク人材を誘致しようとする動きが各地で表れている。

例えば、北海道の北見市や斜里町などは、従来からテレワーク人材の受け入れに積極的だった（総務省「ふるさとテレワーク実証事業」、全国15か所が採択）。斜里町のテレワーク拠点「しれとこらぼ」は2015年開業で、首都圏の大手企業などで働くテレワーカーの滞在を受け入れている。北見市はテレワーク拠点として、「サテライトオフィス北見」を2017年にオープンさせたが、出張などで利用する人が年々増え、2019年度の利用者はのべ3,000人に達した。和歌山県白浜町のように、この事業をきっかけにIT企業の誘致が進んだケースもある。

IT人材、IT企業については、神戸市が六甲山の企業保養所などの遊休物件への誘致を進めようとしている[7]。六甲山はかつて「西の軽井沢」と呼ばれ200を超す企業保養所などが建てられたが、今も使われているのは50あまりに過ぎない。従来、六甲山でのオフィス立地は規制してきたが、2019年12月に開発基準を緩和し、改修費用として最大1,350万円、建て替え費用として最大3,000万円を助成する仕組みを設けた。

移住者などの呼び込みについては地域で求める人材をあまり絞り込まず、広く呼びかけるケースが依然として多いが、これらの例は、テレワーク人材やIT企業などターゲットを絞り込んで呼びかけ、そうした人材受入れを地域活性化の起爆剤にしようという取り組みである。今後は働く場所の制約のない人々や企業の誘致をめぐる地域間競争が激しくなっていくことが予想される。

5　マネーの呼び込み――クラウドファンディング

マネー呼び込みの仕掛けについては、先に述べたように、かつてブームとなった地域通貨が、IT技術を活用することで再活性化する兆しが現れつつあるが、ここではもう一つの動きである、クラウドファンドについて紹介しておく。

7　日本経済新聞2020年6月29日

5.1　鯖江市の先駆的取り組み

近年は、行政が市民から広く資金を調達する手段としてクラウドファンディングが広く使われるようになっているが、まちづくりにおける活用可能性も高いと考えられる。

財源不足を補うため、クラウドファンディングの仕組みを自治体としていち早く取り入れたのが福井県鯖江市である。鯖江市は2014年12月に、クラウドファンディングの専門サイトである「FAAVO」を使うことで、自治体としては初めてクラウドファンディングの運営者となった。

FAAVOは、特定地域に特化したクラウドファンディングサービスを、そのエリアの事業者や金融機関、自治体などをエリアオーナーになってもらうことで、共同運営している。この仕組みを使い鯖江市は、「FAAVOさばえ」を立ち上げた。地元の福井銀行グループの福井ネット株式会社の協力も得ている。クラウドファンディングには、資金提供者がリターンを求めない寄付型、支援に応じ返礼品が得られる購入型、さらに金銭的リターンが得られる投資型があるが、FAAVOは購入型に属する。

その仕組みは次のようになっている。まず、FAAVOさばえに、鯖江市や市の関連団体のほか、鯖江市の個人、団体、企業などが資金調達したい事業と目標金額を提示する。募集期間内に目標金額に達しなかった場合は、資金は提供者に返されるが、達成した場合、支援金の90%が起案者に振り込まれる。5%は手数料としてFAAVOの設置主体に、また、5%が福井ネットに業務委託手数料として入る。このほか、市はFAAVOの使用料として月額15万円をFAAVOの設置主体に支払っている。支援者に対しては、お礼の品が送られる。

この仕組みで「鯖江市のシンボルの危機！郷愁誘うあのめがね看板を救う！」、「日本一小さい西山動物園！みんな愛される動物園を守っていきたい！！」などの事業について資金調達したところ、当初の予想以上の反響があった。制度開始以来、これまで募集した事業の目標達成率は非常に高い。クラウドファンディングの仕組みでは、購入型は返礼品のみの見返りのため、いかに共感できる事業を提示し、応援したいと思ってもらえるかが重要になる。鯖江市が成功したのは、潜在的に自分の資金を地域や社会のために使ってもらいたいという人が多くいたところ、そうした人々の心に訴えかけることができたからである。

さらに鯖江市は2016年10月に、やはり全国初の取り組みとして、クラウドファンディング型ふるさと納税Webを立ち上げた。市の特徴的な事業を紹介し、市や事業への応援の気持ちを、ふるさと納税という形で募る取り組みである。

5.2 マネー呼び込みの今後とコロナ禍の影響

まちづくりにおいては、巨額の費用が必要になる場合が多く、もとよりクラウドファンディングですべて賄うことはできない。しかし、まちづくりの一部にでも市民の思いが込められた資金が入れば、市民の愛着が高まり、その後の維持や活用にも良い影響を与えると考えられる。まちづくりに関わる主体も、資金調達手法として検討すべきである。

コロナ禍の影響に関しては、コロナへの行政の対応が遅れる中、マスクや医療用ガウンの代替品を調達したり手作りしたりして寄付する動きが広がるなど、共助や助け合いの精神がクローズアップされた。これに関連してふるさと納税でも、例えば、学校の休みで余った給食の食材などを返礼品として選ぶよう推奨したりする動きが出現した。また、大阪府が医療従事者等を支援する目的で設立した「大阪府新型コロナウイルス助け合い基金」には多額の寄付が集まった。

改めて、共感を通じて多くの善意がお金の形で寄せられることがわかり、自治体にとっては、日頃から、共感してくれる自治体内外の応援団を増やすことの重要性を改めて認識させる出来事であった。

6 コロナ禍とまちづくりの今後

本章ではまず、テレワークの普及には限界があることを指摘した。次いで、今後の地方を中心としたまちづくりで重要な要素になると考えられる、コンパクトシティ政策やエリアマネジメント、人とマネーの呼び込み策の現状を紹介した上、コロナ禍が及ぼす影響について検討した。人口減少時代におけるまちづくりは、多くの場合、縮小が前提となり、行政の財源も限られる。そうした時代に合わせた取り組みを進めていく必要がある。

コロナ禍の影響については、テレワーク普及によって、住む場所の制約がなくなるなどといった事態には至らないと考えられるが、従来よりは増えるテレワーカーの誘致環境を整えることは、人口減少に悩む自治体にとっては、取り組むべき課題の一つになる。また、日頃から共感してくれる自治体内外の応援団を増やすことも、自治体が注力すべき課題となる。

8. 新しい住まいの可能性
――老朽化団地の建替えによる自律型社会の実現

山田 尚之・㈱鳩ノ森コンサルティング 代表取締役

1 はじめに

人口減少社会、高齢者の増加そして低成長の常態化の中で発生した感染症の世界的な流行は住まいというものを大きく見直す契機になる。今後パンデミックは10年周期で到来すると言われていることを考えれば、われわれはこれから常に感染症を意識しながら生活することを強いられるのかもしれない。

その中で、住まいで過ごす時間は確実に増え、住まいは単なる寝食や団らんの場を超えて、仕事や情報発信の拠点、趣味やボランティアなど自己実現の場にもなる。さらには地域とつながり、介護や看護のサポートを受ける場ともなる。

そのように考えたとき、今の戸建て住宅や集合住宅の専有部分だけでそのような役割を担うことは物理的にも機能的にも限界があることに気づく。そこで私的な領域である住戸と外部の機能を連動させることが重要になる。言い換えれば、住まいをいかに外に開かれたものにするかが大きな課題になる。

本稿では２つの方向性を提案している。

第１はマクロな視点からのアプローチであり、老朽化した団地の建替えを核とした地域との連携を目指すモデルである。そこでは将来的にエリアマネジメントの実践や自律分散型の社会に繋がることを目標とする。

第２はミクロな視点からのアプローチであり、集合住宅の価値を見直すことで、十分に活用されていない「共有」の価値を新しい住まいとしての機能を高めるために用いるというモデルである。

両者は既存の団地や集合住宅の「建替え」をハードとソフト両面での価値変化を生み出す手段とすることで共通性をもっている。

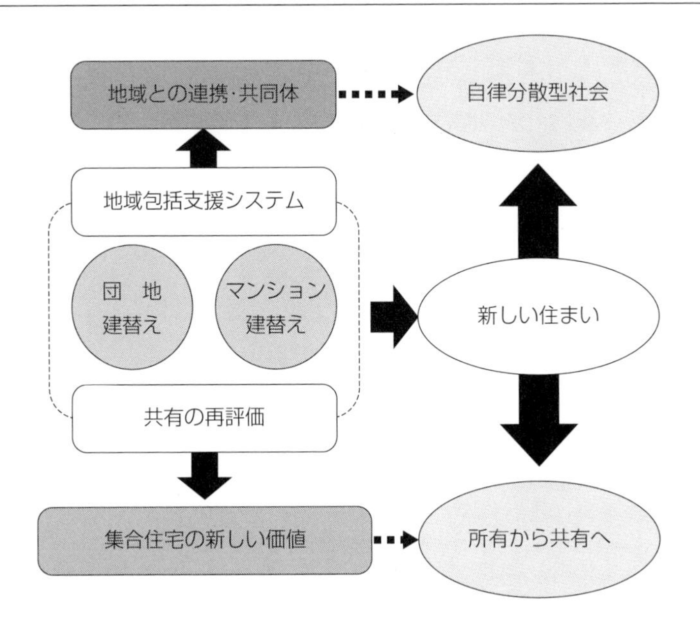

2　正解のない世界

21 世紀になって 20 年、これまでの時代が正解を探す世界であったとすれば、コロナ後の世界は正解のない世界である。

これからの住まいと都市を考える出発点は、何よりも経済成長を前提とした都市モデルからの脱却である。低成長時代の中、経済的合理性とは別の豊かさを持ち、個人の自己実現の場となる住まい、生活環境づくりを目標に、成熟化社会にふさわしいまちづくりを考え、実現することが大切だ。

生活拠点の整備を目指す住まいとまちづくりにとって、施設の整備やバリアフリー化、生活支援機能の充実などのハード面以上に、ハードを活かし、生活の充実や安心な環境を持続的に維持するための組織や仕組みなどのソフト面の充実が欠かせない。

数値や形ある具体的な目標の実現について、私たちの社会はいろいろなノウハウや経験をもっている。モノづくりやそのための工程管理も得意だと言われる。正解が明解な社会では同質的で調和を尊重し、倫理観の高い国民性は大きな武器だ。

これに対して、これからの社会は未体験ゾーンであり、そこには明確な正解がない。いわば正解のない中で変化に対応し解決策を探すことが求められる社会だ。低成長、高齢化社会では「公」の力も相対的に低下する。国や行政、リーダーが正解や方向を示し、それを正しく実行すれば正解に近づけるという保証はない。それぞれが当事者意識をもって自分の頭でリスクを考え、主体的に判断しそれぞれの解決策を模索し、臨機応変に修正することが求められる。

個人には限界がある。自ずと自律性をもった小さな共同体の存在が集合住宅、団地、地域などいろいろな単位で求められることになるだろう。「共同体」は、これからの住まいや社会を考える上で重要な概念となる。

個人の価値観や仕事への意識も大きく変化しつつある。リモートワークの定着を見越して利便性の高い都心から環境や住戸の広さを重視した郊外への住まいシフトが起き、地方都市へオフィスを移転する企業も少なくない。その先には、間違いなく「働く」ということの意味や組織への帰属意識の希薄化など意識や価値観の変化が起こり、私たちの社会も本格的な構造変化を求められるであろう。そこで求められる住まいのかたちも大きく変わることになる。

3　新しい住まいのかたち

(1)　3つのテーマ

コロナ禍によって外出が制約される中、テレワークやリモートワークを活用した生活が急速に広がり定着して、働き方やライフスタイルが大きく変わる可能性が高い。その時に求められる「住まい」の役割や価値はいったいどのようなものであろうか。これからの住まいを考える上でのテーマを3点上げる。

第1は、高齢者が安心して住み続けることができる住まいの必要性だ。

高度経済成長期に都市化と供に核家族化が進行し、父母世代の高齢化が進んだ。その核家族の50年後の姿が都市の中での単身高齢者の増加である。その単身高齢者の住まいのあり方は、私たちの社会にとって重要かつ緊急性の高い課題の一つである。急激な増加が確実な単身の高齢者が安心して住み続けられる住環境を、できれば住み慣れた地域の中で整え、提供できないであろうか。

		2010年	2040年	増加数	増加率
東京圏	65～74歳	414万人	517万人	103万人	25%
	75～84歳	239万人	333万人	94万人	39%
	85歳以上	**79万人**	**270万人**	**190万人**	**240%**
名古屋圏	65～74歳	133万人	150万人	17万人	12%
	75～84歳	84万人	102万人	18万人	22%
	85歳以上	**29万人**	**84万人**	**55万人**	**191%**
関西圏	65～74歳	233万人	246万人	12万人	5%
	75～84歳	141万人	166万人	25万人	18%
	85歳以上	**48万人**	**149万人**	**101万人**	**208%**

出典：国土交通省「平成27年3月コンパクトシティの形成に向けて」

2040年代には団塊ジュニア世代が高齢者の仲間入りをする。そのため高齢人口は3,900万人台のピークに達するという。他方で、生産年齢人口は6,000万人を割り込み、現役世代1.5人で高齢者一人の面倒をみるという「おんぶ、抱っこ」の危機的な状況を迎えると言われる（宮本太郎（2018）『社会保障の2040年問題』）。

そのような中では、われわれ自身が意識を変え、「人とのつながり」の中で生きるということをもう一度考え直す必要がある。

「2040年問題」はわれわれの社会が確実に向かえる明日だ。高齢化の先に、常に不安が伴う社会を私たちは成熟化社会と呼ぶことはできない。高齢となり一人になっても安心して住み続けることができる住まい、このような住まいを社会の中でどのように確保し、持続可能なシステムとして機能させるかが問われる。

第2はコロナ禍を契機に大きく変化しつつある働き方、家庭とのバランス、価値観の変化などを積極的に受け入れ、対応できる住まい方や居住の仕組みだ。特に、集合住宅の新しい価値を引き出し、可能性を活かした住まい方を生み出すことが望まれる。

IT化によって職場や学校への物理的移動の必要性が減ることで働き方や住まいに求める役割が大きく変わる。家族と安らぐためのプライベートな空間としてだけでなく、仕事の場、情報の発信拠点、趣味の場など多面的な役割が住まいに求められる。そのとき、これまで専有部分の付属物に過ぎなかった共用部分から、共用部分の価値を活かすための専有部分という考えもでてくるだろう。集合住宅の区分所有者が共有する価値をいかに活用するか、住まいの価値に繋げるかという能力が重要になる。そこでも共有者間のつながり、全体をマネジメントする共同体の存在が鍵となる。

第３は住まいを外に開くこと、地域との積極的連携である。

これからの住まいは私的な領域に向けて閉じられるのではなく、外部に開かれ、地域や他者との関係性の中で存在することが求められる。

本稿では郊外団地の建替えを核とした地域の再生を提案する。居住者の高齢化、多様化そして格差の拡大、さらには高齢単身者の急増は老朽化した団地だけの問題ではなく、人口減少期に入った日本社会全体の宿命でもある。

「コロナ後の社会での新しい住まいとまちづくりのモデル」としては限界集落化した郊外型団地を中心に再生の可能性を探り、限られたエリアの中においてであっても人口の増加、多世代ミックスなどが実現されるモデルを目指す。その積み重ねの先に、新しい住まいの現実的な形、高齢者が安心して住み続けることができる住まいが見えてくるはずである。

⑵　新たな住まいづくりの担い手　脱市場主義から住まいを考える

新しい住まいのかたちを考えるとき、それを誰がどのようにつくり、供給するのかという大きな課題がある。不動産開発には巨額の投資が必要であり、大きなリスクを伴う。そのため、多くの住宅はいわゆるディベロッパーにより開発され、商品として供給される。

しかし、低成長が常態化する社会の中で、これからの都市や「住まい」を考える時、現在のように民間ディベロッパーのインセンティブを高める土地利用政策や、市場原理に過度に依存した「まちづくり」には限界がある。市場原理が働きにくい「まち」を維持し、人々の生活を守っていくための開発の主役と仕組みが求められて久しい。身近な共同体の価値、他者との関係性にあらためて目を向け、その潜在的な力を最大限引き出して、持続可能な新しい社会に向けた改革に着手しなければならない。新しい住まい方を考え、具体化させるのは誰でもないわれわれ自身の役割である。

本稿では、権利者自身が主体となって行う老朽化した団地の建替えを核に、地域との連携を目指すモデルを提案している。団地の周辺地域に福祉・介護関係の施設や子育て支援、あるいはサテライトオフィスなどのこれからの住まいを補完する機能を誘致し、支援することで困難な中でも「やる気のある団地」での自律的な再生を促すことは、新しい住まいづくりが考えるべき重要な方向性である。

住まい手自身の参加と集団の自治によって団地を核とした地域が、かつての村落や郷のように、それぞれ個性をもち持続可能な生活拠点として再生されるイメージが、村づくりにつながる。これからの時代の住まいと地域社会のありようを考えたとき、故郷を自らの手で再生すること自体が魅力的で重要なことだ。

そのとき、地域の起爆剤であり、核となりうるのが1970年前後に開発、分譲された大規模な郊外型団地である。

4　構造改革の手段としての「建替え」

(1)　改革の必要性

単身高齢者が増え、他方で住まいを中心に仕事や情報発信、自己実現を図りたいというニーズが広がる。これからの住まいは私的な領域に向けて閉じられるのではなく、サポートを受け容れ、コミュニケーションを高めるためにも外部に開かれ、地域や他者との関係性の中で存在することが求められる。

しかし、われわれを取り巻く現実と求められる新しい住まいのあり方との間にはまだまだ大きなギャップがある。高齢者は将来への不安から終の住み家を探し続け、集合住宅は共有という呪縛から逃れられないまま老朽化の道を進んでいる。住み手を失った空き家が急増し、大きな社会問題となる一方で、プライバシーや安全を理由に社会はむしろ私的領域に閉じ籠り、外に対しては一層殻を閉じようとしているように思える。

そこには中間的な領域、例えば「小さな共同体」や「緩やかな公共性」のような緩衝材となる存在が必要であろう。このギャップを埋めるための「トランスフォーメーション」（構造改革）の触媒が老朽化団地の建替えなのである。

⑵ 老朽化団地の建替え

「団地建替え」は老朽化した建物を新しいニーズに対応した住まいに整えるだけでなく、地域と連携したコミュニティの核となって持続可能なまちづくりを実現にする「触媒」としての可能性をもった事業であり、制度であると考えている。数百戸、数ヘクタールの単位と規模で新しいまちが出現するインパクトには想像以上に、地域や沿線、さらには自治体を大きく変えるエネルギーが秘められている。このエネルギーを来るべき新しい社会やシステムに向けた改革にどうしたら活かせるであろうか。

ところで、団地の建替えを触媒にするこのモデルの有効期間はあまり長くない。団地建替えそのものが権利者の高齢化や人口減少に伴う市場の変化によって制度的な限界に近付いているからである。したがって、この計画の目標期限を人口減少が極めて深刻化すると言われる2040年以前、2030年代中に設定するのが現実的であろう。

目標期限である2040年までは約20年。この間に高齢化の問題と並行して多くの住宅ストックが更新の時期を迎える。住宅ストックの寿命は木造住宅で平均30年、RC系で70年程度と言われるが、分譲団地でみれば2035年の段階で1,500を超える団地が築55年を超える（「住宅団地の実態調査」国土交通省）。これらの団地の多くは今後「修繕改修」か「建替え」か、再生方法の選択を迫られることになる。

老朽化は高齢化を伴う。これらの老朽化団地をみると区分所有者の平均年齢は概ね70歳前後。いずれのケースでも権利者の年齢が上がるほど、資金負担や工事期間中の仮住まい生活への不安などから建替えには消極的になるという傾向がみえる。高齢化と建替え合意形成の難しさは相関する。全体で8割以上の賛成を求める現在の建替え決議要件では、世代交代が大幅に進まない限り集団合意は年々難しくなる。合意形成面でのデッドラインは目前に近づいている。

このような認識に立ちつつ、これからの20年間で可能な限り老朽団地の建替えを核とした生活拠点整備を進める。その延長に新しい技術に支えられた事業スキームや制度が見えてくるはずである。IT化技術の一層の進化や自動運転技術の普及で駅からの距離など立地や環境などの評価指標も大きく変わるであろう。予想を超えた技術革新による次の展開を期待しつつ、この20年間に建替え可能な団地の支援を行うべきである。

これまでのまちづくりの事業手法としては法定再開発事業が最も一般的で、都心のオフィス街や駅前の開発ではすでに多くの実現事例を生んでいる。その事業の仕組みを一言で言えば、土地の高度利用を前提に余剰床を生み出し、これをディベロッパーのインセンティブにして事業性を確保するというものである。

しかし、冒頭に述べたように低成長が常態化し、人口減少や高齢化が急速に進む現状では、都心の主要な駅前立地などごく一部を除けば、土地の高度利用を前提とした拡大成長型の事業モデルはもはや成り立たなくなっている。コロナ禍はオフィスや住宅の立地と需要に大きな影響を及ぼし、これまでのようなオフィスや住宅を高密度に集積した都市への需要は大きく変化すると予想される。そもそも郊外の住宅地や団地では高度利用を前提とする市場のポテンシャルはすでに失われている。

団地建替えを核として新しい住まいを創造する場合も、これまでの再開発事業や都心でのマンション建替えで用いた保留床処分型によるディベロッパー主導での事業化は難しい。権利者が主体となり相当の負担を伴う厳しい事業になることは避けられない。この数年内に建替え決議が成立している郊外型の団地例でも、建設工事費の高騰の影響もあり、建替え前と同様の面積の住戸を取得するには1千万円から1千5百万円を超える追加負担金が必要となるケースが多い。

その状況の中でも、単に危機感を高めるだけではなく、ある程度の負担を負ってでも権利者が自ら主体となって建替えを進めようと決断し、活動するためのインセンティブを制度や社会がどのように付加できるか、が問われている。

(3)　建替え制度を用いるメリット

このように、このモデルでは「老朽化した団地の建替え」をまちの再生の起点におくことがポイントになる。

ところで、マンションや「団地」の権利者は土地建物の共有関係にあるため、本来「建替え」は共有物処分として全員合意が必要であり、区分所有法にも1962年の立法時には建替え規定はなかった。これが区分所有法の改正（1983年）によって総会における特別決議（5分の4以上の賛成）で可能となった。建替えの最大の課題はこの建替え決議の成立を目指す多数の区分所有者間の合意形成にある。

決議によって建替えを行う場合、決議の対象は抽象的な建替えの賛否ではなく、具体的な建替え計画を前提とする。そのため、多数者での合意と実現の目標が明確になる。また、決議の議案に載せるべき内容（計画の概要や費用負担、修繕する場合との比較など詳細に及ぶ）、決議の要件、決議前後の法手続きが厳格に定められている。決議成立後の具体的な事業化についても「建替え法」によって権利者を主体とした法人格を持った組合を組成し、権利の移行や保全方法も厳格に定められている。そのため権利者は安心して建替えに参加することが可能になった（区分所有法、マンション建替え円滑化法）。

さらには、生活拠点などの整備を進めるための一定の区域への都市機能の誘導を基礎づける「立地適正化計画」、その他団地の敷地分割制度や高齢者向けの融資制度など地域との連動や具体的な事情に対応するための制度的なバックボーンも整っている。このような制度を活用し都市政策や福祉政策と連携、連動させることで団地の建替えを地域の生活基盤の整備の核とすることが実現可能になるとともに、それを支えるシステムが機能し、地域としての持続可能性が発揮できると考えられる。

団地の建替え実現例も100事例程度はあり、現在も多くの団地で検討が続いている。事業制度としての完成度はある程度高く、建替えを検討しようという団地にとっても、明確な線路が敷かれているため安心感が高い。新しい社会に向けた生活拠点の整備を権利者主体で実現し、維持・発展するための母体づくりに適した制度であると言える。社会経済上も老朽化した団地の権利者が、自分たちの力で建替えを実現することは、新しい都市モデルとして大きな波及効果が期待でき、共助社会という視点からも優れたモデルとなるのである。

5 コミュニティから共同体へ

建替えは老朽化した建物や設備を最新のものへと更新するだけでなく、多くの権利者が組合を組成し、主体となって共同事業としてこれを行う。合意形成や事業に関わる中で組織やコミュニティが成長する過程でもある。この点で、新しい住まい方を考える鍵となる「共同体」の組成と建替えは深く関わる。

老朽化した集合住宅では権利者はもともと土地建物を共有し、永年にわたって集合住宅に住み、建物を維持管理してきたという歴史や土台がある。しかし、建替えはその土台をもとに行う共有する土地を活用した共同事業である。同時に、権利者個々にとっての建替えは資金の負担や仮住居での生活を伴う重い決断でもある。

そのため多数の権利者の合意の集約には当然多くの時間とエネルギーを要するが、多様な意見も集会や説明会での意見交換、個別の面談などを通じて収れんされ、最終的には建替え決議という手続きの中で結論に至る。この点で「建替え」は、制度化された合意形成なのである。

建替えの検討から建替え決議を経て、新しい建物に戻るまで最短でも約5年、多くの団地では10年以上の年月を要する。その間の共同体としての活動の経験が組織に蓄積され集団としての「共有知」が高まる。建替え後は、このような共有知をもった従来からの権利者が核となり、新たな住戸の分譲取得者がこれに参加して新たな団地での共同体が生まれるのである。

建替え後の新しい共同体では若い分譲購入者の参加により多世代ミックスが実現し、多種多様なタイプの住戸に様々な世代、家族構成の人々が生活する。この共同体として団地全体のマネジメントやガバナンスを発揮し、住民相互の共助を実現する。このような関係が住替えや人の入れ替わりの中で維持されることで持続可能なまちづくりが実現されるのである。

団地の建替えは管理組合が主体となって、決議により行う法手続きであり、まさに共同体としてのガバナンスの一環である。同時に合意形成の過程では権利者間の関係性の再構築が求められるなど「コミュニティ再生」としての側面も強く持つ。個人の関係性が広がり、問題意識を共有することによって、当事者意識が高まりそれがさらに共同体意識に繋がっていくことになる。

このようなプロセスを通じてまさに自律した共同体としての経験値が高まり、地域の核として将来的にはエリアマネジメントなどを担う母体となることが期待される。「共同体」の重要性についてはこの後も随所で触れることになるであろう。

6　建替えによって生じた変化

(1)　多世代ミックスと持続可能性

実際に大型団地の建替えに関わって感じたもっとも劇的な変化は、それまでの高齢化した団地が建替えによってバランスのとれた多世代ミックス型人口構成へと生まれ変わったことであった。

この点を具体的に私が関わった多摩ニュータウンでの最初の建替え事例である諏訪2丁目住宅を参考に見てみよう。多摩市諏訪2丁目住宅の建替えでは立地や分譲価格、計画のコンセプトと従前640戸の住戸が従後1,249戸に倍増するという条件が相まって結果的に良い世代バランスが生まれている。

下図は左から建替え前からの権利者とその家族、中央が新規購入者とその家族、右が建替え後の新しいマンション全体の権利者と家族、それぞれの年齢構成である。建替え前は70歳代前半をピークとして60代、70代が大きなボリュームを占め典型的な高齢化状況が見てとれる。これに対して、新規購入者とその家族の年齢構成は30代をピークとしつつも20代から70代まですそ野が広く広がっている。

建替え後は両者が一体化することで、右のグラフにあるようにそれぞれの年齢構成の山型が重なり3つのピークを見せ、まさに多世代型の年齢構成となっ

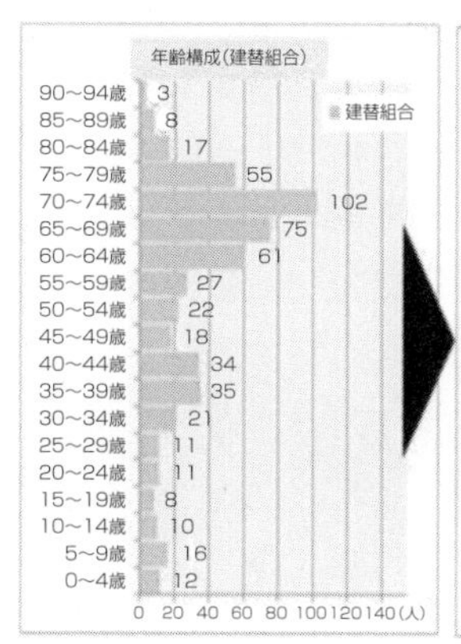

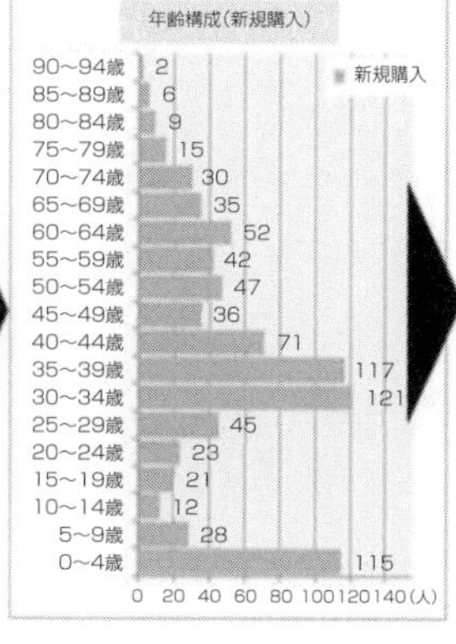

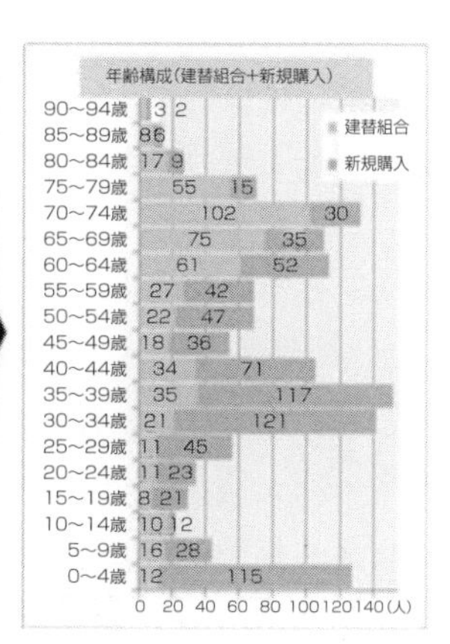

ている。多世代混在によるメリットについては、組織が活性化し、祭りやイベントの種類や参加者が大幅に増え、多くの子どもの姿に団地内に活気が戻ってきたという声が多い。日常生活からコミュニティ活動、共同体としての組織力まであらゆる面で、多世代ミックスは団地全体に非常に良い影響を及ぼしている

このような多世代ミックスが実現できるのは、従来から住んでいる高齢者を中心とする集団に対して、新しく分譲住戸を取得して居住した30～40代のファミリー層を中心とする余剰住戸の取得者が補完関係になるからであり、建替え事業の大きな特徴だといえる。一般的な新築マンションの分譲事業ではほぼ全員が新たな購入者であり、購入者の世代や家族構成を意図的に組み合わせることは難しい。新築分譲ではマーケッティングにより設定された住戸プランや価格帯によって均質的にならざるを得ない。

コロナ禍による生活スタイルの変化によって都心へのアクセスよりも、住環境の良さや生活拠点としての魅力や機能を重視する流れが生まれつつある。多世代ミックスの実現のためにもさらにより精緻な計画コンセプトが求められると予想される。

多世代ミックスや多様性は共同体としての「持続可能性」を確保する上での欠かせない要素である。組織や共同体が、環境の変化に対応し、活力をもって持続し続けるためには、同質的・均質的な集団や組織を、より多様な年齢構成、より多様な価値観が混合する組織に変える必要がある。

多世代ミックスは時として世代間の違いが、意見の違いやトラブルを引き起こす可能性はある。しかし、このグラフからもわかるように諏訪2丁目の例では、従前からの権利者（70代前半が中心）と新取得者（30代が中心）とはちょうど親子に近い年齢差であり、親子的な適度な距離感から、互いを尊重し合う節度をもった良いコミュニケーションや新しい団地文化が生まれている。

新しい団地としてのスタート時、意識的にコミュニケーションの機会を増やし、相互理解への努力を怠らなければ、その先に信頼関係が生まれ、当事者意識をもった自律的な組織への成長が見えてくる。硬直化した組織に刺激を与え、構造変化を効果的かつ現実的に起こすことが共同体を鍛え上げ、変化への対応力と持続可能性を高める。建替えには他の共同事業とは異なった組織を育

て、持続性を高める事業としての特性があるように思える。

持続可能性の観点からは、このような多世代ミックス型の年齢構成を長期間にわたって継続させる仕組みが求められる。この点、建替え後の団地では単身世帯用の比較的小規模な住宅からファミリー向けの100㎡前後の住宅まで様々なタイプの住戸が揃っているケースが多い。特に大規模な団地建替えでは権利者住戸を中心に多様な住戸タイプが計画される。このような特徴を活かし、子どもが成長して夫婦や単身世帯になれば、ファミリータイプの住宅から小規模住宅に住み替え、同じ団地内に住み続けられるとすれば、地元への愛着もさらに高まり、住民間の交流も深まるであろう。地域への愛着が高まれば、団地内のコミュニティもより豊かなものになるに違いない。

団地が組織やコミュニティの持続性を高めるには、このような多世代ミックスを長期間にわたって継続させる仕組みが重要、かつ不可欠である。

(2) 団地内組織の変化

紆余曲折を経て合意形成が進むと、さらに建替え事業の主体として組合が設立され、事業の実施過程を経て組織は大きく変化し、成長する。高齢化が進み、老朽化により活気を失っていた団地内の共同体が、建替えという共通目標のもとで、その実現に向かってそれぞれ検討や合意形成を重ねる中で、集団としての経験値を高め、成功体験によって自信を深め、その好循環が共同体を大きく成長させる。

団地が将来にわたって安全で安心な生活の拠点に生まれ変わるためには、バリアフリーの実現や安全な建物への建替えと同時に、システムとして安全な住環境を継続して維持する組織がなくてはならない。そのカギを握るのがコミュニティを母体とする共同体である。

共同体には組織の主体としての「共同体」と、より拘束力の弱いコミュニティとしての「共同体」の二面性がある。持続可能なシステムを維持する「頭脳」がガバナンスや具体的なマネジメントを担う主体としての共同体＝管理組織であり、団地というシステムを円滑に稼働させるための血液にあたるものが権利者や居住者同士の関係性であり、コミュニティとしての共同体である。

団地が有機的な組織となり、システムとして機能して初めて持続可能なものとなる。そのためには当事者意識をもち、マネジメントだけでなくガバナンスを発揮できる自律的な組織と世代交代が進む循環の仕組みが求められる。この共同体が建替え後の団地の管理運営から、さらには地域を主体的に運営するエリアマネジメントを担うことが将来の地域再生の一つのモデルである。

エリアマネジメントについては専門性や資金調達手段など解決すべき課題が多く残っている。その具体的プログラムは将来の課題としたい。

7　団地建替えから地域に拡大するまちづくりのイメージ

住まいは外部の様々な都市機能に支えられることで成り立つ。団地自体は完全な私有地であり私的な領域だが、生活を維持していくには他者との連携や共同作業が欠かせない。とりわけ自分で住戸外に出向いて活動することが困難な高齢者にとっては住まいそのものが外に対して開かれ、多様な人が出入りし易く、本人も外部との接点を実感できるシステムが重要である。

このような社会背景の中で、私的領域として外に対し閉じられたままの住まいだけではなく、団地などの集合住宅を中心に近隣や地域を包含し、さらに人やコミュニティ、あるいは社会的な仕組みを包括した大きなシステムとして住まいを考えることが必要となっている。

(1)　地域包括ケアシステムとの連動

「団地建替え」は建替事業の終了で完結するものではない。建替え後の新しい住まいの可能性を広げるためには、建替え後の団地を地域と連動させ、外に開かれたものにすることが必要である。そのための具体策として先ずは、「地域包括支援システム」との連動を考えることが現実的である。包括支援は高齢者が多い老朽化団地のニーズにも適合し、行政の福祉政策との相乗効果も期待でき、実現の可能性も高いと思われる。厚生労働省が推進する「地域包括ケアシステム」とは要介護状態になっても最期まで住み慣れた環境で自分らしい生活を送るための「住まい、医療、介護、予防、生活支援が連携した」システムを指すと言われる。自宅で生活しながら訪問型の介護や看護を受け、できるだけ長く自宅での生活を続けることが想定されている。

地域包括ケアシステムのイメージ

高齢者の視点に立つと、地域包括ケアの仕組みはこれからの住まいと地域の関係を考える一つのモデルとなる。問題はこの仕組みの前提となる高齢者の住まいそのものが介護や看護のサービスを受けながら自宅での生活を続ける一定の水準を充たしたものであるか、という点である（大月，20頁）。

われわれの周囲を見ても多くの住宅の内外には段差や階段が随所にあり、高齢者の自由な移動や活動を妨げているだけでなく、危険でもある。とりわけ単身高齢者では、万が一の場合を危惧して住み慣れた自宅での生活を諦め、馴染みの土地を離れて郊外にある老人ホームや高齢者向けのサービス付き賃貸住宅に転居するケースが少なくない。その結果、老朽化した団地の4階、5階には住み続けることが難しいためサービス付き高齢者住宅や高齢者施設などに転居した高齢者の住戸が空き家となって増えている。

⑵ 解決すべき課題

多くの高齢者にとっては晩年こそ住み慣れた住まいと地域で、顔なじみの隣人に囲まれながら住み続けることが一つの理想ではないであろうか。地域包括ケアシステムは自宅に住み続けることを可能にする現実的な手段であり、このネットワークを整備することは高齢者福祉にとって緊急性の高い最重要の施策

建替え後の諏訪２丁目住宅内に整備された保育園

である。問題は、前述のように拠点となる自宅が建物・設備の面でバリアフリーや車椅子生活に対応したものであるかというハード面にある。

また、仮に建物や設備といったハード面の整備が整っても「住み続けたい」という思いを可能にするには、顔馴染みの存在や日常的に互いに見守るようなネットワーク、コミュニティの存在が欠かせない。これらのハードとソフトの両面がバランスよく整ってこそ、「住み続けることができ」「住み続けたい」地域になる。

高齢者ばかりでなく、子育て世代の視点に立っても、保育園などの子育て支援施設と同時に日常的な人的ネットワークやコミュニティの存在が「住まい」の価値を決める決め手になるように思われる。

このような視点から、既存の制度である地域での包括ケアシステムの構築を、同様の既存制度である団地の建替えと連携させることで、住まいの整備とコミュニティの再生を同時に実現しようというのがこのモデルのねらいである。建替えやまちの再生のプロセスを共有することで共同意識をもった地域に担い手を育てる。これが新しい村づくりの要だ。

(3)　団地建替えとの相乗効果

老朽化した団地の建替えを地域包括支援システムと連動させることでどのよ

うな効果が生まれるであろうか。

生活の中心となる住宅がバリアフリー化され最新の住戸になるだけでなく、支援システムのサポートを受けることで自宅での生活を続けながら充実した介護や看護を受けることが可能になる。単身の高齢者にとっては、将来の不安が大きく改善されるはずである。さらに、建替えの合意形成の過程を通じてコミュニティが活性化し、他者への関心が高まれば将来的には互いを見守るネットワークの土壌が育ち、日常的なセフティネットとして機能すると期待できる。再生されたコミュニティを土台に、新たな取得者を加えた共同体が再生され、新しい集合住宅の管理や運営に積極的に関わるようになれば、その延長上にエリアマネジメントも現実性が見えてくる。

事業面からもメリットが期待できる。包括支援システムとの連携を前提に、建替事業によって生まれる保留床や保留地を取得してくれる介護や看護の事業者が登場すれば事業性も向上し、集合住宅としての魅力付けや付加価値に繋がるからである。

コミュニティや共同体に関して具体的な効果に言及することは難しい。しかし、繰り返し述べているように、「建替え」そのものが共同体としての経験値を高める機会であり、再生を目標にガバナンスを発揮してはじめて実現可能なものである。同時に合意形成の過程では権利者間の関係性があらためて更新され、コミュニティも生まれる。個人の関係性が広がり、問題意識を共有することなど多面的な影響によって、地域や共同体としての当事者意識が高まり持続性をもった地域や互いの連携に繋がっていくものと考えられる。

これはある意味で新しい時代に向けた「現代の村づくり」である。住まい手自身の参加と自治によって団地を核とした地域がかつての村落や郷のように、小さな共同体としてそれぞれ個性をもち持続性をもった生活拠点として点在する。そのイメージが都市の中に甦る現代の村を想起させる。

これからの時代の地域社会のありようを考えたとき、自分たちの故郷を自らの手で再生することはコロナ後の時代にとって新たな創造以上に価値がある。そのとき、地域の起爆剤であり、核となりうるのが1970年前後に開発、分譲された大規模な郊外型団地なのである。

8　都市構造の見直し

(1)　立地適正化計画をどう活かすか

人口減少、低成長下でのインフラ更新や社会保障費の増大など自治体を取り巻く厳しい負の連鎖やジレンマは成長社会を前提とした都市モデルからの方向転換が容易でないことに起因する。これは行政の問題というよりも、政治の問題であり、さらには主権者であるわれわれの覚悟の問題である。

「立地適正化計画」はこのような状況の下での都市構造の転換を目指して2014年都市再生特別措置法により創設された。集中と選択の理念のもとコンパクトシティの実現に向けた土地利用計画制度であり、都市機能誘導地区内に一定の機能を持った施設を誘導することで地域内の拠点機能の向上を目指すものだ。この立地適正化計画についてはすでに542団体が具体的な検討を行っている（2020年7月末現在）。

立地適正化計画の中で対象とするエリアに福祉・医療やサテライトオフィスなどの仕事の場、地域連携の拠点などの施設が整備されれば新しい社会のニーズに対応した住まいの可能性が広がる。ただし、強制力の伴わない単なる誘導だけでは時間の猶予の無い中での地域の再生には力不足であることは否めない。そこに人口の増加や経済効果に繋がり、生活し活動する母体を生み出す「起爆剤」となる事業を関わらせる必要がある。

「新しい村づくり」のための具体的ツールとして、この立地適正化計画と郊外型の団地建替えを連動させてハード面での整備を行いつつ、同時にソフトとしては地域包括ケアシステムとそれを支える共同体や人的なネットワークを活用する意義はこの点にある。

都市レベルで見たとき、限られたエリアの中で一定の都市機能を誘導しても実際の住民の生活の質の向上にそのままつなげるのは難しい。この点、特に重要なのはその「持続可能性」である。

都市は個人が生活を営み、幸福を追求するための基盤となる社会ストックである。まちづくりや生活拠点の整備、住まいの問題をこれまでのように市場の原理だけに頼ることはできないし、頼るべきでもない。住民や権利者が自らの住まい、住環境の問題として計画に主体的に参加する仕組みが必要であり、主体として関わる当事者、共同体が中心に存在し続けてはじめて地域やまちも持続可能なものとなる。そこに、団地建替えを核とする大きな意義がある。

(2) 解決の方向性 「公共性」の見直し

これまで団地建替え事業はあくまでも民間の事業と位置付けられてきた。権利者が多数であっても特定者の私有財産が対象であり、法定再開発事業のように道路や駅前広場などの公共施設整備が伴わないからである。そのため「公共性」の観点から、原則として都市計画事業とは一線を画した民間事業とされる。

しかし、地域を含んだ老朽化団地の建替えを核とする生活拠点の整備は人口減少社会を見据えた優先度の高い都市構造の改革である。高い公共性を有する事業として明確に位置づけるべき時期にきている。

団地建替え決議は私法である区分所有法の中に位置づけられ、私権とのバランスの上で非常に厳格な決議要件が定められている。そのため高齢化が進み、権利者負担も大きい郊外型団地では建替えの合意形成が容易に進まない。ここまで述べてきたように、住まいと都市の役割が大きく変化する中で、時代に適した都市構造の変革を進めるには具体的な事業を通じて都市構造に刺激を加え、その事実を重ねていくことで本格的な都市構造の変革に繋げることが必要である。とすれば、その具体策としての団地建替えの重要性を明確に公共性の観点から位置付け、団地建替えを柔軟に実現できるよう、都市再開発法に準じた内容をもつ団地再生事業法を制定することを期待したい。

その際、建替えに対する権利者の同意要件を緩やかにすることは必須であるが、他方で権利自身の当事者意識や主体性を減衰させないような事業スキームとすることが肝要である。法定再開発事業などを検証すると事業の公共性が高まり、公的な性格が強くなると、これに反比例するように権利者の当事者意識や主体性が低下することが多い。ここでも正に新しい時代における自治体など「公」の役割と個人の関係性が問われることになる。

9　集合住宅の再評価　新しい価値の発見

(1)　共有の再評価

冒頭で述べたように、人口減少社会、高齢者の増加そして経済における低成長の常態化。その中で発生した感染症の世界的な流行はわれわれの生活を大きく変えた。

リモートワークの定着は仕事の方法だけでなく、働き方や価値観を変えた。住まいで過ごす時間は確実に増え、住まいはこれまでの日常生活の場だけではなく、ある時はオフィスとして仕事や情報発信の拠点となり、余暇時間では趣味やその他の自己実現の場にもなる。また高齢者にとっては終の住み家として介護や看護のサポートを受ける場ともなる。

しかし、このような多様な機能をすべて一つの住宅の中に集約するには限界がある。そのとき、集合住宅が有する土地と建物を共有するという仕組みが再評価されるのではないか。土地と建物を共有する分譲型の集合住宅は今注目されるシェアリングエコノミーそのものだからである。

集合住宅では高額な土地と建物躯体を多数で共有することで戸建てより少な

建替え後の諏訪２丁目住宅内に整備されたコミュニティカフェ

い投資で住宅を取得することができる。大規模なマンションであれば敷地内には児童公園や庭園があり、共用施設としてゲストルーム、パーティールームなどが整っている。これはまさに多数の区分所有者がシェアすることで可能な住まい方である。

とは言え、これまでの集合住宅は基本的に住戸をリーズナブルに取得し、所有するための手段としての共有であった。したがって、区分所有法や管理規約は基本として共有にともなうデメリットを最小化し、秩序を維持するための私権制約が中心となっている。これに対して、共有関係を積極的に活用して個人では所有できない施設やモノを備え、付加価値を付けることができれば集合住宅としての価値を大きく高めることができる。

現在建替えを検討している埼玉県のある団地では、年金生活で経済的負担が難しい高齢権利者のために建替え事業の中で賃貸棟を設け、低廉な家賃で住める住戸を確保する計画である。別の計画では単身者用に共通の居間スペースをもった30㎡前後のコンパクトな住戸を計画し、誰もが事業に参加できるよう

コミュニティ住宅の提案

■住戸面積を小さくし負担額を軽減させるために計画
⇒高齢者向け返済特例の活用を前提
■小規模住戸の機能を補うように皆が集まって利用できる共用スペースを設置
⇒新しい生活の提案、サポートのための仕組み

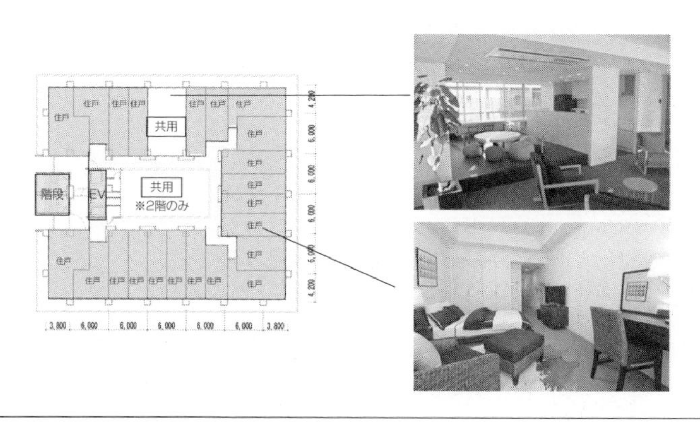

㈱松田平田設計 提案書より

に負担の軽減を目指している。これらの例は、建替え事業に特有の権利変換手法を使いながら共有価値の再配分を行い、経済的な弱者の事業参加を可能にしようという試みであり、共有の資産価値を活かした「共助」の仕組みを自分たちの手で実現するものである。これ自体が、集合住宅の共有価値を見直した、一種のシェアリングエコノミーの実践であり、共同体を再生させる現代の村づくりそのものである。

⑵　集住の価値

これからの時代の住宅価値は沿線のブランドや駅からの距離など単一の指標によってではなく、例えば①外部の介護や看護の施設と連携した生活支援機能、②共有資産を活かしたシェアリングの価値、③様々な世代がバランスよく住む多世代型、④緩やかな人の繋がり、共助の仕組みなど多様な指標で選択されるに違いない。

これからの集合住宅の眼目は住戸計画や共用施設などのハード面ではなく、むしろ住まい方や共有資産の活用などのソフトが中心となる。優先度もシフトする。さらには住宅内の人間関係やコミュニティの熟度、価値観を共有できる関係性などが鍵になる。

コミュニティ再生を実現する方法、その手段として建替えが非常に有効であることはすでに述べた。このような視点から、今われわれが住まいの未来と集合住宅の将来の可能性を考えるとき、土地や建物を多数で共有し、利用、生活することのメリットを最大化しながら、共有の限界を超え、様々な変化に対応し、マネジメントができる組織や共同体としての住まいを考えなければならない。

⑶　そして共助の関係

高齢化への対応に限らず、公助や自助を補完するかたちで、居住者同士が互いの生活を助け合い、隣同士が緩やかに見守りあう「共助」の関係をつくることができれば、それは新しい生活拠点としての集合住宅の新たな価値となる。これからの時代このような価値をもった集合住宅の未来像に期待する人たちは少なくないと思われる。

本稿の前段では団地の建替えを通じてコミュニティが再生され、共助の関係が生まれることに触れた。しかし、それは建替えというプロセスを経ずに実現することも無論可能である。それを望む人たちが、自分たちの生活する集合住宅で、変容しつつも繋がってきた共同体を「共助」の母体として広げることは、むしろ自然なことかもしれない。これにより眠っていた集合住宅の潜在的な価値を新たに引き出し、安全な生活や関係づくりに再配分することが可能になる。

その実現にも共同体としてのガバナンスの力やコミュニティのやる気が重要となる。これをどのように引き出し、あるいは新たに生み出すか。持続可能な社会の実現にとって最も重要で、難しいテーマは明確な目標や意思をもって主体的に活動し、構成員が互いを思い合えるコミュニティ、共同体をどのように用意できるかという点にある。コロナ禍は、まさにそのことを明らかにした。

10 最後に

仕事柄か高経年団地という社会の縮図を透して、近い未来の姿を垣間見ているような気がする。強く思うことは、これからの時代にとって自律的な個人や共同体を取り戻せるか否かが、「成熟化する社会」と「将来への不安に萎縮する社会」のどちらに向かうかの分岐点になる、ということである。無論、団地建替えは私が考えるその小さな解決策に過ぎない。

繰り返してきたように、コロナ禍が社会を変えたのではない。高齢化や人口減少あるいはヒト・モノ・情報の大量移動など、すでにわれわれの社会で起きている大きな変化、それによって生まれた亀裂や歪みにコロナ禍が圧力をかけ、結果として社会のあらゆる場面に問題が噴出しているのだ。ワクチンや特効薬が発明されても、われわれの社会が抱える病理や基礎疾患が癒えるわけではない。

社会としての耐性を早急に高めなければ末端や弱い部位から壊死が始まるという危機感は確実に高まっている。そして、社会の耐性を高めるには当事者意識をもった個人に支えられた自律的な社会へのモデルチェンジが必要なのである。

ここ数年、団地建替えをさらに大きな地域の再生、特に地域に根付いた共同体の母体にできないかと考えている。その共同体がエリアマネジメントを行い、地域に仕事や雇用を生み出す小さな経済圏をつくりだせれば、地域外からの資本だけに頼らず、内側からの新陳代謝によって地域が持続性をもって再生されるのではないか。共同体の構成員にも当事者意識や地域への愛着が高まり、地域が自己実現の場となる。これが私の考える自律的な共同体である。

新型コロナウィルスのパンデミックによってIT技術がどのようなかたちで生活に恩恵を与えうるかということをわれわれは実感した。10年後には通勤という日常は過去のものになっているかもしれない。そのとき、人はどのようなところに住み、どのような生活を営みたいと考えるのか。団塊となった高齢者はどのような思いで日常を過ごしているのだろうか。

そのことを考えたとき、郊外に点在する老朽化した団地群が急に輝きを帯びて見えてきた。それはあたかもこれらの団地が分譲された半世紀前、憧れの住まいであった当時の情景と重なる。そのポテンシャルを顕在化させ、共同体を再生し、地域再生の核とする。容易ではないが、十分に価値ある試みである。それこそが日々現場に関わり、権利者の生活に触れているわれわれ実務家の使命でもある。

すでに論じたように郊外の大型団地の建替え事業は非常に厳しい状況にある。その潜在力を引き出し、一人でも多くの権利者の明るい未来に繋げたい。そのためにさらに試行錯誤を続ける覚悟である。

（参考文献）
・浅見泰司他（2012）『マンション建替え：老朽化にどう備えるか』（日本評論社）
・竹井隆人（2005）『集合住宅デモクラシー』（世界思想社）
・山口幹幸、高見沢実、大木祐悟編著（2020）『SDGs のまちづくり』（プログレス）
・海道清信（2007）『コンパクトシティの計画とデザイン』（学芸出版社）
・日立東大ラボ（2018）『Society 5.0』（日本経済新聞出版社）
・大月敏雄他（2019）『未来の住まい』（柏書房）
・ジェレミー・リフキン（2015）『限界費用ゼロ社会』（NKK 出版）
・アルトン・スンドララジャン（2016）『シェアリングエコノミー』（日経 BP）

9．地方移住を促す居・職（食）・住

高野 哲矢・アンドプレイス合同会社 代表社員

1　大きな流れとして広がっていない地方移住

新型コロナウィルス感染拡大の影響を受け、人々の行動自粛が求められ、企業でのリモートによる在宅勤務が進み、必ずしもオフィスのある大都市に通勤する必要がなく、いわば勤務場所を問わない働き方も可能となっている。また、教育・病院・福祉などの分野でのデジタル化が叫ばれ、この環境整備を大きく前進しようとする機運が高まっている。

国はこれを呼び水として、大都市から地方への居住移転を加速化し、従来成し遂げることのできなかった地方創生を一気に進めたいと考えている。先日発表された政府の骨太の方針においても、この機会を逃すことなく、東京一極集中の是正と地方移転の促進を強く打ち出している[1]。

これまでも全国各地で自治体や民間組織による移住促進や定住対策などが進められてきたが、東京圏への一極集中は留まることを知らず、バブル経済崩壊後の一時期を除いて転入超過が続く一方、地方圏での転出超過が続いていた。これまで地方移住が大きな流れとして進展しなかったのは、地方都市での働く場や学ぶ場、居住の場が見つかりにくいことや、地域コミュニティの問題などが挙げられることが多い。こうした中で2020年7月には2013年7月以降初めて転出超過となったが[2]、この傾向が今後も続くかどうかは不明である。

筆者は2018年5月に幼少期から育った東京を離れ、福井県小浜（おばま）市に移住している。一般的ではない条件も含んでいるとは思うが、自身が移住を決断する際に考えたこと、実際に移住して働き、生活する中で感じる地方で暮

1　経済財政運営と改革の基本方針 2020（令和２年７月 17 日閣議決定）
2　企業等の東京一極集中に関する懇談会第３回（令和２年９月９日開催）配布資料（参考資料 1）

らすことの魅力、自身の経験を通じて地方移住を促進するためにはどのような動機付けや条件、環境整備が必要か、若年世帯等が魅力を感じられる地方居住を実現していくためには何が必要かを考えていきたい。

2　福井県小浜市への移住を決意する

筆者は幼少期から東京で育ち、都内の大学・大学院では建築や都市デザインを学び、東京を拠点に全国各地で仕事の機会がある都市計画コンサルタント事務所に就職した。学生時代から旅行などで各地には行っていたが、働きだしてからは公私問わずそれまで以上に全国各地に出かけるようになり様々な出会いがあった。また、職場が社外活動にも寛容だったことから、働き出して4、5年目あたりから同世代の仲間と集まり勉強会や研究会のような形で社外のつながりも増え、様々な場面で刺激を受けることができた。仕事でも社内外の多くの方からの指導、助力によって年々と成長できていたと感じるし、自身の興味関心に合う業務に多く携わることができ、とても恵まれた環境であった。

小浜の集落の様子

冬季の雪かきの様子

そのような中で、移住を決意したのは私的な理由だが、二人目の子どもが生まれることになり、子どもを育てる環境を改めて考えたことが大きい。そして、それまで9年近く働きながら感じていた都市計画に携わる実務家としての職能のことや自身が積んでいきたい経験、目指すキャリア（社内外、社会における立場など）のこと、拠点として働き暮らす場所での経験を考えた結果、前述のとおり妻の地元である福井県小浜市に移住することを決めた。

⑴ 移住の悩みどころ

筆者は大学院を卒業してから都市計画プランナーとして、主に自治体発注の景観関連の計画策定支援や公共空間活用等の都市デザインに係る業務などに携わってきた。都市計画やまちづくりの実務では実に多くの専門領域が絡み合うが、プランナーの技術領域として自身の総合性と専門性をどのように形成していくかは働く中で大きな関心ごとであった。東京で働きながら、職場の地域事務所メンバーや地方で活躍される方々と交流する中で感じていたのは、概して都市部では様々なコラボレーションの中でいかに専門性を発揮するかが問われることが多く、地方部では限られた人材や経営資源の中で専門性を発揮しつつ、総合性が問われる場面が多いのではないかということだった。せっかくの都市部での経験をどれだけ地方で活かしていけるのかが見通しづらい点は悩みどころだった。移住した今、経験がそのまま活かせているとは言い難いものの、時間はかかるが、移住してきてからの経験とこれまでの経験を融合させる場面は必ず来ると感じている。

都市部では割と短期的に、目に見える成果を上げながら経験を積んでいくことが多いと感じているが、地方では目に見える成果がなかなか出ずに対外的な実績を積んでいくのが難しいのではないか、都市部のスピード感の中で実績を積み上げていく実務家に対して、地方で働くことのスピード感と実績で社会の中で戦っていけるのかということも地方移住を検討する際に懸念した点であった。

ビジネスや顧客層を一定の地域に限定したり、特化しても経営の見込みが立つ職業の場合はまだイメージがしやすいかと思うが、特定の地域に絞ると仕事自体が少ない職業や様々な場所での経験が求められる職業の場合、地方に移ることによる機会損失の可能性に対してどのように対応できるか戦略的に動かなければいけない。

働くことばかりでなく、暮らしのことも考えなければならない。働き方の変化による家族との過ごし方や時間の使い方、地方で暮らすことによる生活環境の変化に対する心構え、生まれ育った太平洋側から日本海側へ移住し、季節感が変わることや平日の余暇や休日の余暇活動の選択肢なども居住地選択の大きな要因となる。

⑵　移住の決め手

地方に住むにあたっては、学びの場や商業施設や娯楽施設、医療体制など都市部と比べるとどうしても機会や場所が限られることも多いが、色々な物事が限られてくる以上に日常的な生活のリズムや身近な自然や場所、人から学び・遊ぶなかで、都市部にいるよりも丁寧に暮らす感覚を身につける、あるいは、取り戻すことができるのではないかという期待が大きくあった。

空が広く、景色の中に海や山が入ることが多い自然環境や、食材の生産地ならではの豊かな食資源、三世代居住による子育て環境など、これまでとは全く異なる環境に身を置き、暮らすことで得られる経験を考えた結果、今に至っている。

30年以上暮らしてきた東京を離れるのを決断した背景として、移住前の機会としては必ずしも多くはなかったが、地元の人との交流を通じてまちの魅力や可能性を感じたことが大きかった。

結婚して間もない頃、妻の実家で夕飯も食べ終わり休憩していると、近くに住む親せきのおじさんが突然家に来て、色々と話す機会があった。東京で都市計画の仕事をしていることを伝えると、地元集落のことや自分が小さい頃や今の小浜での暮らしの様子などたくさんの話を伺うことができ、話しながらにおじさんが地元のことをとても愛していること、地域の暮らしや環境を誇りに思っていることがとても伝わったのを覚えている。

ふと一人で入ったカフェ

また、一人目の子どもが生まれるときに、妻の里帰りに合わせて小浜に来たとき、ふと一人で小浜市内でも人気のカフェに入った。たまたま他にお客さんもいなく、オーナーさんとゆっくりと話すことができたのだが、その方も移住者でカフェを営業しながら植物のコーディネートの仕事も個人でしていることを知り、地方での働き方、生き方のヒントをもらったような気がした。当時、小浜市のことはまだまだ知らないことが多かったが、まちで暮らしを愉しんでいる移住の先輩がいることを見つけて、「この町面白いかも」と思えたのも移住を考えたときに大きな要因となった。

人口３万人弱のまちではあるが、地元に誇りと愛のある上の世代の方や、暮らしを愉しんでいるほぼ同世代の移住の先輩がいることを知っていたことが、色々と悩んだが移住に対する大きな決め手になったのだと今では思う。移住を決めるのに色々と条件はあったが、最終的な決め手はそこにいる「人の魅力」だった。

(3) 移住前に知っていたらより良かった様々なまちの魅力

今さらながら、少しだけ福井県小浜市を紹介させていただきたい。小浜市は福井県南西部に位置し、リアス海岸である若狭湾・小浜湾に面する人口３万人弱の小さな町である。歴史的資源や文化資源が豊富で、海と山が近く、地下水も良質で自然環境に恵まれている。日本遺産にも認定されている「御食国（みけつくに）若狭と鯖街道」、「北前船寄港地」という特性は、今なお受け継がれる豊かな食文化の基礎となっているし、同市は全国に先駆けて食のまちづくり条例を制定し、食を様々な観点

小浜市の位置

から捉え、早くから食育や地産地消などをまちづくりの一環として取り組んでいる。また、国指定伝統的工芸品である若狭塗の産地であり、若狭塗箸をはじめ塗箸の国内シェアは８割近くあると言われている。

移住前から、まちの可能性を感じていたが、小浜市内のまちづくり会社に入社できたことも幸運だった。

（上から）白鳥海岸、三丁町、妙楽寺

いよいよ2、3か月後に移住を控えた時期に、偶然、小浜市内でのクラウドファンディングプロジェクトを発見した。まちづくり会社が古民家を再生し、一棟貸しの宿泊施設をオープンするための追加費用を集めるプロジェクトだった。早速、支援をしてプロジェクトオーナーであるまちづくり会社の副社長に連絡を取ることができた。3か月後に移住予定であり、何かお手伝いできることがあればということを伝えた。タイミングよく、新しくスタッフを募集しており、観光推進が主要事業のまちづくり会社ということで、これまでの経験を活かしつつ自分自身新たな経験が積めることが期待できた。

まちづくり会社で観光推進の業務に取り組む中で、市内事業者や観光関連産業に携わる方と着地型の体験プログラムなどを企画し、観光客などに提供する中で、市内の様々な関係者と知り合う機会ができ、魅力的な資源を知ることができたことはも

（上）市場でのセリの様子
（中左）鮮魚屋が集まる「お魚センター」（中右）小鯛のささ漬
（下左）若狭塗箸（下右）地下水である雲城水の共同水汲み場

ちろん、ここでも多くの魅力的な人たちと出会うことができた。

3　地方移住を阻む３つの『ない？』

地方では住むところが少ない、働き口が少ない、その他都市部で暮らしていると得られる利便性を享受できる場所が少ないなど、移住へのハードルはまだまだ高い。まずは（当該地域の行政や民間組織からの）受入れ側の空き家や新築情報、求人募集や後継者問題、地域内で暮らす上での魅力的なスポットなどの適切な情報把握と発信が必要になる。その上で、関係人口の創出・拡大や移住や定住意向の強い層へのアプローチを積極的に進めることも受入れ側としては必要になってくるだろう。本節では、それぞれ地方によって事情も様々だとは思うが、「いざ、移住を考えたとき」に大きな関心ごととなる「住むところ」、「働くところ」、「楽しむところ」について、地方に暮らす中で新しい人を受け入れようとしたときに感じる課題と、筆者が地方に移住して感じる魅力などを挙げていく。

(1)　住むところが見つからない？

「住む」という点では、住まい、生活環境、コミュニティについて考えていく必要がある。まずは生活の拠点となる住まいをどうするかが重要である。移住する際に有効に活用したい地域資源の一つが空き家である。しかし、地域によっては数自体が少ない場合や様々な事情で市場に出回っていない場合も多いように感じる。身近なところで見聞きするのも、年に数回掃除に帰ってくる場合や、行楽シーズンに家族や親せきで集まるための別荘として使用しており、日常的には空き家同様の状況になっている住宅もある。代々住んでいた家であり、現在住んでいないながらも売却の意図はなかったり、相手が見えない中で売却するのに躊躇したりと住めるはずの場所はあるのに活かしきれていない状況が各地でも同様にあるのではないだろうか。

例えば、各地で空き家バンクなどにも取り組まれているケースは多いとは思うが、掲載される「物件」数の確保や拡充を図りつつ、ターゲットを明確に絞り込んだうえで取り組みをより一層周知していくことや、定期的な物件ツアーなどを実施しながらマッチングを促す仕組みや体制が充実してくることが望まれるのではないだろうか。移住前や移住検討時だけでなく、移住してきてからも引っ越し先を探す場面は出てくると考えられ、マッチングする機会を増やすために、いかに門戸を広げて取り組んでいくかは移住後の定住対策としても重要になるだろう。

筆者自身は移住時には当面、妻の実家で三世代居住をしようと考えていたために住まい探しの苦労はなかったが、ここをクリアできないと移住のハードルは高い。また、移住してから知り合った地元工務店の方と、立ち話程度でいずれは引っ越したい旨や、どの地域を狙っているかなどを話していたことを契機に、物件情報をいち早く教えていただき、実際に古民家の購入にも至った。購入したのが空き家バンクに登録された物件であったために、わずかながら資金的な補助も出た。

筆者の場合は地域内での人のつながりで物件情報を得られたが、物件の存在とマッチングしてくれる人の存在と、自分の意向を伝えていたことが大きな要因であったように、移住促進のためには地域外の人が気軽に相談できるコーディネーターのような存在がいると良いのかもしれない。

次に、生活環境について考えたい。継続して居住していくためには、食生活や健康面への対応、気候への順応なども重要であり、その土地の気候や食が身体に合うか、信頼に足る医療体制があるのか、日常的な買い物をする場所との距離感で不便を感じないかなど、安心して暮らせる環境は継続して居住するために不可欠な要素になる。地方では都市部に比べて、各地の気候に即した食材に恵まれているが、地元に住んでいても地元の生産者や地元で作られているものを知る機会はあまり多くはないのではないか。生産者は作ることに追われ、知ってもらうための活動や取り組みに時間を費やすのが難しいことも多く、地元の自治体や企業等による支援のもと、生産者を広く知ってもらうための取り組みを積極的に進めていけると良いのではないかと感じている。

移住前から食や気候、その他様々な生活環境を知ってもらうことが大切であるが、それ以上に実際に地域を体感してもらうことが望ましい。各地でトライアル移住などの取り組みもしていると思うが、活用できる物件の確保やトライ

古民家カフェ

へしこ乗せご飯

アル移住をコーディネート・サポートする人材の確保により、移住を検討している人が地方での生活を体感する機会をいかに作っていけるか、その機会をいかに次につなげていくかも含めてコーディネートするための費用を捻出できると、関係人口の創出や拡充にも寄与できるのではないか。

2021年時点で移住してまだ3年程度しか経っていないが、筆者自身は生活環境の中でも食に関する満足度がとても高い。外食産業の集積や多様さでは都市部に劣るが、新鮮な食材を活かした身近な飲食店や健康に配慮したランチを提供している古民家カフェの存在、旬の素材の味を楽しめる内食中心の生活を満喫できているのが大きな要素であると感じる。

最後に、コミュニティの問題もある。新参者にとって、既存コミュニティとどのように付き合っていくか、新しいコミュニティをどのようにつくっていけるかは、その地域で住むうえで重要な土台となる。縁もゆかりもない土地への移住となると、生活する中でのちょっとした困りごとを解決するのにも一苦労だが、知り合いや相談できる相手が一人でもいるだけで心理的な負担は相当違ってくる。単身での移住の場合は職場でのつながりや付き合いの中で相談できる相手や場面もあるだろうが、夫婦や家族での移住の場合、最初はそういった相手が見つからないこともありうる。移住前から地縁となるような人や同じような境遇・立場の人と出会える機会や場面、地域の催事やお祭りなどに参加する機会などがあると、移住に対する不安も少しは和らぐのではないか。住むところについては、事前に少しでも不安要素を取り除いたり、軽減することが重要である。

集落の伝統行事

(2) 働くところが見つからない？

地方移住してから、どのように働くか。地域内に転職するのか、地域内に移転するのか、地域内外を行き来するのか。職業によって可能な働き方は異なるだろうが、昨今のリモートワークの経験や企業等での働き方改革など多様な働き方を実践する素地は育ってきているのではないか。

神社の祭礼

地域内で働くところを個人レベルで探す場合、それまでと同様の職を探すことが多いと考えられる。同様の職種や仕事が見つかるかどうかは地域や状況によって大きく異なるが、地域内でそれまでの経験を活かせる職種の求人が少ない状況も多いと考えられる。一方、ニーズはあるものの継続的に事業として成立させることが見込めないため企業側から求人が出ていない職業もあるように感じる。単一の企業でそのニーズを顕在化し、専門人材を雇用することは難しい場合も多いだろうが、地域として同様のニーズを抱えている企業が複数存在していることは考えられる。自治体の企業支援や誘致、産業支援などを担う部署が地元企業の潜在的なニーズを丁寧に探りながら、各企業のニーズを解決する企業や人材の誘致を図る取り組みができれば、地域課題の解決と地方創生につながる動きが連動してくるのではないか。

その規模が大きくなれば、個人レベルでの移住というだけでなく、企業誘致やサテライトの設置なども含めて複数人の移住の可能性も出てくるだろう。

また、それまでの専門性に限らず地域内で働くことを考えると、継業という

筆者が開業した店舗（TEtoKI https://tetoki.fun 参照）

選択肢も今後ますます増えてくるのではないか。後継者問題には自治体も情報把握から始まり、継業の支援を企業誘致等と合わせて他都市に向けてアプローチする必要がある。経営規模は必ずしも都市部の企業等と比べて大きくない場合も多いかもしれないが、都市部で働いた経験を有する人材を求めている企業は地方に多く存在している。いずれにしても地方側には顕在化しているニーズに対する人材不足だけでなく、潜在的なニーズを解決するための人材の確保も重要であり、地方での活躍の場は数え切れないほど残されているように感じる。

次に、二地域居住や複数拠点生活なども含めて、地域内外で働く場合も大いにありうる。複数拠点となる場合に、できる限り固定費を抑えることが求められるが、受入れ側としては多様な働き方が可能な場所や、柔軟に活用できる場所の確保と提供が必要になる。場所の提供にあたっては、都市部での就業環境を意識しながら、地域で働く時間を増やしてもらうための環境整備などが求められ、その場の運営を担う人材を確保することも必要であると考えている。

筆者は当初から都市計画・まちづくり関連の業務に引き続き携わりたい想いから、兼業可の条件でまちづくり会社に入社し、移住した年には転職先の業務を担当しつつ、前職の業務の一部を個人事業主として受託した。兼業可であったことは、収入面でも経験の面でも重要な条件であったと考えている。移住2年目には個人事業主としてではなく、法人として都市計画・まちづくり関連の業務を受託するために起業をしたが、コロナの影響等もあり予定していた業務を受託できなかった。起業内容としては、都市計画・まちづくりだけでなく、デザインやイベント等の企画、店舗等の運営も事業として見込んでいたために、少しずつ地域内での実績を積み上げている状況である。

また、筆者は2020年8月に市内で小売店を開業したが、この開業も地域の中でのつながりが契機となり動き出した。地方には様々な挑戦を実行できる可能性があることを日々実感している。

シェアキッチンの活用

⑶ 楽しむところが見つからない？

住まいや働き口の顕在化やマッチングも重要ではあるが、それ以上に、地方ならではの魅力をどのように伝えていくか、各地域の環境を魅力と感じてくれる人にどのようにアプローチしていくかが積極的に移住を促進するために重要であると考えている。

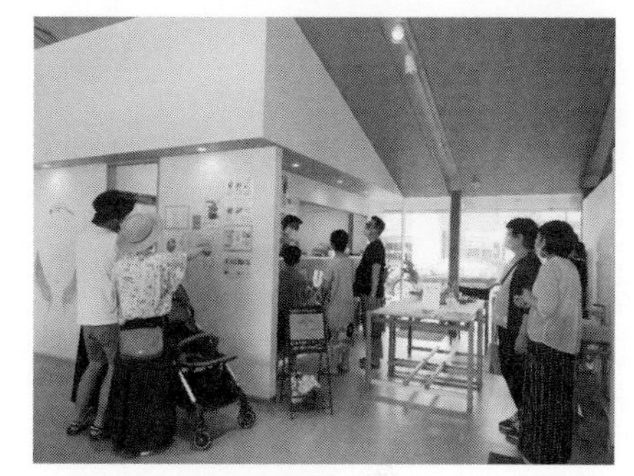

シェアキッチンの運営

地方で「遊ぶ」、「学ぶ」、「休む」ことを楽しむところの存在は欠かせない。それらが住むところと働くところ以外の居場所として移住者の嗜好に合うか、魅力として感じてもらえるかが移住を判断する際の大きな条件になると考えられる。

また、受入れ側にも、地域の環境を活かしつつ、多様な場所を見出すことや生み出すことが求められる。場所ごとにメインターゲットとなる利用者層が想定され、地域内での低未利用地や有効活用できていない施設・場所を運営する事業、活用するスタートアップ企業等を支援することは移住促進や定住対策に留まらず、地方創生にもつながるのではないか。

地方に生活する心構えとして、今ある環境から楽しむことを見出したり、ないものを生み出すことを楽しむことが大切になるのではないかと感じている。準備された楽しみを享受できる機会は都市部と比較すると少ないが、だからこそ自ら準備する余地がたくさんあることを楽しめるかどうかが重要となってくる。地方での楽しみ方や地域での暮らしを楽しんでいる様子が今以上に各地か

地元の自然環境を生かした遊び

ら発信されることを期待している。

暮らしの中で身近にある遊ぶところは暮らしに潤いをもたらすためにも重要な要素である。都市部であれば多様な選択肢の中でショッピングやアミューズメントなどを楽しめるが、地方ではそうもいかないことが多い。自然環境を活かしたレジャー的な遊びは身近な場所で享受できることも多いが、日常的な遊びの選択肢として認識してもらうためには体験機会や場の提供が必要になる。移住前だけでなく移住後にも体験する機会を提供できると良いのではないかと感じる。筆者は移住してから、物理的な距離と身近に感じる地域の距離感が都市部にいるときと変化しているように感じている。距離感も変われば移動範囲もおのずと変わってくるため、様々な範囲で地域を捉えて遊べるところがあれば良いと感じる。

日常生活の中で、自治体の枠に留まらず生活エリアとして遊べるところが多様にあることを発掘・発信することが大切になる。

自然学習

そして、地方で学ぶところを確保、充実させていくことは特に重要であると感じている。その際には、子どもにとっての学びの場と、大人の学びを得る場の両面を考える必要がある。子育てをする環境を考えたときに、子どもにどのような環境を準備できるかはファミリー層にとって大きな関心ごとだろう。多くの地

地方移住を阻む３つの壁

課題等	対応策例
(1) **住むところが見つからない？** 住む＝住まい×生活環境×コミュニティ ⇒事前に少しでも不安要素を取り除く・軽減する	
〈住まい〉 ・住める家の情報量 ・空き家バンクの有効活用	・物件数の確保・拡充 ・定期的な物件ツアー ・ニーズ把握とマッチングする人・仕組み
〈生活環境〉 ・食生活や健康面への不安 ・医療体制への不安 ・気候への順応が心配	・移住前に生活環境を体感する機会の創出
〈コミュニティ〉 ・既存コミュニティとの関係構築 ・新しいコミュニティの築き方	・移住前に出会う機会の創出 ・テーマ型コミュニティの周知
(2) **働くところが見つからない？** 働く＝地域内に転職 or 移転 or 地域内外を行き来 ⇒多様な・柔軟な働き方を許容する	
〈地域内に転職〉 ・限定的な求人職種	・複数企業の潜在ニーズ顕在化と職能のマッチング・継業のマッチング
〈地域内に移転〉 ・事業成立の目途が立ちにくい	・企業レベルでの地域ニーズと事業のマッチング
〈地域内外で働く〉 ・働く場所の維持費・業務調整が発生	・固定費の軽減対策 ・兼業・副業の許容・推奨
(3) **楽しむところが見つからない？** 楽しむ＝遊ぶ×学ぶ×休む ⇒地方の日常的な楽しみ方を積極的に発信する	
〈遊ぶ〉 ・身近なショッピングやアミューズメントの選択肢が限られている	・身近な環境を活かした日常的なレジャー体験の提供 ・地域を広域で捉え、多様な遊び場の情報発信
〈学ぶ〉 ・子どもの学ぶ機会と場の確保 ・大人の学ぶ機会と場の確保	・自然環境から学ぶ機会の提供 ・企業や組織における研修費等支援による大人の学ぶ機会の提供
〈休む〉 ・一人になれる場所も必要	・サードプレイスとなりうる場所の整備・周知等

筆者の通勤途中の風景

お気に入りのカフェ

方で身近にある豊かな自然環境から子どもが学べることは多いが、筆者の住む福井県小浜市は前述のとおり、食のまちづくりを進める中でキッズキッチンなどの食育をまちとして取り組んでいるところにも魅力を感じている。大人の学ぶ機会や場としてはコロナ禍において、リアルな場で学ぶことや交流することの価値が高まっているとも感じるが、オンラインで学ぶことができる機会が増えているのは、地方に住む身としては望ましい環境整備が進んでいるのではないかと感じている。

さらに、移住者にとって、あえて一人になれる場所やリフレッシュやリラックスできる場所など休むところの存在は貴重だろう。住むところと働くところ以外のお気に入りのカフェや飲食店など、サードプレイスと呼べる場所の重要性は高い。それは必ずしも滞在する場所に限らず、移動中の景色などもサードプレイスになると考えている。筆者自身も移住してしばらく経ち、家と職場の間の景色が落ち着く心休まる風景として定着してきたところである。

4　地方移住したくなる居・職（食）・住

コロナ禍を経た今こそ、個人の地方移住や企業の地方移転は可能性に満ちていると感じる。筆者自身、個人的な感覚としては「移住」というよりも少し遠くに「引っ越し」をした感覚でいるため、資金的な支援はあるだけ助かるし嬉しいが、一時的な支援は移住を決断する必須条件ではないように感じる。縁があって東京から小浜に移住したが、想定できる都内での暮らしと地方での暮らしのイメージを比べて、都内の「利便」を超える地方の「豊かさ」に可能性を感じたことが大きい。地方部が都心部と比べて対等に比較対象となるには、引っ越すだけの理由（魅力）と検討・決断するための情報が必要になる。まずは、都市部と地方部で圧倒的に差がある情報量の差を少しでも埋めることが必要なのではないか。どのような町でも様々な魅力や文化があり、今よりも多くの人が快適に暮らせる、あるいは活躍できるポテンシャルは潜んでいるが、それが見えてこなければ検討の余地もない。ただし、情報量だけで都市部と勝負しても結果は見えているうえに、数ある地方の中からも勝ち抜いて選ばれなけ

移住検討フェーズごとの施策目標

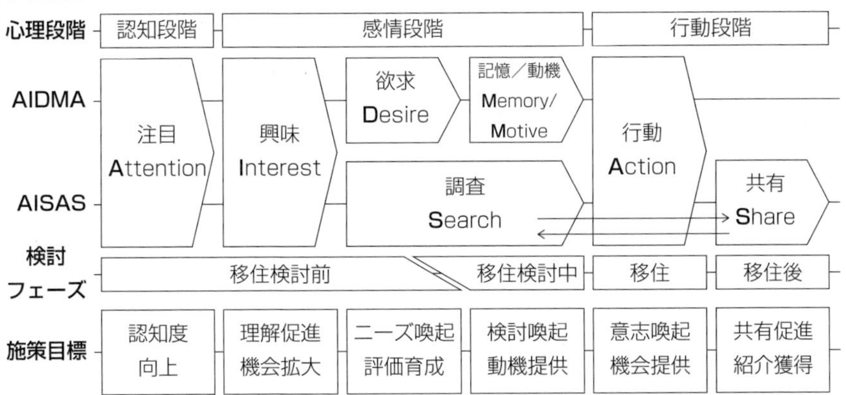

ればならないことを考えると、各地の売りを明確にしつつ、ターゲットを絞ったプロモーション戦略とその実行が必要になってくるだろう。

プロモーション戦略を検討する際には、例えば、購買決定プロセスのフレームワークであるAIDMAモデルやAISASモデルなどを参考に、移住検討フェーズに応じたコミュニケーション目標を見据えた施策に取り組んでいくと良いのではないか。また、移住後にも継続的に地域の魅力を発信・共有することを促す施策やインセンティブを設けることで、「人が人を呼ぶ」構造を強めていくことが望ましい。

そして、3で挙げた居場所、職場、住まいの確保や可視化が重要であり、それぞれ取り組みが必要になるが、さらに、受入れ先としてそれらを統合する施策として『食』の差別化を戦略的に進めていくことが重要になると考えている。筆者の住む小浜市も食のまちづくりに取り組んでいるが、各地で自治体主導の食に関するまちづくりが進められているだけでなく、地方創生の一環として民間主導での食の取り組みも各地で広がりを見せている。

『居場所』をいかに作っていくか、『食』がいかに魅力的であるか。胃袋つかんだ町が勝つ！と言っても過言ではないのではないか。

また、地域の子ども達が居住継続していくためには地道ではあるが地域教育を推進し、地域の魅力を地元の人が自覚する。そのための取り組みを支援し、

地方移住を促す施策相関図

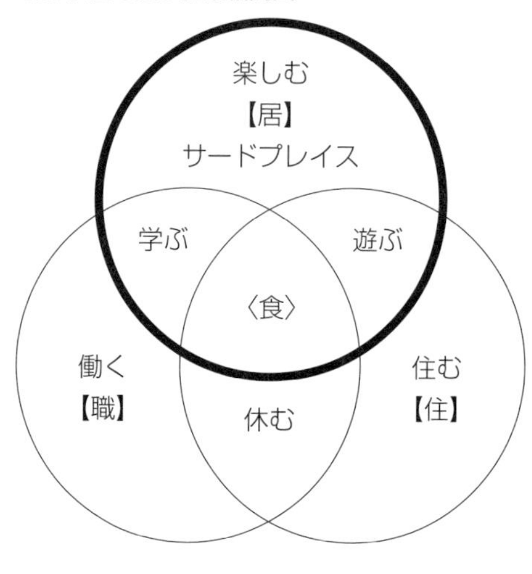

そこに住む大人が暮らしを愉しみ、子どもと共に過ごす時間を大切にできる環境や状況づくりが若年世帯等にとって魅力的な地方居住の礎となるのではないか。

暮らしと働くことがより密接に、まち中の産業が絡み合っていくことで、都会では築けない楽しい暮らしやキャリアの道が広がり、地方移住の先にある地方創生につながると信じ、小浜市の食のまちづくり条例で述べられている基本理念の一部を紹介したい。

『食の活用により、市内産業全体を発展させ、市民及び滞在者が楽しく食べ、語り合うことができる生活環境を整備する』（「小浜市食のまちづくり条例第3条（基本理念）三号」より）

同条例には他にも素晴らしい基本理念や基本計画、基本的施策が掲げられているが、一貫したテーマでまちづくりを続けていける強さを小浜は活かしていかなければならない。また、小浜に限らず全国各地の地方においても、それぞれのまちの強みや特性を活かしたまちづくりを進める中で必要な人材や事業を地域内で育みつつ、都市部での認知度向上から移住の機会提供、その先の魅力的な地方居住がイメージしやすい状況づくりを進めていくことで、面白い地方が今以上に見えてくることを楽しみにしている。

また、地域内の魅力を発掘、再価値化し、地域内外に発信する人材を各地で育成あるいは（個人あるいは団体や組織単位で）移住人材を積極的に誘致することで地方での暮らしを楽しむ人を増やし、地域内の魅力を自分たちで発信するチームが各地で生まれるとその流れも加速するのではないか。

都市部に比べて人が少ない地方だからこそ、一人一人の影響力も大きく、取り組みの波及効果も高い。地方にも魅力的な人が多くいることを都市部で暮らす人にも知ってもらい、人のつながりから各地の関係人口を増やしていくことで、移住の可能性が高まっていくと信じている。

これからも微力ながら筆者自身も地方での豊かな暮らしの実現に向けて、挑戦を続けていきたいと考えている。読者の皆さんにはぜひ一度、魅力的な地方の実情を知るために、まずは食のまちづくりを進める福井県小浜市にお越しいただきたい。

10. 新型コロナ感染社会と都市政策
――地方分散型の都市を実現するために

山口 幹幸・不動産鑑定士・一級建築士／元東京都都市整備局 部長

1　はじめに――コロナ感染社会が新たな時代の転換点となるか

コロナ感染が発覚してから約１年になる。コロナと共存する社会のなか、人の生活や活動は制約されたまま、もと通りの日常は未だほど遠い。社会では新たな生活様式や諸活動の変革など様々な変化が現われており、大都市から感染不安の少ない地方に職場を移転したり、移住する人の姿も見られる。

人々の目が過密化する大都市から地方に向けられるなか、2020年７月、政府は「まち・ひと・しごと創生基本方針」を決定した。目標年次を2020年とした第１期地方創生の改訂版である。

当時、安部首相は「集中から分散へと日本列島の姿を今回の感染症は根本的に変えていく。これをきっかけとして地方創生を大きなステージへと押し上げたい。」と意気込みを語った。第１期の地方創生では、出生率の上昇と東京一極集中の是正を柱に掲げたが、この達成も困難となり、一極集中の是正については、むしろ悪化する結果となった。こうした状況のもとでスタートした第２期の地方創生には、コロナ禍を一つの転換点とし地方創生を一気に推し進めることに期待がもたれる。

しかし、国の基本方針では、各省の予算獲得の思いが透けて見え、総花的で実現性も懐疑的になる。一極集中から地方分散型に転換するというが、大都市東京や地方都市を、どのような考え方でどう変えるのか基本的な都市政策の方向性が見えない。

改訂後の地方創生の方針は、単に、第１期の地方創生の延長ではないはず。少なくとも前回の反省をふまえ、コロナ禍のもとで芽生えた人々の生き方や価値観の変化を捉えたものでなければならない。それは、経済一辺倒でなく、経済・社会・環境が融合し、持続可能な都市を指向するSDGsの理念と整合するものであると認識する。

本稿は、このような視点に立って今後の都市政策のあるべき方向性を考えてみたい。

2 新型コロナウイルス感染と東京一極集中問題

(1) 新型コロナ終息後の都市社会をどう捉えるか

人類の歴史は、都市の人口集中と感染症克服の歩みともいわれる。かつての感染症がその都度人類を恐怖に陥れてきたが、それは都市との闘いの歴史でもあった。今後も新たな感染症に遭遇することは十分考えられ、大切なことは、コロナ禍で得た教訓をアフターコロナ社会に活かすことであろう。そこで、感染発覚後の間もない現在だが、幾つか気付いた点をとり上げてみたい。

1) IT化・デジタル社会の幕開け

コロナ感染拡大を回避するため、社会のあらゆる場で3密（密集・密閉・密接）状態とならないことが要請され、不要不急の外出自粛や人との接触が自制された。また、働き方や学び方などに新たな工夫や改革を求められてきた。こうした中で、様々な分野でIT機器利用が急速に広まったことが大きな変化といえよう。

IT化やデジタル化の進む世界的潮流から、近年、わが国でもその促進が叫ばれてきたが、現状では目に見えて社会に浸透していない。コロナ禍で多くの職場等がその現実に直面し、企業等の勤務形態をはじめ、学校の授業、医療機関の診療、高齢者福祉施設での利用者と家族の面談などで機器利用が進み始めた。奇しくも、コロナ禍を通じIT機器利用の利便性や有効性が実証されたともいえる。

しかし、働き方を例にとれば、満員電車や長距離通勤を回避しワークライフバランスを実現できるなどの利点ばかりではない。リモート勤務になじまない業種もあるほか、人同士のコミュニケーションがうまくとれないことやストレスが溜まるなど、リモート環境ならではの課題や制約もある。また、マイナンバー制度や接触アプリの利用が低迷しているように、プライバシー侵害やシステム障害等のトラブル、データ流失の危険性も払拭されてはいない。こうしたデジタル社会の利点や欠点、利用上の限界がみえてきたのも収穫といえよう。

本格的なIT化・デジタル社会の到来は、現状の生活や諸活動の利便性を高め、災害時の安全性向上に結び付くことが期待でき、これからの社会を大きく変革する可能性を秘めていると考えられる。

かといって、過度に依存し効率性や利便性などを追い求め、経済一辺倒の社会の流れをさらに加速する危険性もある。あくまで人間生活を支援するツールであることを忘れてはならない。その上で、IT・デジタル技術を、何のために、どのような場面で、どう活かすのかが今後の課題といえる。

2）コロナ禍の中でみられる一極集中の弊害

土地の高度利用によって過密化の進む大都市では、オープンスペースが不足しがちである。コロナ禍という非常事態を経験する中で、公園等の外部空間の重要性が改めて感じられた。例えば、感染拡大から医療崩壊危機に陥ったニューヨークでのこと。医療崩壊を防ぐため、急遽、臨時の野営病院をセントラルパークに設置した。翻って、わが国で、東京が同じような事態になったとき、都心近傍に急場を凌げるこうした大規模な公園がないことに気づく。

また、感染拡大時には身近な小さな公園等のオープンスペースも貴重なものと感じられた。3密を避けるといっても、密閉状態は人の行動変容では回避できない。この点で外部空間の利用は、感染リスクを軽減する効果的な方法といえる。例えば、今夏、コロナ禍で外出自粛の求められる中、子供たちが水遊びに興じる親水公園や、感染の恐怖から逃れて身近な公園で佇む人の姿、街なかの店頭に備えたちょっとしたスペースで客が憩う光景が印象的であった。大都市にはこうした公園等のオープンスペースの創出が重要である。準公共空間である公開空地や歩・車道を含め、非常時における外部空間の活用は今後の検討課題といえよう。

一方、地方都市では、人口比でカウントされる公共公益施設等の不足から、コロナ禍のもと、医療危機や災害危険性が高まったことである。

2020年8月、観光で多くの人が訪れる沖縄では他県から感染が持ち込まれ一気に医療体制がひっ迫した。人口減少により、昨今、保健所や病院医療施設の統合が進められてきた結果、感染者が急増した場合、医師や看護師、病床ベット数が確保できず、医療崩壊する危険性が生じているのである。

また、同年の「経験したことのない暴風」とされた台風10号では、九州で一時約20万人が避難所に身を寄せた。コロナ対策で定員を減らした避難所が満員となるケースが相次ぎ、避難所を変更したり、定員を超えて受け入れる事態が起きた。人口減少で一時避難所となる公共施設が減少し、親戚宅ほか、民間宿泊施設を利用するなど多様な方法で避難が求められた。しかし、そもそも地方では民間宿泊施設も少なく災害時に行き場を失う事態ともなる。

これは人口減少に起因するもので地方都市に共通する問題といえる。深刻な地方の人口減少に、東京一極集中が拍車をかけているのも確かであろう。

3）国内の往来からみる地方大都市の衰退

国内のコロナ感染者数は、東京で全国のおよそ30%、東京圏で約半数を占めている。人口等の集積する大都市の感染拡大は、国内経済の停滞や、これによる生活困窮者の支援に膨大な財政出動を要する。このため、国は、感染状況を見て経済活動の動きを徐々に広げ、早期に生活の安定をとり戻すことに腐心している。2020年7月から実施した政府の観光支援策「GO TOトラベル」は、この象徴的な現れといえる。

今日までコロナ感染の波が、4月、7月、11月と約3か月の周期で起きている。GO TO施策の開始早々、感染が急速に拡大している東京発着は対象外とされた。また、前2波よりも大きい第3波に襲われた11月には、医療提供体制がひっ迫するなど感染状況が深刻となり、政府の諮問委員会からは、札幌市、東京23区、名古屋市、大阪市を事業対象から除外すべきとの提言があった。しかし、国が事業を停止したのは札幌市と大阪市だけ。東京は高齢者と基礎疾患者に自粛要請するという妙な形で決着した。これは東京都民の足が止まると施策効果が半減するとされた7月の反省をふまえた苦渋の決断と思われる。動き始めた経済を再び減速させることへの懸念があったのはいうまでもない。様々な点で混乱を極めた施策であるが、このことを通じて様々なことが見えてきたようにも思える。その一つは、本稿での地方創生との関係である。もちろん、コロナ禍で生活に困窮する人などに本事業に参加するゆとりもなく、国民すべての行動を反映するものではないが、ひとつの傾向として捉えることはできよう。

そこで、GO TO トラベル事業の対象から除くことは何を意味するかという点。単的にいえば、その地域での感染リスクが高いため、人が往来することが好ましくないことであろう。しかし、逆に考えれば、対象外となった地域は、人の往来がそれだけ多いことである。他の地域から訪れるということは、都市の魅力や成熟度の高いことの現れとみることもできよう。

東京一極集中の是正が叫ばれるなか、東京の人口流入を抑えるためにも、地方の大都市の活性化が求められている。つまり、事業対象地域こそ、地方創生の観点からは、力を注ぐべきことを示唆していると考えられる。

そこで、総務省が令和2年1月1日公表した令和元年の「住民基本台帳人口移動報告」から、わが国の21の大都市（東京特別区および政令指定都市）別の人口の現状を見てみる。この中で、GO TO トラベル事業の対象外となった地域は、いずれも人口が増加している。これ以外の約2/3を占める地方の大都市は転出超過であることがわかる。都道府県別では、東京圏以外は軒並み人口が減少し続けており、その転出先は東京に向かっている。地方の大都市から東京への大都市間の移動が起きている。この現状からも、地方の大都市の多くが衰退傾向にあることが推察できる。

⑵　東京内外に影を落とす東京一極集中問題

東京一極集中は、都内外にわたり、様々な問題の引き金となっている。

1）都内での過密化による諸問題

東京一極集中は都内での過密化をもたらす。日々暮らす人々には心理的なゆとりや潤いを欠いた生活環境となり、高齢者や障害をもつ人にとっては安全や安心面で大きな負荷を与えている。また、一般の若い世帯には、過密化による劣悪な住宅事情や待機児童問題から子育て環境を阻害し、高家賃など重い家計負担と相まって、全国で最も低い出生率を招く大きな要因となっている。

つまりは、東京への若年女性の流入が、わが国の人口減少に拍車をかけているともいえる。天野（2018）は、「東京都における過密化解消は、東京都の出生率上昇と有意な重要ファクターであることが示されている。」とする。わが国の人口増を図るためには、東京の過密化を抑え、現状の低い出生率を向上することである。それが困難ならば、子育て環境の整った地方に若年層や若年世帯の移転を促進することが有効な方策といえよう。

一方、東京では大規模地震の発生が切迫しているほか、異常気象によるゲリラ豪雨や中小河川の氾濫も危惧される。コロナ感染拡大のさなかに災害が生じれば事態はさらに悪化する。過密化による様々な弊害は、災害時に顕著なかたちで現れ、レジリエンスの低い東京の姿を露呈することになろう。

現在、東京直下型地震の発生が緊迫化しているが、この際に大きな被害が予測されるのは木密地域での大規模な延焼火災である。

木密地域とは、狭い道路と老朽木造住宅が軒を連ね密集する地域のことで、山手線外周部等に広く存在し「木密ベルト地帯」を形成する。23区のおよそ40%を占め、大規模地震時の建物の延焼火災や住民の避難上の危険性が危惧されている。実は、これも戦後から高度経済成長期の東京一極集中で形成された都市の名残である。

この地域の解消は、行政にとって積年の課題でもあり、長きにわたり国や自治体による整備が行われている。事業が困難であることも確かだが、都心に近く利便性の高い地域にありながら適切な土地利用による抜本的整備が行われず、ひたすら建物の不燃化や避難路拡幅といった減災目的の改善に留まっている。

木密地域が都心部に近接していることから、災害時には木密地域の延焼火災が都心部に影響を及ぼすこともあれば、都心に溢れる帰宅困難者等が避難場所に殺到する事態も考えられ、相互に影響しあう関係にある。

震災時の被害想定では、避難者が約339万人、帰宅困難者が約517万人と推定され、現状でも不足する避難場所や帰宅困難者の受入れ施設での混乱が危惧される。災害という事態を考えると、まずは人命等の危険性を増幅させる要因となる過密化の進行を防ぐことである。そして、感染拡大時を含め、あらゆるリスクに備え臨機応変に対応するためには、都心部近傍に、避難者や帰宅困難者の収容、その他多目的に利用可能な大規模なオープンスペースを確保することが重要といえよう。

2）衰退・消滅の危機にある地方

東京一極集中が地方創生の足かせとなっていることを最近の人口移動の実態から確認したい。先ほどの総務省の令和元年の「住民基本台帳人口移動報告」によると、全国の市町村1,719のうち、転入超過が450、その他1,269市町村は転出超過となっている。

つまり、全国市町村の約3/4で人口流失が進んでいる。一方、三大都市圏では、名古屋圏・大阪圏とも7年連続の転出超過であるが、東京圏は24年連続で転入超過となっている。

これを地方都市との転出入（社会人口）でみると、東京圏で約15万人、うち東京都では約8万人の転入超過となっている。年齢区分別では、特に15歳〜29歳の3区分で転入超過、20歳〜24歳の区分が最も多い。

また、転入女性の割合では、東京圏の転入超過者約15万人のうち女性が約8万人と男性を上回っている。東京も同様に約7万人のうち女性が約4万人となっている。転入超過者の半数が、30歳未満の若い世代である。女性の転入超過は経年で続いており、東京からの女性の転出者数が少ないことから、東京に転入後は地方に戻らない傾向もうかがえる。

このことから、人口の東京一極集中と、地方都市からの人口流失が続いていること。また、地方の人口減少に歯止めを掛けるには若い女性の流失を防ぐことが重要とされるが、現状では逆行する流れになっていることがわかる。

地方創生の発端は、2014年、日本創生会議から「消滅可能性都市」という衝撃的なわが国の将来像を提起したことによる。2050年には現在の居住地域の概ね6割以上で人口が半分以下となり2割が無居住化するとした。これは地域からの若い女性の流失が大きな要因としている。

このことを現状の人口動態と照らし合わせてみると、地方衰退化が現実味を帯びてくる。そして今後、この動きが加速する兆しも見える。2020年8月に発表された1月1日時点の人口が、前年から50万人以上減り、減少幅は1968年の調査開始以来、過去最大になったという。また、2019年に総務省が行った自治体の調査では、「『いずれ』あるいは『10年以内』に無居住化の恐れがある」と答えた集落は、全国で3,197に上っているのである。人口減少による地方消滅の危機が間近に迫っている様子がうかがえる。

3）国土の有効利用、わが国の安全保障上からの問題

国は、今後の人口減少社会に対応した都市政策として、地方都市の縮退化（コンパクト化）を進めている。これは、簡単にいえば、将来の居住地や都市機能施設を市街地中心部に集約しようとするものである。

この結果、居住地等に適さないとされた区域にある既存集落等は、時間経過とともに次第に消滅していく。誰も住まなくなった集落等はなかば放置され、およそ、東日本大震災時に立ち入り禁止となった帰還困難区域等のような光景が想像される。人が住まなくなった宅地は荒廃化して原野となり、やがて野生動物たちの住みかに変貌する。先述の3,000を超える消滅危機にある集落も、こうした道を歩むのかもしれない。

しかし、過密化が進行する大都市と、本来、人が住める土地を意図的に縮小する地方都市の姿は余りにも対照的である。可住地の狭小なわが国において、こうした非効率でアンバランスな国土利用のあり方に疑問を感じる。縮退化を図ることより、大都市と地方の間に生じている不均衡を是正することが重要であり、力を注ぐべき課題ではないだろうか。

一方、人の住まなくなった荒廃化した宅地跡でも、所有権が残存していれば不動産売買の対象になる。登記が義務化されていない現在、全国に多くの所有者不明土地が存在する実態が明らかになっている。現状所有者が不明というブラックボックスを突いて、全国の水源地や森林、自衛隊基地や空港近くの土地が外国資本に次々と買い漁られ、国防上の安全性も指摘されている。これは人口減少社会による過疎化が主な原因だといわれる。

都市の縮退化で生じた宅地跡も公有化されなければ、意図的に外国資本によって買われ、いつの日か外国人が集団で住むようなこともありえよう。

地域を消滅させることはたやすいことかもしれない。かといって、公有化には膨大なコストを要し、地域やその伝統文化の維持管理も難しい。とするなら、住民が継続居住することにより、余計なコストをかけず、地域に根付く文化等が存続できる。経済効率性に着目した縮退化の影響は、住民のみならず多

方面に及ぶ可能性がある。コロナ禍のもと、地方移転の機運の高まりを考えれば、国民の意識や価値観とも大きなズレを生じているのではないだろうか。

(3) 東京一極集中を是正できないのは

東京への人口移動がなぜ続くのか。若い女性が流失する主たる原因は何か。また、第1期の地方創生で一極集中をなぜ是正できなかったのか考えてみたい。

1）働く場・学ぶ場に恵まれた東京

東京に人が集まる大きな要因は、多くの識者が指摘しているように「働く場」や「学ぶ場」が東京圏、とりわけ東京に集積しているからと思われるが、その実態を確認してみたい。

一つは「働く場」としての東京の就業環境である。東京都の「東京の産業と雇用就業 2019」によれば、全国の約半数の大企業（資本金10億円以上）のほか、約3/4以上の外資系企業が集まっている。

また、都内事業所の約8割を占めるサービス業は、全国の約1/3が東京に立地する。サービス業では、「学術研究、専門・技術サービス業」や「情報通信業」の就業者数が年々増加傾向にある。なかでも「情報通信業」は、全国の約4割近くの事業所、半数以上の就業者が集積しており、全国生産額の約4割を占めている。これらが都心5区（千代田・中央・港・渋谷・新宿）に集中して立地する。このように、大企業等のほか、近年、若者にとって魅力的なサービス業やIT（情報通信技術）系などの企業が、東京を中心とする東京圏に集中しているのである。

もう一つは、「学ぶ場」としての東京の立地環境である。一般に、大学進学を機に地方を出る人が多く、大学が東京に集中しているためである。これに加え、卒業後も東京の企業に就職する傾向が強いことにある。

文部科学省の「学校基礎調査（2019）」によれば、全国の国公私立大学786のうち、約30%近い225校が東京圏に、うち6割以上の140校が東京に立地している。入学者数でみると、東京圏に全国の40%以上、私立大学に限れば約半数近くに上る。

また、内閣府の資料によると、東京圏の大学生の約9割が、卒業後も同じ東京圏に本社を置く企業に就職している。地方圏（東京圏以外）の大学に在籍した学生の約半数は圏域内に残るが、約2～3割は東京圏に就職先を求めている。

つまり、東京圏は、地方圏に比べて大学の収容力が高いうえ、学生の求める魅力ある就職先が多いため、学生や卒業後の新社会人が集まってくる。地方圏は反対の現象が生じているのである。

2）地方から若い女性が流失する主たる原因とは

先ほどの国の資料によれば、地方から女性の流失が続くのは、女性の高学歴化や社会進出が進むなか、ホワイトカラーの正社員の職場が地方で見つけ難いのが大きな理由と考えられている。

現在、女性の進学状況をみると、男性との差もなくなり、短大志望から4年生大学、大学院進学率が高まっている。高学歴の女性就職者が増加するなかで大手企業志向が高くなっていることや、非正規職員の割合が大都市圏より地方圏の方が一般的に高いことから、東京および東京圏に就職先を求める傾向にある。

この就職先としては、男性に比べて第3次産業に就く割合が高く、職種で目立つのは、情報通信業をはじめ、金融・保険業、不動産業、学術研究・専門技術サービス業など専門性の高い事務職となっている。

3）地方創生の推進策と進め方

国は、第1期の地方創生では4つの視点からなる政策パッケージを掲げ、進めてきた。その成果を131件のKPI（重要業績評価指標）により政策の深化を検証している。その結果、全体の約9割で目標達成できなかったが、それぞれに進捗がみられると評価している。確かに、インバウンドの活況では訪日外国人旅行者が3,188万人に伸びるなどの進捗はみられるが、企業の本社や省庁の出先機関の地方移転、地方拠点強化の動きにはあまり進展が感じられない。そこで、この取り組みについて、幾つかの課題を挙げてみたい。

一つは、政策推進と評価の主体が、ともに国であること（正確には、評価は国が事務局となる検証委員会）。

地方創生は地方自治体の死活問題ともいえる重要な課題である。自治体が、その地域における国の政策の浸透度や効果をどう捉えているか、またどのような政策を望むのかという点を主体的に考える必要があろう。その際には議会や住民の声を反映することも大切である。中央官庁主導では地方自治の姿がみえないばかりか、的確な地方創生も期待できないといえよう。

二つは、各省庁の推進策が、そのままKPI評価項目になっていること。各省庁の進めている施策を、地方創生の名を借りて政策パッケージに入れたもののように思える。事務レベルでの政策・施策をそう簡単には変更し難いという硬直化した行政体質によるものと考える。しかしこれでは、従来の考えと違う方向に大きく政策を転換できない。政治主導でなければ政策実現は困難といえるが、現状では政治のリーダーシップやコントロールが機能しているようには思えない。

最後に、政策パッケージの中身の問題として、地方のみに焦点を据えた政策になっている点である。地方創生と一極集中の是正はセットで考えるべき課題である。東京圏、特に東京に的を射た対策が問題解決の肝であり、主要な政策として盛り込まれることが不可欠と考える。

3　地方分散型の都市を目指して

(1)　過密化を促す都市開発の抑制

京都大学の広井良典教授は、AIを活用した2050年の未来予測から、都市の持続可能性という観点でみたとき、経済一辺倒の「都市集中型社会」より、福祉や環境に配慮し経済とうまく融合した「地方分散型社会」が、格差や健康、幸福の点で優れており望ましい。今回のコロナが突き付けた変革の方向性とAIが示す未来がよく似ており、地方分散型への転換はコロナ後の世界の姿を表わしているのではないかとする。

国の改訂した地方創生の方向性も、広井氏のいう東京一極集中型から地方分散型の都市を目指すものといえる。一極集中の是正と地方創生の実現は、地方に焦点を据えたものだが、地方単独の問題と片付けられるものではない。その解決には、大都市東京と地方都市の双方からアプローチすることが必要である。この場合、欠落しがちな東京圏、特に東京への過度な人口や都市機能の集中を抑制することが重要となる。

山口（2020）は、東京のコロナ禍直前の過密度の状況を、常住人口による「人の居住密度」と使用容積率による「建物の空間利用密度」により分析している。これによると居住密度は30数年前に比べ、センターコアエリア[1)]で概ね4割増、都心部では約2倍に膨れ上がっている。

一方、空間利用密度は、同じ調査年で、区平均で49%増、センターコアエリアで89%増、都心部では153%増となっている。このことから、東京の都心から周辺部にかけて過密化が大きく進行している実態を指摘する。また、建物の用途別延床面積の推移では、都心を中心とする住宅供給がこの20年間で約40%増となっていること。事務所も増加し都心に供給が偏在していることを明らかにしている。

東京に人口が集中する主たる原因は、東京が学ぶ場や働く場に恵まれていることにある。魅力的な大学等のほか、大企業本社や情報通信などサービス業の多くが集積している。企業は、様々な都市機能が集積する東京に競って立地を求める。

都心部では、特に建物床需要の潜在的なポテンシャルが高い。これを反映し土地価格も高騰するため、土地に大きな付加価値を求めて容積率を最大限利用した大規模な建築が目指される。この需要と供給の噛み合った状況により過密化が進んでいくのである。

そして、東京における産業の実態や新規就活者の動向等を勘案すると、都心部における過大な住宅・事務所の供給が、サービス業等の集積を促し、これらの職を求める若者の受け皿となっている可能性が高い。つまり、企業立地による建物床面積の増大が、若年層等の流入を促す大きな要因になっていると考えられる。

このため、一極集中を是正し地方創生を実現するには、都心部における建築物の規制緩和や容積割増という特段のインセンティブを付与した土地の高度利用を改め、大規模開発を抑制する方向に転換する必要がある。

今日、コロナ禍の影響もあり、大企業等の地方移転も少しずつ進展している。また、リモートワークを主体とする勤務に転換した企業も多く、都心のオフィスを引き払ったり、オフィス面積を縮小する企業の動きもみられる。緊急事態宣言以降、都心部でのオフィス空室率の上昇が続いており、オフィス市場は大きな曲がり角を迎えているといわれる。このため、従来の感覚で緩和策を続けると過剰な床供給となり、空室率上昇をさらに助長することにもなる。一定水準を超える空室率は、ビルの賃貸収入を減少させ経済低迷の要因ともなりうる。

しかし、その一方、仕事場を分散して働く利用形態として、空室等を利用したシェアオフィスやサテライトオフィスなどの需要が生まれており、今後この動きが強まることも予想される。

こうした市場の動向は、煎じ詰めればコロナ禍の中でも東京への転入圧力が依然として衰えていないことの現れといえ、一極集中の流れは燻ぶり続けているものと考えられる。開発を抑制する方向に手を打たないと、コロナ終焉とともに集中の勢いが一気に再燃することになろう。そこで、一極集中を加速化し過密化を招いている政策的な背景を考えてみる。

これは法制度運用から約20年経過する国の都市再生にもとづく緊急整備地域指定によるプロジェクトの推進や、30年にわたり継続実施される都心居住政策に依るところが大きいと考える。

前者は、国際競争力が低下しているわが国の現状を打破し経済の活性化を図ろうとするもの。既定の都市計画の枠をとり払い自由な建築を可能とする点で、ひとつの規制緩和策である。また、後者は、バブル期の地価高騰で急速に進んだ都心部の人口流失を回復するため、センターコアエリア内の居住機能の強化を目的としたもの。都市計画法や建築基準法に基づく開発諸制度の容積割増による緩和措置や補助金で誘導を図るものである。

これら制度の活用により、住宅の都心回帰についてみれば2000年を境にセンターコアエリアの人口は増加に転じており、すでに課題は解消している。しかし、その後も、政策が転換されないまま、引き続き制度が適用されている。また、都市再生による緊急整備地域の指定は全国55地域のうちの約1/3が東京に集中し、都市再生特別地区内のプロジェクトのうち約半分が東京で実施されている。ひとたび緊急整備地域が指定されると、そのエリア内の開発が連鎖しエンドレスに実施される。このような状況が続く限り、地方の大都市や中核都市での開発は低迷しがちとなり、地方創生を阻害することにもなろう。

こうした一方で、東京一極集中は、都心およびその周辺部の局所的な開発の結果、都内の一部に偏在したアンバランスな土地利用の傾向を強めている。このことが過密化による都内の災害危険性を高めている。過密化の進行により災害リスクの高まる東京では、都心近傍に様々な事態にも柔軟に対応できる大規模なオープンスペースが求められる。その場合、木密地域は改善の必要性や地理的位置からも最適な条件を備えている。木密地域の現状密度を変えずに土地利用の改編を図り、良好な住宅・住環境と十分なオープンスペースを同時に産み出せる可能性を秘めている。過密な都心部で望めない大規模なオープンスペースが木密地域整備とリンクすることで、この実現が期待できる。

このように、東京一極集中にともなう都心部の過密化と木密地域とは密接な関連性をもっているのである。都心部の過密解消や木密地域の今後のあり様を考えることで、感染拡大時や災害時の安全性を飛躍的に高めることができよう。東京の都市政策には、こうした観点からの見直しが急務と考える。

⑵ 東京に集中する都市機能の地方都市への分散

東京は、わが国の政治経済文化の中心であり、首都であるほか、国際都市、金融都市などの条件を備えている。都市機能の成熟度が高まるにしたがい、相対的に地方都市との格差が拡大していく。一極集中を是正し地方分散型の都市に転換するには、もはや小手先の取り組みでは済まない。東京のみならず地方都市の大胆な都市政策が必要と考える。

東京の開発の動きに歯止めをかけることも必要だが、同時に大切なことは地方の大都市を人や企業の集まる魅力あるものに変えていくことである。そのためには、社会変化に適応した必要な基本的機能を具備し、東京にある中枢機能の一部移転や地域固有の魅力付けを図り、大都市としての自立性を高めることであろう。

1）地方の大都市が備えるべき基本的機能

地方の大都市が発展していくには、今後の社会変化を踏まえ、必要な基本的機能を備えることである。今日のグローバル経済社会やデジタル社会の進展を考えれば、国際的な都市であることや高度な情報通信技術が備わった都市であることは、大都市に共通する要件として欠かせないものとなろう。

国際的な都市とは、多くの外国人がビジネスや観光宿泊等の目的で訪れ、国際会議やスポーツ、イベント等の開催など、様々な場面を通じ諸外国との交流が活発に行われる都市である。現状では、程度の違いはあるものの、大都市の多くがこうした機能を備えているとは思うが、すべての大都市において不足する機能を補い、また充実させる必要もあろう。必要な施設整備のほか鉄道や空港等の交通アクセスの基盤強化を図り、海外との利便性を高めることが重要といえる。

特に、今後、重要な役割を担うものに「IR」がある。しかし、国民の間ではIRが、ラスベガスやマカオでのカジノと同義語に認識され、ギャンブル性の高い施設の誘致に根強い抵抗感がもたれている。2018年にはIR実施法も成立したが、コロナの関係や国会議員の不祥事も重なり、その動きがとん挫している。IRとは、「特定複合観光施設」とされ、国際的な会議やセミナー、招待旅行、展示会，伝統・文化・芸術を活かした公演などのMICE、観光の促進に資する施設、宿泊施設などを含む「滞在型観光施設」を意味し、地域振興を図ることを目的としたものである。しかし、カジノ事業からの収益を活用してこれらの施設整備や運営を行おうとする点で、カジノ事業が目的的となりIRを推進する本来の趣旨が十分伝わっていない感がある。今後、国は複数の候補地を選定し事業化を進めていくと思うが、東京一極集中をさらに加速させることなく、地方創生の足掛かりとなるようバランスよく国内配置することが望まれる。同時に、国民の誤解を払拭できるよう説明する必要があろう。

IRが大きな推進役になると期待される反面、海外ではIR事業が経営破綻して閉鎖する例も多く、事業運営上の難しさも指摘される。また、地方のリゾート地に建設されたホテルやマンションが不良債権化するきっかけともなった、かってのリゾート法と同じ事態をもたらさないかも危惧されている。導入に際して慎重かつ綿密な計画が必要であろう。

一方、今後の社会では最先端の技術を使って便利な暮らしを実現するスマートシティであることも求められる。大都市で実装化を図り、すべての都市に普及拡大することが望まれる。欧州では様々な分野で都市のスマート化が進んでいる。スペインのバルセロナではごみ収集車の効率的な回収のため容器一杯になると自動で通知されるといったシステムや、フィンランドのヘルシンキでは交通手段を最適な形で組み合わせるMaaSの導入など。また、デジタル化の進む中国では杭州での信号制御による交通量を調整して渋滞を抑制する動きもみられる。これらは、IoTやAIの技術を使い、その結果を都市基盤の制御や公共サービスに反映するものである。わが国でも、都内はじめ多くの都市で先行モデル事業が実施され始めている。今後、これらが単にモデル事業で終わることなく、海外事例も参考にして国内都市に広めていく必要がある。その際、継続的に有効活用でき、それらのシステムを統合して都市に導入を図ることが求められる。こうした技術は、身近な生活環境から都市のインフラまで、利便性の高い都市づくりに幅広く活用できるものと期待できよう。

2）東京にある中枢機能の地方移転

政治経済の中枢機能をもつ東京から、その一部を地方に移転・分散すること。つまり、政治の中心である国会、行政や司法の組織である各省庁や関係機関、外国公館などを移転すること。また、地方の大都市に金融機能を移転したり、地方の大都市を新たに金融都市に形成することが考えられる。

国会等の移転については、これまでも一極集中問題が議論される度に再三話題にとり上げられてきたが、東京のおかれた国内の地理的条件や交通インフラの整備状況、移転コスト等を考えると、現時点での移転は考え難い。しかし、首都直下型地震など大規模災害時には、現在都内の他の場所で考えている政府の災害対策の拠点や各省庁の代替え拠点が被災する可能性も指摘されており、被災の恐れの少ない地方に移転する必要性は高い。また、企業本社等を地方に移転し災害時の被害を最小限に抑えるというBCP[2]（事業継続計画）の観点から会社機能の分散化が進められているが、首都機能についても同様に検討すべき課題であろう。一方、行政機関は国会と密接に関連するため、中央省庁は国会近くにあるのが最も効果的だとは思うが、一極集中の是正という観点から、例えば、国会開催時に議員との調整や国会出席などに必要な中枢部門の一部職員を除き、中央省庁を丸ごと地方に移転することや、日常でもサテライトオフィス等で職員が勤務できる形態も検討すべきである。行政が率先した動きを示すことで民間の動きを刺激し、地方創生を促すきっかけにもなろう。

次に、東京一極集中をもたらす原因の一つに国際金融都市であることが挙げられる。英シンクタンクZ/Yenグループの国際金融センター指数で、東京は2020年9月には、ニューヨーク、ロンドンに次ぐ3位に浮上した。香港での国家安全維持法が施行され、金融関係の人材や企業が流失しており、これらの受入れに関連し、東京がかねてから目指すアジアの金融センターの地位を確立できるかに注目が集まっている。東京には証券取引所のほか、多くの銀行や証券、保険、投資会社が集積しており、国内外の個人や法人の金融取引が行われている。この機会に、国内では東京に加え福岡市も外資系金融機関の誘致に力を入れていることが報じられている。

東京一極集中を是正するためには、東京の金融センター機能を地方に移転することが望ましいとは思うが、現実には難しい側面もある。というのも、金融関係の会社は、大企業本社など多くの企業が集積し金融取引が活発なことが立地上の前提だからである。しかし今後、地方創生の展開次第で、地方の大都市でも金融センターを構築できる可能性もあろう。

特に、日本の金融センターには、シンガポールなどに比べ幾つかの点で優位性が劣るといわれる。例えば、海外の資産運用会社など外資系の金融機関にかかる税金や手数料が高いなどのほか、関係職員と家族の住宅・医療・教育など生活環境への不安も指摘される。現在、国でも税の軽減などの法的検討が行われているが、外国人向けのオフィスのほか、ホテルや住宅、生活支援施設など、生活環境を一体的に整備するのは地方都市でも対応できる。コロナ禍で進める大企業等の地方移転とリンクした積極的な推進を図り、選好される条件を整えることであろう。

(3)　地方の大都市の自立性を高める

今後の社会を見据え、地方の大都市機能を充実し地方の自立性を高めることが重要である。大都市は、その圏域を代表する中心核であり、人・モノ・情報をつなぐ結節点であることが求められる。そこに住む人、そこで働く人に生活の満足度を与え、そこを訪れる人に対し魅力を発信できるような存在でありたい。経済活動が活発で賑わいと活気がみなぎり、経済・環境・福祉がうまく融合循環していること。そこには、地域で生産した各種の特産物や製品、サービス、エネルギーなどが域内で消費される地産地消の循環システムがある。また、国内のほか海外との交流や情報サービスの拠点となり、歴史的な風格と地域固有の魅力を備えた大都市であることが重要となろう。

1）ブランド化した都市に

わが国は、それぞれの地域で気候・風土の違いから生活環境も異なる、自然や歴史、培ってきた様々な伝統文化が宿っており、世界遺産にも登録される自然や文化遺産などの数々が各地域に存在する。農作物や山海の産物、加工品などの地域の特産物も種類が豊富で、独自の食文化が受け継がれている。また、大企業の各種の生産工場や、地域に根付く地場産業も多く、先端技術を支える部品を扱う中小企業も存在している。そして、各地には温泉地も多く、神社・仏閣・伝統ある祭りの数々。これら多くの要素が地方都市の魅力を支えているのである。

これを地域ブランドとして国内外の人に広く伝えることが重要となる。今や世界のグローバル化の動きは止まらない。コロナ感染の終焉とともに訪日外国人客数も次第に増加することだろう。これによるインバウンド効果は、地方都市にとって大きいことはコロナ禍のなかで痛感したことでもある。多くの訪日外国人が日本の食文化などに触れ魅力を知るほど、わが国から諸外国に向けたアウトバウンド効果も期待できる。

今後、国内でも「ふるさと納税」や「企業版のふるさと納税」で結びつきのある人や企業、海外との姉妹都市提携やスポーツのホストタウンとして交流のある諸外国の人々との縁を大切にし、いわゆる関係人口を拡大し、地域を支援する人の水平展開を図ることも重要となろう。

こうして、大都市それぞれが個性に磨きをかけてブランドとしての地位を確立することが、地方都市の魅力付けに大きく貢献するものと考える。

2）企業本社の地方移転を促す

地方都市の経済を活性化するために重要なことは、働く場・雇用の場を確保することである。東京に集中している企業の本社機能の地方移転を促したり、後述の企業製造工場の国内回帰の動きを捉えて地元への誘致を図ることが、地方創生のきっかけになるものと考える。

大企業のように、事業規模が大きいほど働く従業員とその家族、子会社や関連企業の動きも加わり、地元自治体の税収の増大に寄与し、飲食・住宅・教育その他各種の消費を促し、地域経済の活性化に寄与する。また、現地採用の雇用者も考えられ、大学等の卒業後に地元に就職できる機会も得られよう。このように、地方に与えるインパクトには大きなものがある。

しかし、東京にある企業本社の移転を促しても、実際、思ったほど進んでいない。大企業を含めてこの10年間に東京から他の道府県に本社や本社機能を移転した例は約7,600社に上るが、逆に東京に転入した企業も約5,700社あるという。また、東京から転出した企業の約7割が、神奈川・埼玉・千葉の3県に向かっているとされる。2015年に国が地域再生法を改正し東京23区から地方へ本社機能を移転する企業の法人税優遇措置を講じ、地方も独自に法人事業税などの地方税優遇措置を上乗せして地元への誘致を図ってきた。しかし、この制度を利用したのはわずか74件に留まり、二の足を踏む企業が大半を占めているとされる。これは、大都市立地のメリットの方が大きく、税制の対応だけでは十分なインセンティブになっていないことによる。

こうした中でも、コロナ感染拡大を機に、東京の本社機能を地方都市に移したケースも見られる。働き方やオフィスの見直しも広がっており、テレワークを活用しながら多くの従業員を段階的に移動するという。しかし、今後、こうした動きの広がりは未知数である。地方移転に踏み切りづらい理由も多々あるからである。例えば、大企業では働く従業員数が多く、都心に居住する者も多いという。移転先での勤務を無理に進めれば離職増加も考えられ大胆な拠点変更がとりづらいことなど。

期待するほどの企業移転が進まない中にあって、今日、東京のオフィスの空室率上昇が、これまで高騰してきた賃料の引下げにつながり、皮肉にもオフィス確保のまたとないチャンスと捉えられ、一極集中が益々加速するのではないかとの見方もある。

これらのことを考えると、まず、転出を促す一方で、転入圧力を弱める方策が必要といえる。つまり、企業本社や一定規模以上の企業の東京への転入を抑制すること。同時に、東京からの転出先を東京圏以外とすることである。具体的には、現行の税の緩和措置に加え、平成14年に廃止された工業等制限法[3)]の復活、またはこれに類似する新たな法を制定することによって実効性を確保することである。こうした措置は自由経済を損なうと忌避されがちだが、規制緩和一辺倒の政策では現状を打破できないことは明白である。地方創生の推移を見極めながら、一定の期間、厳しい措置を講じることは止むを得ないものと考える。

その上で、企業の本社移転は、国等が災害時のBCP対応の必要性や、地方移転でしか得られないメリットに着目するよう企業に意識啓発を図ることであろう。企業側は、従業員の転勤の可能性等も配慮し、本社機能の一部移転や段階的な移転、二本社制とする例などを参考に、多様な移転方法を考えることも必要となる。さらに、移転を受け入れる自治体は企業と話し合い、円滑な移転に結びつくよう積極的に必要な連携や支援策を講じることである。

3）企業製造工場の国内回帰を地方創生に活かす

大手企業を中心に製造拠点を国内に回帰させる活発な動きがみられる。これに、政府が、コロナ渦で生じたマスクなど生活用品等のサプライチェーンを強化するため、国内に工場を戻す企業を支援するとしたのをきっかけに、その動きが加速化している。

これまで、わが国の多くの企業は賃金水準の低さや為替レートの影響を抑制するため、海外に生産拠点を移し、そこで生産したものを世界市場で販売し収益を確保してきた。これにより、アジア新興国では、景気が上向き賃金も上昇し、高級品の日本製品を求める消費者も増えているという。企業は、新興国での労働力の需給関係がひっ迫し賃金の上昇圧力が高まっている現状から、今後、現地で生産する経済合理性が失われたとする。また、これまでの企業貢献を通じて新興国が消費市場に変わってきたことなど、日本国内で生産する優位性を再評価した結果である。国内に移転後は、蓄積してきた技術を発揮しつつ、最先端のテクノロジーやデザインを実装した新しい製品を生み出し、新しい市場を手に入れて世界に向けて情報発信していくことが企業にとって重要とされている。こうした動きは一過性の変化ではなく、わが国企業の海外戦略が重大な局面を迎えたものとみられている。

企業の製造拠点の転出入は地域経済や雇用に大きな影響を与える。撤退となれば地域は大きなダメージを被るが、転入であれば地方創生にとって好機となる。地方都市が、この機会に企業の生産拠点を誘致できれば地域の活性化につながる。さらに、知名度の高い企業や、誘致した企業に新たなヒット製品が生まれることで、地方のブランド価値を高める効果も期待できる。このため、自治体は企業誘致の呼び水となるよう、企業の動きに連携して周辺環境やインフラ整備などのまちづくりに取り組み、地域産業として定着できるよう努めることが重要となる。わが国の失業率は、2020年8月には3%に達しコロナの影響を受け上昇傾向にある。今後さらに悪化することも予想され、企業立地が増大する失業者の就職に、また、企業での新たな商品開発やIT技術活用が、こうした職場を希望する学生などの求職先に結びつくことが望ましい。

4）地方に魅力ある大学を

東京圏の大学に進学する者のうち、東京圏外からの進学者は減少傾向にあるものの依然として約3割を占め、地方大学に進学・卒業した者の約半数が地域外に就職する傾向にある。進学・就職それぞれのタイミングで、地方定着を促すことが必要となっている。

しかし、東京圏を志すのは立地上の優位性ばかりではなく、人それぞれの動機もある。地元を離れて進学する際、地元の国立大学と東京の私立大学のいずれを選択するか、しばしば共通した悩みになるという。大学在学中に要する授業料と家賃等の生活費のトータルでは圧倒的に地方大学が有利だが、それでも東京を選択するのは、「有名な私立大のほとんどが東京にあり、将来就職しても出身大学を知らない人はいない」、「進学の機会に一度は東京での生活をし、様々な人と出会い社会経験を積みたい」とするなど。卒業後の就職先では、自分の希望する職種の企業が地方に見当たらないことや、躍動感のある東京は、将来の夢や希望、生きがいのもてる未来志向の都市であるとの意見も聞かれる。これは、現状の地方大学や地方都市に、東京を凌ぐ魅力が備わっていないからと考えざるをえない。

地元大学は地域にとって人的・知的資源であり、地域と一体的に深い関わりをもつことが、地方創生にとっては重要となる。この意味で、地方の若者が、地元の大学に進学することが望まれるのは自然なことといえる。しかし、それには魅力のある地方都市であり、若者の望みを叶えるような大学でなければならない。それは地域固有の特色や未来志向をもった大学である。これからの社会の多様な課題解決に必要な研究開発、地域特有のニーズや課題をふまえた研究などを国内外の大学や産業界、行政などの人材等と幅広い交流等をもちながら推進でき、イノベーションや社会実装に取り組めることであろう。

今日では大学のあり様も大きく変わってきている。地方創生、デジタル社会の進展に伴うSTEAM人材[4)]の養成など、企業との連携や社会との関わりが深化している。また人口減少社会のなか、現在18歳人口はこの30年余りの間で6割弱になり、18歳人口の減少が深刻となっていることや、地域がしぼむと大学も共倒れになるという危機感も強い。こうした背景もあり「大学統合」が進んでいる。

昨年、私立大学や国立大学について制度が改正され、私大間の学部譲渡や、国立大学法人による複数の大学の運営が可能となった。これを受け、2020年4月に名古屋大学と岐阜大学が経営統合し、国立大学初の1法人複数大学「東海国立大学機構」が発足した。ほかに3地域で国立大の法人統合が計画されている。こうした大学の再編が、地方創生のきっかけになる可能性も高い。これまで進めてきた先端技術の研究や民間との共同開発などに加え、大学統合による研究分野の広がりとともに、双方の得意分野を活かした学部等の新設も考えられよう。統合によるシナジー効果で、新たな大学の価値が高まり、競争力が強化されて魅力が生まれる可能性がある。再編を経た大学が多様で特色のある選択肢を用意し、地方で学べることで可能性が広がることを示せれば、東京への一方通行だった若者の流れを変えられるかもしれない。

これまでも、大学が自治体や企業と連携し、新たなイノベーションを起こしたり、地域ビジネスを起業した例もある。今後こうした動きをさらに強めることが重要となる。例えば、大学の研究活動の「見える化」により、外部との共同研究や資金支援を受け易くする取り組み。また、企業向けのコンサルティング業務に繋げることや、大学の研究成果を外部に切り離して積極的に大学発のスタートアップを図るなど。様々な分野で工夫し、従来にも益して産学官の連携を広げることであろう。地方自治体は、商工業、金融、医療、福祉、環境などのあらゆる分野で関係企業や団体とのネットワークがあることから、主体的な関わりをもちながら取り組みの強化に努めることである。

⑷　持続可能な地方居住の推進

地方分散型社会を目指すのは持続可能性という点で優れているからである。国連のSDGsの普遍的目標も「誰も置き去りにしないという約束と、持続可能で多様性と包摂性のある社会の実現」とする。そして地域創生に関連するSDGs目標11の「住み続けられるまちづくりを」では、「包摂的で安全かつ強じんで持続可能な都市及び人間居住を実現する」とある。SDGsの考えは、今般の地方創生の方針と共通している。したがって、こうした観点をふまえ今後の地方居住について、何点か重要な課題をとり上げてみたい。

1）地方を優先的に進める必要のあるSociety5.0の社会

これまで述べてきたように、コロナ禍のなかでのリモートワークやオンライン診療などを通じ、今後の社会ではデジタル技術を生活の様々な場面に取り込むことの必要性を痛感した。さらに、これからの地方都市では、デジタル技術による様々なシステムを基本的な都市機能として導入し、生活の利便性を確保することも重要となろう。デジタル化の進む社会はSciety5.0「人間中心の社会」といわれ、人材不足や距離、年齢等の制約から、これまで対応困難だった個人や地域の課題解決が期待できるものと考えられている。社会を大きく変革し、身近な生活環境から都市のインフラまで、安全で利便性の高い都市づくりに広く活用できると期待されている。現在、モデル都市で実施している内容以外にも様々な活用の道が考えられよう。その際に留意すべき点がある。

一つは、過疎化する地域の創生に効果的な役割を果たすと考えられ、地方に優先して政策が措置されるよう取り組むことである。まず、5GなどSociety5.0の基盤となる設備整備に早期に着手し、システムが円滑かつ継続して運営されることである。地方に比べ人口の多い大都市では事業者の採算がとり易い。東京都のような大都市では官民連携したアンテナ設置によって、容易にネットワーク環境も整備できる。しかし、利用者の少ない地方では、地域課題解決に新たな技術の活用が期待できる反面、採算性が課題となる。2019年11月、全国知事会が、Society5.0の社会実装が全国同時に進むよう、早急な支援を求める国への緊急提言をしているように、国が率先し、5Gなど基本的な通信インフラを整備することや、システムを確実に継続して運用できるようにすることが求められる。

そして、実装するシステムの内容等も地方に視点を据えて日々の生活に必要不可欠なものを優先して導入することが望ましい。人口減少の進む地域では、今後、買い物などの日常生活や医療・福祉の面で厳しい生活状況が予想され、様々な場面で生活支援が求められる。こうした地域であればこそ先端技術で補う必要性が高い。疲弊する地域が持続的に住み続けられるためには、地域づくりに新たな技術革新の成果を活かすことである。それはSDGsの考えにも符合する。

もう一つは、デジタル社会の課題でもあるが、便利な暮らしで生活の質を向上するのは誰もが望むところだが、信頼性に大きな不安がある。IT技術を活用する中では膨大な個人情報を扱うこともあり、これが漏洩流失することがあってはならない。マイナンバーカードの導入率が低迷しているのも、こうした理由による。国や企業に対するサイバー攻撃で機密文書が流失する事態や、企業等で保有する個人情報が流失する事故も頻繁に起きている。ましてや、わが国はデジタル分野では後進国ともされ、データが安全に保護されるのか危惧される。国がセキュリティー確保等に万全を期すことであり、法令の整備や技術開発が求められる。

2）SDGs時代にそぐわない都市のコンパクト化

人口減少・少子高齢社会の中で、これまで国が進めてきたコンパクトシティ（都市の縮退化）政策が、SDGsの普遍的理念に適合する政策といえるか。そして、地方分散型を目指す社会に整合するのか疑問となる。

国の都市づくりの方向は、多核連携型の都市構造である。これは「ネットワーク＋α」の考え方を基本としている。全国の大都市と中核都市、小都市をネットワークで連携して結ぶ考えは、東京一極集中の是正と地方都市の成熟化を図る点で望ましいものと理解できるが、このαがコンパクトシティを意図するのであれば、今日のコロナ禍における社会意識等の変革を考えれば、国づくりの方向性の軌道修正も必要と考える。

これは2014年の「国土のグランドデザイン2050」をふまえ2015年に策定されたもの。つまり、わが国にコロナ感染が発生する以前に策定されたもので、持続的に経済成長を維持する国土形成のあり方が基本にある。コロナ感染を機に、人々の生活や働き方に大きな変化が現れており、社会や都市のあり方、人々の生き方の価値観が以前とは大きく変わっている。従来の経済一辺倒の考え方から、経済と環境、福祉がうまく融合し、健康やコミュニティなどを重視した都市への転換であり、高密な都市から環境に恵まれた地方へのローカル志向の高まりとなって現れている。こうした考え方が織り込まれていないともいえるが、むしろ方向性が違うといった方が正しい。

現在、国が推進する都市のコンパクト化とは、都市の発展で広がり過ぎた市街化区域の縮小とシャッター通りと化した街なかの再生に主目的がある。これにより、道路等の将来の維持管理コストの縮減と、経済効率性の高いコンパクトな都市の形成を図ろうとするもの。このため、街なかの一定範囲を将来的な居住地（居住誘導区域）に設定し、区域外の人たちをそこに誘導する。シニカルにいえば、居住地を絞り込み、そこから外れた既居住者が移転せざるをえない状況をつくり、間接的な誘導を図る制度とも受けとれる。

行政サービスの効率化や財政負担を軽減する機能的・合理的な考えであることに違いないが、住民の居住移転を促し、既住地の居住継続を阻害しかねないという問題がある。つまり、居住誘導区域を設定すると、市街化区域から外れる以前の市街化区域や市街化調整区域に暮らす人たちの生活がどうなるのか、こうした区域外の将来像が全く見えない。今後、区域外が居住の場でないなら時間経過とともに消滅していく。実質的に移転を強いるのと結果は同じことといえる。とすれば、少なくとも、都市計画制限に準じた生活再建措置として移転補償が講じられる必要もあろう。

また、地方の各地域には、四季折々に行われる催事も多く、全国で行われる祭りの数は30万件を超える。文化的・歴史的遺産などは、開発の進む市街地より区域外となる地域に残ることも多い。地域で継承される有形・無形の様々な歴史的遺産が、コンパクト化の中で消え去ることに危機感を抱かざるをえない。つまり、地域が存続し地域の人に守られているからこそ文化・歴史が継承され、暮らす人、訪れる人の心に豊かさを与え、都市の歴史も積み重ねられていくのであろう。今日、コロナ渦で地方を求めて移動する人、地域協力隊として地方移転を志す若者の姿は増加している。過密化した大都市では味わえない地方の生活環境に共感し、農業や環境、祭りに関心をもつローカル志向の若者が多くなっているのである。

こうした点で、コンパクトシティの考え方はSDGsの「誰も置き去りにしない。誰一人とり残さない。」とする理念にそぐわないばかりか、地方分散型社会の目指すべき方向と大きく異なると言わざるをえない。

この意味で、立地適正化計画を策定した自治体の数を指標とする地方創生のKP I目標の設定や、わが国のSDGsの取り組み事例の一つとしている点で強い違和感を禁じ得ない。

今後、可能な限り地域で生活し続けられる環境整備を図ることであり、先述のデジタル社会でのIT技術によるシステムを、暮らしを支える様々な場面に取り込むことこそ、重要なのではないだろうか。

3）地方のレジリエンスを高める新ニューディール政策

近年の異常気象による集中豪雨で、毎年のように全国各地で洪水や土砂災害、河川など自然災害による被害が頻繁に発生していることが懸念される。

2019年の19号台風では、関東・東北地方を中心にして広範囲に記録的大雨をもたらし、死者96名、行方不明者4名、住家の全半壊等27,684棟に上る甚大な被害が発生した。決壊した堤防も140か所、浸水面積は国の管理河川だけでも約25,000haに及んだ。

国際会議のIPCCの報告[5)]では1880年から2012年の約30年間で、地球上の気温は0.85度上昇しているとし、このままでは2100年には最悪シナリオで最大4.8度上昇すると予測している。なお、気温が2度上昇すると降雨量が1.1倍、洪水発生頻度は2倍。気温が4度上昇すれば、それぞれ1.3倍、4倍になるという。あくまで推計とはいえ、過去に比べ気温は確実に上昇し、多くの河川で洪水の危険性が高まっていることを肌で感じる。

今日、地方創生で企業や若者たちの地方移転によって活力が蘇るのは望ましいことだが、自然災害に対し、地方の暮らしが安全であることが欠かせない。災害危険性の頻度は大規模地震や津波などに比べて高く早急な整備が求められる。SDGsでは「包摂的で安全かつ強じんで持続可能な都市及び人間居住を実現する」を目標とする。この解釈が「氾濫しても人命の確保と被害を最小限に留め、元の状態に復する。」とするなら、国民の多くは危険リスクのある地方に移転する動機も薄れてこよう。誰もが、地方移転に躊躇することになる。地方移転を望むのは、大都市では得られない自然と触れ合えるからであり、川辺や山の麓で安心して住める環境に憧れているのではないだろうか。

国の台風19号に関する報告書（2020）によれば、洪水対策にハードとソフト、また事前の整備強化と事後復興の面から取り組む考えだが、次の点で疑問がある。

一つは、利水ダム等の治水活用である。台風19号の襲来を受けて、今後予想を超える大雨や台風時に備えるため、信濃水系でのリスク・シミュレーションを行った結果、治水ダム、利水ダムに加え、多目的ダムにも洪水調節容量をもたせ、一体的に管理制御すればリスク対応が可能だったとする検証結果である。こうした改善策は、被害軽減に大きく寄与することになり、今後、全国各地で早急に着手することを期待したい。しかし、問題は、なぜ、もっと前から検討しなかったのかという点である。省庁をはじめ諸関係団体との調整や連携を要するとはいえ、縦割り組織の立場や利益を超え、人命にかかわる水害の未然防止という課題に優先して取り組めなかったのか。他にもこれと類似したケースがあるかもしれない。省庁等の組織の壁を取り払ったり、規制緩和するなどの工夫で大きな効果が見込めるならば、積極的に推進することが望まれる。自然災害から地域を守ることは、地方創生と密接に関係することに意を注がねばならない。

もう一つは、ハード面から治水対策に集中的な社会資本投資を行い、防災上のレジリエンスを高めることである。現在、人命を最優先に確保するため、地域住民にハザードマップにより浸水危険性を告知し避難を促すことに力が注がれている。しかし、これはあくまで次善の策であることを忘れてはならない。本来、地球温暖化という点で、各国がCO_2削減など環境対策に足並みを揃えて解決すべき問題であるが、少なくとも、リスクに直面するわが国では、これに対処するための堤防や遊水池、砂防工事などを迅速に実施することであろう。住民が常に安心して生活できる地域環境を速やかに整備することである。この整備には大幅な予算確保が必要かもしれないが、コロナ禍における経済対策と地方創生を目指した「治水・新ニューディール」政策として推進することが求められる。

4 おわりに――東京一極集中から地方分散型の都市に

コロナ感染の拡大防止と持続可能な社会を構築する上で、東京一極集中を是正し地方分散型の都市に移行することが重要となる。しかし、防災対策がそうであるように、「喉もと過ぎれば熱さを忘れる。」とも考えられる。感染が終息すると緊張感が解け、元の都市社会に戻ってしまうことが懸念される。根付き始めたリモート環境に限界を感じて再び対面を重視する社会に、また利便性を求める過密都市を再び指向するのではないかということである。一方、東京一極集中の是正と地方創生の実現が待った無しの状況のなか、皮肉にもコロナ禍がこの政策実現の追い風になっているのも事実である。この機会を逸すれば、この先も一極集中は際限なく続くことだろう。経済最優先で進めてきた一極集中による偏った国土構造と国土利用は、今日、各都市の均衡ある発展ばかりか社会の隅々に弊害をもたらしている。この方向を是正することは、わが国の地方経済の活性化だけでなく、少子化対策のほか、基本賃金の相違や非正規職員の割合など大都市と地方都市の間に生じている格差是正にもつながる。こうした様々な点を含めて持続可能な都市社会を形成するのである。地方分散型社会に誘導するのは、今をおいて他になく、この意味で都市政策は重要な役割を担っているものと考える。

(参考文献)

・山口幹幸・高見沢実・牧瀬稔編著 (2020)「SDGsを実現するまちづくり～暮らしやすい地域であるためには～『東京一極集中の流れを変える都市政策とは』」㈱プログレス

・山口幹幸編著 (2019)「コンパクトシティを問う『都市のコンパクト化の必要性と可能性』」㈱プログレス

・天野馨南子（2018年）「基礎研レポート『データで見る「東京一極集中」―地方の人口流失は阻止されるのか―』」ニッセイ基礎研究所
・内閣官房まち・ひと・しごと創生本部事務局（平成29年）「東京の一極集中の動向と要因について」
・内閣官房まち・ひと・しごと創生本部事務局（2019年）「第1期『まち・ひと・しごと創生総合戦略』に関する検証会」
・閣議決定（2020年）「経済財政運営と改革の基本方針2020について」
・国土交通省「台風19号による被災状況と今後の対応について」（令和元年1月）
・東京都産業労働局（2018年）「東京の産業と雇用就業2018」
・東京都防災会議（平成24年）「首都直下型地震等による東京の被害想定」

［注釈］

1）センターコアエリア
　東京首都高速中央環状線の内側の地域

2）BCP
　災害などの緊急事態が発生したときに、企業が損害を最小限に抑え、事業の継続や復旧を図るための計画。

3）工業等制限法
　昭和34年に、首都圏への産業及び人口の過度の集中を防止することを目的に制定されたもので、制限区域内での一定面積以上の工場、大学の新設・増設などを制限してきた。

4）STEAM人材
　デジタル社会への変化の中で、大量のデジタル情報を効率よくマネジメントするだけでなく、自由に発想し「例のない問題」にも創意工夫して解を見出すことができる。

5）IPCC
　「気候変動による政府間パネル」であり、この第5次報告書（2014年）による。

11. 新型コロナと都市計画：「新近郊」論に向けて

高見沢 実・横浜国立大学 都市イノベーション研究院 教授

日々、「新型コロナ」が意味するところや社会への影響が変化しており、新たなタイプの感染症等も含めて将来どのような影響がありうるかについて誰もわかっていない中で、「新型コロナと都市計画」という論考をするのは難しい。しかし、都市計画を専門とする立場から新型コロナをどうとらえるかをこうした制約の中でもまとめておくことが重要と考え、以下のフレームを設定して評価・考察する。

１～３では、近代以降の様々な都市問題を克服するべく、認識され制度化され取り組まれてきた都市計画分野の流れを整理する。新型コロナは下図のように、いわばこれまで取り組んできたことや「都市問題」の認識に対して、雲がかかったように課題を突き付けている。本当にこのままでよいのか？ 過去に克服してきたと思っていることは本当にそうなのか？と。この雲は新型コロナの実態でもあり私たちの認識でもあり、今後さらに拡大し濃密になる恐れもある一方、いつのまにか晴れ渡るかもしれない。

本稿では「新型コロナと都市計画」について一定の結論を得たいとは思うものの、４の末尾に「仮説」とせざるをえないほどこの雲の正体はわからず、こ

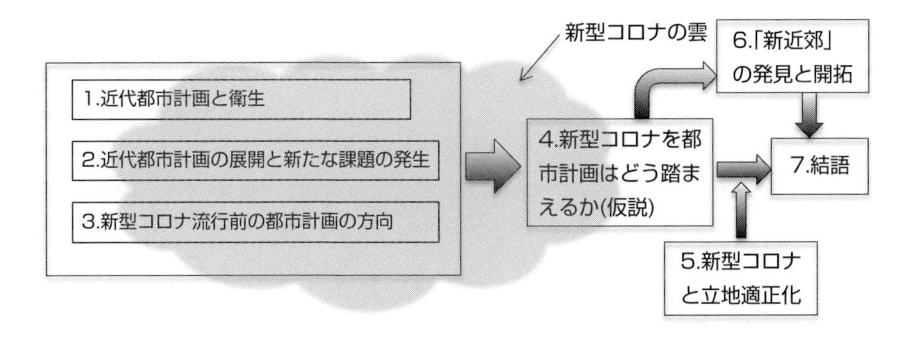

の雲がもたらした（ている）社会の狼狽や専門家の認識が確かなものとは言い切れない面が多い。そこで本稿でも、１～３はできるだけ正直に、近代都市計画の成果（1= 背景・意図・成果）や新たな課題の発生（2= 認識レベル）、近年の都市計画がめざしていたもの（3= 認識と政策の方向）について記述しつつ、新型コロナの雲がそれらにどう影響しているのか（いそうなのか）を整理するとともに、もし不足していたり修正すべき点があればそれを抽出し、もし新型コロナがむしろ「追い風」になりそうな部分があればそれは何かをできるだけ明確にすることが、現時点でできることである。この際、現在喫緊の課題となっている一部の要素（5）についてはさらに新型コロナとの関係をより掘り下げて議論することも重要だろう。その一方で、統計データや実際の計画策定場面をじっくりみてみると、「新近郊」ともいうべき新たなゾーンが徐々に浮かび上がってきているように感じられる。都心への通勤を減らして郊外の自宅あるいは自宅付近で仕事する、といった特定の側面だけでなく、「新近郊」という大都市圏の中の新しいゾーンの形成の方向が見え始めたのではないかとの感覚である。これは、大都市を脱出していきなり地方に向かうという動きでもなく、知識社会の効用を大都市圏において（にとどまって）最大限享受できるよう自らをカスタマイズするような動きである。少し仮説的にその具体的な姿を描き出してみる（6）。その結果として、本稿での考察の成果を今後どう活かせそうかについて、いくばくかの結論を得る（7）。

1　近代都市計画と衛生

現在、先進諸国がその基盤としている近代都市計画は、19 世紀後半から急速に進んだ各国の都市化・都市集中と都市問題の悪化を克服するべく、20 世紀初頭に体系化された社会システムである。とりわけ 19 世紀の都市を特徴づけていたのは、産業革命によって工場が都市に立地・凝集した結果、多くの産業労働者が都市に集中し、不衛生で狭小な住戸・住戸群が感染症の温床となり、多くの死者を出したことである。しかし、死者が出ることそのものは問題であったとはいえ、それだけでは社会を大きく動かす原動力とはならなかった。都市全体に感染が蔓延するおそれが広がることによって、当時増加していた中産階級にとってもそれが大きな脅威となるに至って、ようやく社会改革を促す力となっていく。

第一は、近代公衆衛生学の成果により、伝染病の原因が特定されることで、都市問題への効果的対処が可能になってきた。とりわけ都市化に伴いたびたび発生するようになったコレラの原因が、飲料水の（コレラ菌による）汚染であることが、患者の発生と井戸の位置から推定され検証されることで明確になったのを受けて、都市の上下水道を整備する力となった。

第二は、そのこととも一部重なるが、貧困や過密居住に伴う様々な問題の具体的姿が都市調査により蓄積され、科学的・客観的に「問題」の様子が視覚化されるとともに、住居の改善によってそうした問題を緩和していく道筋が見えてきた。例えばイギリスでは住居が「fit（適合）」「unfit（不適合）」となる基準がつくられ、新たにつくられる市街地に対して条例によって最低水準を設定し、都市問題を回避するレベルの市街地環境を当初より形成していく仕組みができてきた。

第三は、今の話にも一部含まれているのだが、単に一つ一つの「住居」を改善するばかりでなく、「市街地」の水準をどのような密度や街路水準等でコントロールするかという、都市計画的な枠組みづくりへと進化しだした。

19世紀末から20世紀初頭にかけて、各国でいくらかの差はあったものの、こうした近代的都市づくりの枠組みが制度として確立してきたのである。

西川（2020）は、近代都市計画が起こってきた当時の日本の状況について結核（結核菌により飛沫感染する）の予防と「都市計画」の発生との関係について、「貧困地区の不衛生な住宅やそこでの密集生活に問題があるとして、住宅の最低水準を向上させることが結核対策になると考えた」ととらえ、市街地建築物法のなかで家屋衛生の観点から規定された居室の採光について詳しくとりあげている。市街地建築物法は建物レベルの衛生・安全を確保しようとするものであったのに対し、市街地・都市のレベルでは都市計画法が制定される。旧都市計画法における都市計画の定義は、「本法ニ於テ都市計画ト称スルハ交通、衛生、保安、防空、経済等ニ関シ永久ニ公共ノ安寧ヲ維持シ又ハ福利ヲ増進スル為ノ重要施設ノ計画ニシテ市若ハ主務大臣ノ指定スル町村ノ区域内ニ於テ又ハ其ノ区域外ニ亙リ施行スヘキモノヲ謂フ」とあるように、「衛生」が主要な要素であることを明確に表現している。

2　近代都市計画の展開と新たな課題の発生

都市や社会の近代化に伴う問題を克服しようと次第に定式化された近代都市計画であったが、1960年代から1970年代に入ると、それが適用された先進諸国では様々な問題が指摘されるようになる。

第一は、「住居」「商業」「工業」相互の問題を解決しようとするため発達したゾーニング制度である。当初、住宅地の中にその静穏な環境を乱す用途が入ることが問題となり、ゾーンを分けて立地できる用途に差をつけることが財産権の侵害にならないという形で、「ゾーニング」制度が発達した。しかし、社会経済のさらなる進化と都市への集中ともあいまって、戸建て住宅ばかりが延々と続く郊外地を生み出すとともに、都心のオフィス街は夜になれば人のいないエリアになるなどの弊害が顕著になってきた。

第二に、このことは同時に、郊外から都心部へのマイカーによる通勤問題発生の原因となり、ガソリンを前提とする限りエネルギー消費を加速化して大気汚染のみならず地球環境への負荷の点でも大きな問題となった。

第三に、これは第一の点に付随するのだが、ゾーニング制度にはその「場所」を形成する仕組みが伴っていないあるいは弱い場合も多く、いわゆる「公共空間」の衰退が加速した。そもそも当初の都市には路面電車が走り街路空間にも（用途混在の効果もあって）にぎわいがあったが、路上は自動車に占拠され、各ゾーンが専用化されて画一的となり、建物の建て方を相当工夫しないと活力や潤いのある都市が次第に弱っていくことが問題視されるようになった。

さらに第四の大きな問題を付け加えるとすれば、「近代都市計画」が前提としていた「近代」的思考や価値への疑義がある。近代都市計画には先に確認した衛生（保健性）に加えて、安全性、利便性、快適性の向上という目標があり、20世紀末頃から持続性の追求が加わっている。どこに問題があったのだろうか。

3　新型コロナ流行前の都市計画の方向

新型コロナウイルスを踏まえた社会を考える際重要なのは、それまでの社会がどのような問題を抱え、何を解決しようとしていたかを明確にしたうえで、新型コロナ問題への対処の方向がそれらと同じものなのか、新型コロナにより方向転換を必要とされているのかを見定めることである。

3-1　ニューアーバニズム運動～行き過ぎた近代都市計画への反省

アメリカで「ニューアーバニズム」運動が大きくなった背景には、以上のような、行き過ぎた近代都市計画への反省と対処がある。

第一に、近代都市計画が追求していた専用用途地域を見直して、複合利用をよしとした。この内容は2段階ある。まずは、一つの「用途地域」に含まれる用途の種類を大幅に増やすことによって用途地域内の専用度を減らした。さらに、単一の「用途地域」が大きくなりすぎないように、例えば主要街路沿いの用途をより複合度の高い用途も許容する「用途地域」にきめ細かく指定することとした。これによって、同じ用途ばかりが大きな面積を占めることによる弊害を克服できるものと考えられた。

第二は、近代都市計画が求めていた郊外拡散による密度低下を見直して、密度を一部では高める政策の強化である。これは一般論として上記「用途地域」の指定によっても達成できるが、郊外においても低密度な戸建て住宅ばかりがダラダラと広がるのではなく、地区中心は高めの密度を、そこから離れるに従って低密度となり、やがて自然と共生する地域となるよう用途地域を工夫する。これによって、自動車に過度に依存した地域を減少させようとした。結果として、都市レベルにおいて、より街なかに近いエリアでの居住が推進され通勤時間が短縮化されエネルギー消費も抑えらると考えられた。

第三は、より歩行者や建物敷地に近いレベルのリ・デザインである。自動車に過度に依存した住宅地では「クル・ド・サック」といわれる歩車分離がよしとされたが、それは、車の動線と人の動線が分離され、人の目が届きにくくなった車の動線上が犯罪の温床となることが問題視された。また、歩車分離されない住宅地ではガレージへの車の出入りが人々の歩行や立ち話などのコミュニケーションを阻害したり、家の前の車庫が景観的にも好ましくないなどである。道路断面の配分を変えたり建物側でも道路に面する部分の用途やデザインを工夫することで、公共空間に人々の活気が出てくるものと考えられた。

第四は、以上の諸点の背後にある意図として、特定の階層ばかりの人しか住めない都市、より明確にいえば、戸建て持家以外の選択肢の乏しい都市に小規模住戸等の選択肢を増やすことで、排除しない都市であることがめざされた。

日本においても、程度の差こそあれ、以上の4点は都市計画見直しの契機となっていた。都心部は効率のよいオフィスビルばかりとなり、夜ともなると誰もいない空間が広がっていた（第一の点）。郊外部はかなり高齢化しており自動車なしでは生活が営めない中、「買い物難民」も現実化しつつあった（第二の点）。都市計画は空間の密度や量的配分のコントロールは得意だったが、公共空間の潤いを作り出す術に欠け、高齢化や人口減少とも相まって、にぎわいの無い、楽しみに欠ける空間ばかりが広がってしまった（第三の点）。経済原則が優勢な日本では、例えば緩すぎる用途地域の規制が災いして、ロードサイドに商業が展開する一方で中心市街地はシャッター街となるなどの弊害も大きくなっていた。

新型コロナは、過度に都心に諸機能が集中する日本の都市構造に大きな脅威となった（ている）が、よく見ると、例えばオフィスが最も集中する千代田区では感染者があまり多くはない一方、人と人との会話による接触度の高い繁華街を多く抱える都心エリアにおいて夜間人口10万人あたりの感染者が最大である［補注1］。公共交通混雑を緩和するべく導入されたテレワークであるが、これによるコロナ対策効果がいかほどであるかはまだ検証されていない。むしろ、従来から推進しようとしていた新しい都市計画（ニューアーバニズム）と新型コロナ対策が同じ方向を向くのであれば、そのような都市計画を推進するチャンスともとらえられる。

3-2　日本の文脈①　大都市への過度の集中と地方の疲弊

ニューアーバニズム運動が問題視した近代都市計画の行き過ぎについては、公共交通の発達している日本の都市、とりわけ大都市圏においては大きな問題にならなかった。むしろ大都市圏そのものへの集中が過度であるとの指摘が過

東京都への人口流入の歴史

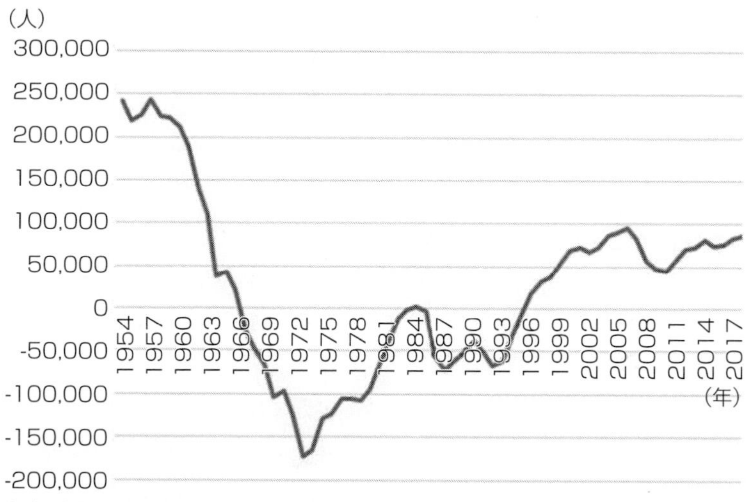

（注）プラスは転入超過、マイナスは転出超過。
出所：総務省「住民基本台帳人口移動報告」

三大都市圏および東京圏の人口が総人口に占める割合

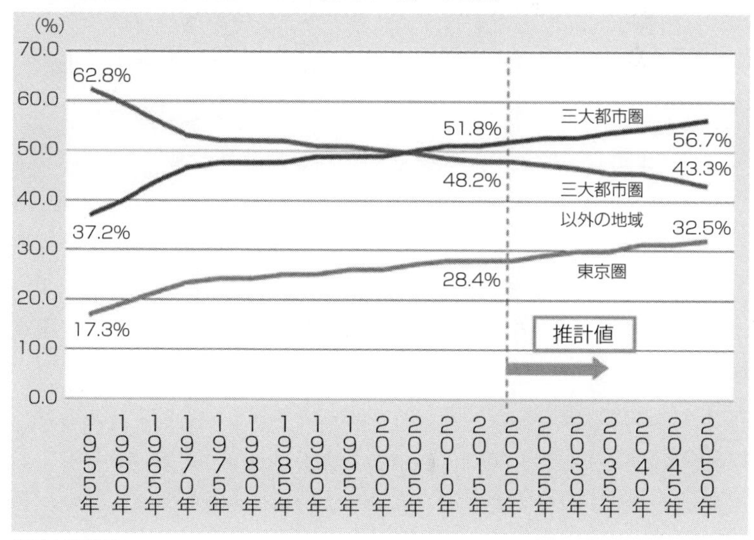

出所：総務省

去から何度もなされ今回の新型コロナでもなされているが、果たして本当にそうなのか、どのようにそうなのかは検証されていない。一方、地方においては自動車依存の都市構造になっているうえに、近年の人口減少・少子高齢化という日本独自の問題により諸課題が指摘され、いくらかの政策対応もなされつつあった。しかしこの面についても政策の効果の検証までは至っていない。以下、検討する。

これまで、雇用が生まれ機会が増加し余剰を生み出す大都市は日本の経済成長にプラスであるとの認識は底流にはあったが、世の中の雰囲気としてはそれは勝者の論理であり、むしろ大都市への過度な集中を嘆き地方分散を推奨するほうが抵抗は少なかった。例えば2011年の東日本大震災の直後には、東北にまでエネルギー源を頼らなければならない東京が問題視され、そうでなくても計画停電を余儀なくされたリスクから、都市機能や人口の地方への分散が必要だとされた。災害に関連して、首都直下地震に備えた大都市機能の分散についてもかなり以前から必要とされてきた。さらに昨今では、地方から若者が流出するのは大都市に吸い寄せているのが原因なので、そうならないよう大学の定員を厳格に管理するなどの対症療法的政策もとられている。

しかし、こうして幾度も過大都市否定論や政策提言があっても、実際には首都圏に一極集中が止まっていない。中川（⇒参考文献）は、戦後一貫して集中してきたデータを示しているが、ここで少し最近30年間の動向をみておく。

上のグラフを見ると、戦後しばらくは東京都に転入超だったものが1970年代から80年代にかけて転出超となったのち、1990年代以降は再び転入超となり、どちらかというとその勢いが増している。下のグラフでは1970年代から80年代にかけての「緩み」のようなものはあまり目立たず一貫して東京圏への一極集中が続き推計も交えてそれはさらにずっと続く形となっている。特に下側のグラフには地方のシェア減が同時に表現されているので、地方からの流出は相当続く。これらシェアに日本全体での人口減少分が掛け合わせたのが人口であるから、減少率は甚だしい。つまり、「大都市圏への一極集中は是正すべき」との議論は何度もあったのだが、常にこれまで一極集中はますます進んでいた。この現実を抜きに「コロナへの対処のために一極集中の是正を」との議論だけしてもあまり意味がない。

そこで、コロナを踏まえた一極集中是正論は他に譲るとして、本稿では都市計画への影響について議論することを前提として、それが“知識社会”においてどのような姿になるかを考えてみたい。

19世紀の都市は産業革命により工場が立地した場所に都市が発達しその流通を支える商業が発達した。イギリスのマンチェスターはその代表例である。20世紀の都市ではオフィスが都市成長を牽引したが、それは、企業活動のヘッドクオーター機能の集中と産業の金融化によるものだった。アメリカのニューヨークが代表例である。現在の日本の都市、とりわけ大都市は、この20世紀型の都市としての機能をますます集積させている。さきの、1990年代以降の再集中に限定するなら、1989年のベルリンの壁崩壊以降顕著となったアメリカ型自由主義による経済のグローバル化やIT化がかかわっている。

さて、21世紀も20年が過ぎようとしている今、「21世紀の都市」とはどのようなものだろうか。ここでは、「知識産業（・知識社会）」をキーワードとしたい。

「知識産業」が経済成長をもたらすこと、資本を持つ者はそれら産業への投資によりより所得・資産が増加する一方、従来の中産階級の雇用は不要または機械やデジタルにより代替されて雇用が減少する。少し具体的に表現すると、「GAFA」的な産業があらゆる分野で成長しており、新型コロナ下でも「一人勝ち」するほどの勢いである。アマゾンは知識や情報、具体的にいうと世の中を動かすアルゴリズムが資本の中核にあり、不動産やオフィスワーカーは付随したものである。つまり、都心部にオフィスを建ててそこにオフィスワーカーが通勤して成り立つような20世紀型の業態ではない。コロナウイルスが襲来しても、もともと20世紀型の業態ではないので影響が小さいばかりか、対面型販売でもないのでむしろ需要が増える。コロナで失業となった者を雇用してますますビジネスがふくらむ。不動産という目でみると、消費者への配達をスムーズかつ短時間で行えるよう、物流倉庫の配置が重要となり大都市圏のインター付近などの結節点に巨大な施設が増えている。しかしこれさえも、貯蔵場所を不要とする配達に特化した業態となれば不要になる。

知識を中核とする産業が主流となると、都心部や地方中心部のオフィス系の土地利用はますます不要になる。銀行や書店、パソコンショップなども不要である。20 世紀初頭に確立した近代都市計画が前提としていた「土地利用計画」の「土地利用」そのものが激変する。

地方にあてはめてみると、こうした産業社会のもとで地方の不動産の収益力がますます低下して投資がなされなくなり、むしろ地方銀行のマネーも地域に投資されずに、より収益の高い知識産業型ファンドやリターンが得られる海外の国債などに投資されることで、従来型の発想にとらわれていると地域から資金が流出する、といった経済構造として理解することができる。

すなわち、「コロナ後の都市のあり方」を考えるためには、これからの都市、都市計画は何をもとに組み立てられるべきかの根本の問いに向かい合う必要がある。

3-3　日本の文脈②　人口減少をマネジメントする

日本の人口構造が大きく転換している。日本の高度成長は、戦後すぐのベビーブーマーが常に需要を喚起しつつ「郊外」の建設や自動車需要等を牽引して経済成長をもたらしてきた。

しかしそうした世代も高齢化し、子どもの数は減少。人口構造がそのまま高齢化する動きにより人口減少が加速している。この高齢層の固まりが一通りなくなるまでの 20 ～ 40 年くらいの間、「少子高齢化」と「人口減少」は前提とせざるをえない。その先の社会は、人口構造が安定した中規模国という姿も見える。

これまでとは逆向きの都市・市街地政策、すなわち縮小する都市をマネジメントすることが必要とされ、「立地適正化計画」というプランニングもなされるようになった。まだその効果は検証されていないが、そこに込められた意図と課題を整理しておく。

計画の意図はいくつかの要素より成る。まず、特に地方都市は人口減少に備えて、身の丈の範囲の（コンパクトな）市街地へと縮小させる必要があると考えられている。ここでの代表的指標は「人口密度」である。人口密度 40 人 /ha を都市マネジメントに適した最低密度ととらえて、推計によりそれを割り込む箇所は将来も積極的に市街地とすべきかどうかを疑う。一方、モビリティの面からとりわけ高齢者の移動を公共交通網で支えることを想定する。支えられない低密度地域を見出す。市街化区域内でそのような市街地は「居住誘導区域」からはずす。はずされた場所に直接的な制約がすぐに発生するわけではないが、影響の大きな建築・開発行為は届け出制となり、積極的な居住エリアの位置づけではなくなる。一方、人口が減少した地方都市でも一定の都市機能が集積する「都市機能誘導区域」を設定して、できるだけそこに機能を集中させることで、ネットワーク化された公共交通網により、サービス水準が低下しないで市街地を縮小させることができると考えられている。

ただしこの意図は都市計画の仮説のようなものであり、既に多くの課題が出ている。また、こうした縮小によって何にメリットがあったかのエビデンスも個別のものにとどまる。

新型コロナをきっかけとした新たな動き（の可能性）や、ニューアーバニズム（新たな都市計画）運動などの動きともからめて、より客観的な評価を行うことで、よりしっかりした都市計画へと脱皮させることが必要である。

4　新型コロナを都市計画はどう踏まえるか

以上の議論を踏まえて、ここで仮の結論を整理しておく。

第一に、これは都市計画が対象とする都市の置かれている状況認識だが、21世紀の都市は知識社会を前提とした都市像・産業像を意識して都市計画する必要がある。都心部にオフィスビルが集中して大量のオフィスワーカーが郊外から通勤する20世紀モデルは既に見直しが迫られていたし、新型コロナ対策という意味でも同じ方向を向く。

第二に、そうすると、知識社会において雇用を失った労働者はどこに向かうのか。新型コロナ下でも、「Stay Home」で労働を代替できる大企業勤めやIT企業関係者がいる一方、販売員や運転手などの「エッセンシャルワーカー」はそうはいかず、影響の表れ方が大きく異なった。仮にみると、同じ「大企業勤め」であってもジョブ型労働が機械代替できる労働は消滅の方向が先か遠隔労働に代替するか時間の問題かもしれない。企画管理などの知識産業的労働の多くは遠隔可能で、重要会議のみ都心のオフィスに集まるだけでよいかもしれない。「エッセンシャルワーカー」は、それが先にあるというより、都市機能・土地利用配置に付随する。知識社会で多くは機械に置き換わり（自動運転や宅配、ロボット等）、本当にエッセンシャルなものに次第に収れんしていく可能性もある。作家や脚本家などはもともと居住地フリーであったと思うが、打ち合わせの多くも遠隔で可能となり、最後に残るのはリアルな劇場等での公演機能等になるのかもしれない。こうしてみると、知識社会そのものは基本的に、新型コロナウイルス対策に親和的であると考えられる。

以後各論になるが、第三に、ニューアーバニズムには基本的に適合的と考えられる。むしろ、密に配慮しつつ促進のチャンスととらえられる。行き過ぎた専用化による長距離通勤、都市構造の歪み、エネルギーの大量消費、特定の階層しか住めない排除される都市、各専用地域での不便などの諸問題などの解決は、新型コロナ問題を克服する手立てと方向が同じであれば促進する機会と考えられる。一つ矛盾があるとすると、密度の増加に伴う新たな「密」の形成、専用住宅地にテレワークや飲食サービス機能を持ち込むことによる接触機会の増加などであろうか。これらの矛盾を解決できればこれまでめざしてきた都市計画をいくらか軌道修正するだけで促進できる。例えば、何をもって過度な「密」の可能性があるかの指標を開発してモニタリングし、動的な対応をするシステムを構築することも考えられる［補注2］。

第四に、地方再生のチャンスである。「知識社会」と大都市への一極集中（および地方からの人材流出）という図式が、新型コロナ社会で根本より変えられる可能性がある。「図式が変えられる」というより、本来の「知識社会」を取り戻す思考を強化する、強化するよう新感染症がその方向を示しているといえようか。本稿ではそうとらえて議論を整理する。技術としての「都市計画」の枠を超えるが、「都市計画」が社会から要請される社会技術である以上、前提とする社会経済シスムテの議論は重要である。

第五に、総論的には「知識社会」とは、（付加）価値を知識ベースで生み出す社会である。「生み出す」というと、アップルのスマートフォンやアマゾンの物流システムのような、「モノ」に限定して考えられがちだが、「長距離通勤に悩ませられずにゆったり暮らせる生活の実現」でもよい。「画一的な工業製品に囲まれるのではなく地域の文化や真に（自分にとって）価値があると思える暮らし方」でもよい。アマゾンによって届けられる（自分にとって希少価値のある）書籍は、その価値実現のためのツールと考えればよい。もう少し「知識社会」に近づけると、「そのような価値を実現できる都市計画（やビジネス）」を考え、仲間を増やし、シクミをつくり、徐々に実現していくプロセスそのものであると考えればよい。国のつくった制度や補助金に依存しながらまちづくりを行うのではなく、自ら欲するものに向かって仲間をつくりシクミをつくって価値を作り出す社会である。

第六。人口減に伴う施策には見直しも必要である。人口が減少するので市街地をコンパクトに誘導しつつ居住地を公共交通網でネットワーク化させる、という発想は、教科書レベルではありそうである。しかし、その背景に思想や経済システムが抜けている。さきほどのアマゾンと同様、目指す価値にとって有用であればそれをツールとして使えばよいが、そのツールを使えば豊かな生活ができるとは限らない。ここでは、立地適正化計画のこうした隠された側面について、節を改めて、「5」のところで考えてみる。

第七。これがもしかすると最大の新しい都市計画・地域計画・大都市圏計画の動向になるかもしれない「新近郊」というエリアについてである。「5」は既存制度の再点検の意味合いが強いのに比べ、「新近郊」はそれとは次元の異なる認識論であり新しい都市計画そのものの胎動といった側面をもつ。「6」においてじっくり考えてみたい。

5　新型コロナウイルスと立地適正化

水害が相次ぎ、これまでの雨量などが前提とできないなどの気象変動が明確に感じられるようになった。立地適正化計画を制度化している都市再生特別措置法が見直されて、減災のために「居住誘導区域」から除くべき地域が列挙されるようになった。さらに2020年時点で、これまで縦割りだった河川行政と都市計画とが連携しようとする「流域治水」が検討されている。「立地適正」が従来、「密度一定以上」「公共交通網によりサービス」だったものに、「災害回避（減災）」が加わったといえる。しかし新型コロナは「密度一定以上」にも、「公共交通網によりサービス」にも、手放しではYesと言えない面を付け加えた。

以下、3つの面から議論する。

5-1　「密」の程度と内容

「過密から得られるものは何もない」とアンウィンが表現した近代都市計画における密度感の実践例は、ハワードの田園都市論においては1エーカー当たり12戸（30戸/ha）であった。1世帯当たり3人とすると90人/haとなるので、当時「過密」と意識されていた水準がどれほどのものだったかが類推される。これに比べても、立地適正化計画が居住地の目安とする40人/haという数字はかなりの低密度である。むしろここではこの水準を割り込むような市街地では都市運営が非効率となるので注意が必要、とする。ニューアーバニズムは市街地の密度を高めようとしているというとき、例えばアメリカの郊外市街地の密度は10戸/ha程度のところも多く、仮に3人家族だと30人/haとなる。高密度にするといっても「過密」をめざすものではない。むしろ近代都市計画によりアメリカに起こってきた様々な都市問題を解決しようとするものである。ただし既に密度を高める政策には批判もあるので、ポストコロナの都市計画を進める際にも注意が必要である。

5-2　公共交通網によるサービス

2020年2月21日の国土交通省社会資本整備審議会道路分科会基本政策部会で示された「ビジョン（案）　2040年、道路の景色が変わる」の中で、「クルマによる人の移動は「自動運転による移動サービス」として公共交通化される」というくだりがある（p.6～7に示された5つのシナリオの1つ「③人・モノの移動が自動化・無人化」）。2020年現在、自動車というと「非公共交通」とくくられるのが一般的で、鉄道やバス交通でがんばろうとされ、立地適正化計画においても「コンパクト＆ネットワーク」を目標としている。

けれども実際にはそれは「密」を促進する政策であり、人々を集団的に操作して「理想的」な枠の中に押し込めようとする計画にみえる。だからといって、「線引きも無くそれぞれ勝手に住んでもよい」ということではないものの、今一度、達成すべき都市像・都市構造・密度パターンを考えるべきだと新型コロナは迫っている。地区センターというより、もっと身近な土地利用再編が必要とされている。例えば、バス停から300メートル、近くのサービス施設まで100メートルなどが実現できる居住地などである。この場合、居住者が移動するばかりでなく、「ラストワンマイル（ファーストワンマイル）」のきめ細かな物流・サービスデリバリーシステムの構築などもますます重要になるだろう。

5-3 災害回避（減災）

災害が相次ぎ、これまで前提としてきた考え方に見直しを迫っている。立地適正化計画においても、最悪の浸水区域を想定しつつそれへの対応を考えた「居住誘導区域」にするよう指示が出されている。例えば、静岡県三島市では概ね40人/ha以上に保たれている市街化区域からそうした危険区域を引き算するように「居住誘導区域」が設定されているが、一部、洪水危険個所を除ききれなかった。計画上では避難などのソフトで対応することとしているとはいえ、情報提供によって、中長期的には建て方を工夫して減災するか別の場所へ自主的に移転するかなどのオプションもきめ細かくサポートできるとよい。

5-4 小結：新たな「立地適正」論

現行の立地適正化計画には、いつくもの面で変革を迫る要素がある。

第一に、「コンパクト＆ネットワーク」という概念については、「公共交通」の内容やヒトへのサービスの将来を考えたとき、それが真のねらうべきものかを再考する必要がある。

第二に、「都市機能誘導区域」が果たして有効なツールとなっているかのエビデンスを蓄積し、合理的な制度へと脱皮させる必要がある。補助金とこの区域とを直接結びつけずに、プロジェクト評価は別の次元で行うことも必要である。その際、機能だけに着目するのでなく、空間の質、とりわけ公共空間の質の高さに注目して、ポストコロナ社会にも高いパーフォーマンスを示す価値ある空間とすることをめざすべきである。

第三に、「居住誘導区域」の設定は今以上に「安心・安全」であることをめざしつつ、単に「引き算」して撤退する場所を考えるのでなく、人口が減る中で新たな価値を創造するような都市計画をセットで行うことが重要である。

6　「新近郊」が出現しつつある

「新近郊」についてまとめて書いてみようと思った背景には、大きく分けると、1）データの存在、2）そうしたエリアにある自治体の計画現場での課題認識、3）自己体験がある。以下、一つずつ検討していく。

6-1　首都圏に集まった人口は近郊への流出にとどまっている

新型コロナを契機に、大都市圏から地方への脱出がはじまっている、などとするメディア記事をよくみかける。ある程度そうだろうし本稿においても「地方のチャンス」としているので、定性的にはそうした傾向もあると認識している。しかし、2020年8月の人口移動（住民基本台帳ベース）をみると、そうした認識とは異なる面が見えてくるので、以下、検討してみる。

2020年8月の住民基本台帳ベースの数字でみると、東京都からは4,514人の転出超過（転出が32,038人で前年同月より16.7%増加、転入が27,524人で11.5%減少）がみられたものの、1都3県でまとめると転出超過は459人にとどまり（転出が28,911人で前年同月より5.8%増加、転入が28,452人で14%の減少）、1都3県レベルでは出入りがほぼトントンになっている。東京都だけみると「地方転出」ストーリーにすぐ飛びつきそうになるとはいえ、もしこうした傾向が続くとすると見逃せない変化である。新型コロナの「第二波」が流行し始めた2020年7月は、1都3県からの転出超過が7年ぶりに起こった月とされるが、量的にみればまだ1都3県の人々は域内にとどまりつつ「新近郊」化を模索している、とみることができる。2020年9月もこの傾向は大きく変わっていない。1年前の2019年と比較していくと、1都3県に地方から出てくるボリュームが減っているので、どちらかというと「弱い非首都圏集中傾向がみられる」というのが正確かもしれない。

細かくみていかないといけないが、新型コロナもあり、これまで長距離通勤をして東京都心に通勤していた方々が、テレワークの普及などによって、思い切って新型コロナの影響の少ない「新近郊」へと転居している姿が想像される。この場合、職場ごと変わった方もいくらかあるかもしれないが、毎日東京都心に通勤しなくてもよくなり、ある程度の郊外に移転している姿が思い浮かぶ。

実は、3-2 で示したグラフにはあらわれていないが、「知識社会」が経済の中心になるにつれて東京都心部にきわめて凝縮したオフィス建築群が立ち並ぶようになり、バブル崩壊後の地価下落ともあいまって東京都心にタワーマンションに象徴される住宅群も密生した。そのたびに郊外の空家が増え人口が減少していく様子を肌で感じていた。今回の「新近郊」への流出はいわばその傾向の反転ともとらえられる。

6-2 首都圏郊外部は高齢化し空地・空家が増加して大きな都市計画課題となりつつあった

東京都心部の雇用機会に吸い取られるように郊外部の人口減少が加速化していた。地方都市も吸い取られていたかもしれないが、首都圏郊外も吸い取られていた、と感覚的にはそう感じられていた。

ただし、これには現行の都市計画が郊外部で厳しく運営されており、とりわけ「第１種低層住居専用地域」では立地できる建物用途がほぼ住宅に限られるなど、「居住」以外の都市機能をあえて排除することによってその場所の静穏な環境を保っていた。もちろん、そうした郊外部が開発された当初においてはそうした市街地像に高い価値が置かれていたためであるが、さらに「地区計画」や「建築協定」などの手段によって、「庭付き戸建て住宅以外は建ててはいけない」などの厳しい規制を自ら上乗せしてその環境保持を万全のものとした。

しかし時代は移り変わり、郊外に入居したときにはまだ若かった世帯も高齢化が進み子供たちは独立していき、老夫婦、あるいは高齢一人暮らし世帯が急速に増加した。しかしそのようなエリアは厳しいコントロールによって土地建物は高価なものとなり、敷地分割やアパート建設もできないので若い世帯への循環が滞っていた。用途地域を緩和するなどして生きていくための多様な用途を、動ける範囲の狭くなった需要に応じて立地できるようにしたり、多様な住宅供給もなされるようにして世代交代を円滑化することが、大きな都市計画課題になっていた。

新型コロナによる上記の世帯移動は、こうした郊外地にとっての課題を解決する追い風となりうる。テレワークの普及は現実的選択肢としては視野にあまりなかったところに極めて現実かつ大きな需要となりうる状況へと大転換した。もはやこれまでの「郊外」像ではない、「新郊外・新近郊」の発想へと大胆に切り替えることが迫られている。

実際の計画現場の例として、横浜市における郊外の用途地域見直し作業について触れておく。本稿執筆時点ではまだ作業途中であり、また、「新型コロナをどう受け止めるか」についても即断できずペンディングとしている面もあるが、まさに上記のような課題を解くのが今回の課題になっている。

6-3　首都圏近郊部も高齢化し空地・空家が増加して大きな都市計画課題となっていた

同様に、横須賀、大磯といった首都圏「近郊」の都市においても同様な傾向が続いていた。ここでは「郊外」は住宅ばかりが旺盛な開発の結果立ち並ぶような大都市の周辺部を、「近郊」は単なる「郊外」ではなく、ある意味一体の独立した都市が「郊外」よりも外側にある場合に、やや異なるニュアンスで「近郊」とする。ただし横須賀が「独立」しているかというとそうでもない面もあり、横浜市郊外部が近郊といえないかというとそうでもない面もあるので、本稿では、両者をまとめて「新近郊」と呼ぶことにする。「近郊」はどちらかというと自然の中に都市があるイメージが強くまだ農業もさかんで、住宅も画一的なものもある一方で古民家のような趣のあるものも多い。海にも近接して漁業なども営まれているイメージが強い。「郊外」にも「農業」はあるが都市が自然の中にあるというより、都市の中に自然も残されている、といったイメージである。

2020年も10月頃になり、こうした「新近郊」で将来計画・ビジョンを描く仕事にかかわることになった。すでに具体名も出ている大磯や横須賀では新型コロナによって「新近郊」を求める具体的な需要が顕在化しており、そのエネルギーをどうやって新しい計画に盛り込むかが大きなテーマの一つともいえる。まだとらえられているエビデンスは断片的なものにすぎないとはいえ、新型コロナの負の側面ではない、新型コロナがもたらした外からの動きをどのようにポジティブなものとしてキャッチできるかがテーマである。

6-4　都心部から「新近郊」に向かう新しい余暇の過ごし方

大都市の利便性や教育機会などを享受しながらもライフスタイルや働き方を少し変えて、密を避け、「新近郊」とでもいえるエリアを享受・開拓しようとする人々も増えているのではないか。6-2の職住関係の再構築や、6-3の主として「移住」のような選択をしないまでも、「新近郊」の自然や環境が見直されて、首都圏内部での土地利用、移動、生活、働き方が変わっているようにみえる。

「緊急事態宣言」のあと2020年6月後半から7月頃になると、家の近くの公園ではなく、首都圏近郊の自然を求めて足を延ばすようになった。以前は「足を延ばす」といえば関西に行ったり海外に出かけたり、といった長距離移動も多かったが、「新近郊」にすばらしい自然や文化・歴史や機会があることに気づかされた。正確にいうと、気づかされたというより、そのうち多くのものはかなり以前より知っていたが、「密を避ける」などの行動変化・選択肢のちょっとした変化によって見え方も変わり、発見も多く、「大都市に埋もれて生活している多くの人々が「新近郊」をも自分の生活に取り入れる」というライフスタイル・都市文化が普及しそうだと感じている。

例えば、ヨーロッパの大都市では都心部で週日を過ごした都会民が週末は郊外の菜園付住宅で過ごしたり（ダーチャ＝モスクワ）、週末は海辺の別荘で過ごしたり（ロンドン）、ボートに乗ってすぐ近くの島に渡りその小屋で過ごしたり（ヘルシンキ）と、既に「新近郊」ともいえるライフスタイルが古くから定着している。「市街地の中に自然もある」場所からさらに離れた「自然の中に市街地もある」ような場所に、ウイークリーで新たな時間の過ごし方が出現しつつある。しかも多様な形で。週末を過ごす「家」も、「別荘」である必要はない。例えば神奈川県H町を歩いていると、様々なシェアオフィスやシェアハウスに遭遇する。たいていの物件はネットで予約できるし、さらにそうした物件を「スペース」として時間貸しするサイトやネットシステムがかなり豊かになってきた。週末だけ「新住民」として海あり山ありの自然を満喫しながら「準2拠点居住」のようなものもできる。

逆に、これらも含めた新たな需要は「新近郊」の市町村からみると、これまではむしろ流出するばかりであった「右肩下がり」の状態を新しい発想で逆転させるチャンスとなりそうである。先にあげた大磯町では2020年11月に「明治記念大磯邸園」の第Ⅰ期分が公開され、多くの観光客が訪れると予想される。これは従来型の観光であるが、一方で高齢化のため空家が増加しており、耕作放棄地などもあり、これまでに示した様々な需要をうまく受け止めれば「新近郊」としての新しい町の姿が現れうると感じている。2030年を目標とする新しい「まちづくり基本計画」でのモニタリング指標の一つの候補となっている「空き家バンク登録活用件数」は10件の現状を10倍の100件にするとの数字が入っている。交流も活発になる。もしこうした新たな機会を、そのまちの個性をさらに伸ばすような方向にマネジメントできれば、「観光公害」などとは無縁な地域活性化につながるだろう。三浦半島の横須賀市はこのところ人口の社会減少数が全国でもトップクラスを続けている。半島性も不利に働き、東京都心まで1時間程度と恵まれた立地にあるにもかかわらず、主要産業が流出してきた。先日スタートした新総合計画策定の会合では、新型コロナ後、住宅を求める若い世帯が顕著に多くなっていることが報告された。「新近郊」の自然は決して観光客向けの“超一流”のものではない。このまちも海あり山あり農業ありで、さらに風景も美しく、これらを活かした「新近郊」ライフが育ち始めれば新たな次元の豊かなまちへと脱皮できるものと確信している。従来型、20世紀型の発想にとらわれていてはいけない。21世紀に入って、もう20年も経っている。首都圏の、「新近郊」の、各市町村の都市計画そのものも大きく変わる予兆にあふれている。

7　結語：都市・地域計画の新たなビジョン

「新型コロナ」に対する社会認識が日々変動・変容している。これからもさらなる変動が考えられる。それは大きく、〈側面〉と〈程度〉の両方からとらえられる。感染の問題が薄らげば合理性を失う可能性が高いものは除きつつ、「新たな都市計画」を議論してみると、その大半は、新型コロナ前から必要とされていたことである。

ある〈側面〉は新型コロナでの実際の変容を追い風に一気に現在の課題解決に向かう力となりそうだと感じる。しかしある〈側面〉は、いくらかの見直しを加えることも必要だろう。しかし新型コロナがもたらした未知の側面や今後の展開を考えると、一旦保留にすべき、あるいはあまり明確な展開を控えるべき分野も存在する。「新たな生活様式」のような一時的言説にとらわれることなく、これらをその都度見極めながら、「新しい都市計画」に向かう重要な転機である。それは一言でいうなら、経済成長を前提とする社会システムのために、あるいは選択肢の少なさのために犠牲にしてきた自らの生活を見直して、諸条件の変化の中でとりうる選択肢の拡大をチャンスととらえ、真の意味での豊かな生活を獲得することである。

今の表現は個人レベルのものとすると、市町村レベルでは、まちの成長路線のために、あるいは選択肢の少なさのために限界を抱えていた自らのまちのコンセプトを見直して、諸条件の変化の中でとりうる選択肢の拡大をチャンスととらえ、真の意味での豊かなまちづくりへのストーリーを獲得することである。立地適正化計画についても、「立地適正」の現行の考え方を鵜呑みにすることなく、それぞれに合わせた現実的な課題認識が必要である。とりわけ減災のためのプランニング・ツールとして役立てることが期待される。また、超高齢化時代の「ラストワンマイル／ファーストワンマイル」施策が重要になるし、「緊急事態宣言」下でのこうした近隣での生活体験は貴重な機会であった。民間による土地利用転換やサービスのシームレス化などとともに、「新たな近隣」を模索したい。

これを大都市圏レベルでみると、人口減少が全国で進む中で止まらなかった一極集中に対して、それを是正する手段の選択肢の少なさのためにビジョンを提示できていなかった首都圏のあり方を見直して、諸条件の変化の中でとりうる選択肢の拡大をチャンスととらえ、「新近郊」も含む、グローバルな視点からも魅力的な大都市の姿を提起し実践することである。国のレベルでみると、経済成長路線のために、選択肢の少ない将来しか描けなかったこれまでのビジョンづくりにかわって、首都圏自らが変わることと並行して、本稿では触れられなかった地方でのチャンスをとらえ、真の意味での豊かな国土へと脱皮させることである。

［補注］

1　実は、発表されている区別感染者数データは居住地ベースでカウントしているため、この文章は正確ではない。しかし、勤務地ベースで集計できたとしてもあまり意味がなく、結局、感染場所・状態ベースでその状態を特定して集計しないと意味あるデータとならない。おそらく保健所による聞き取り調査にはそうした情報がかなり蓄積されているものと思われるが、公表したり集計したりできるデータではなく、「本当のこと」を知るのは極めて困難である。しかし首都圏に暮らし実際に通勤している立場からみると、実際に感染するかどうかのみならずその可能性も含めた心理的負担感などの諸要因も重要そうである。

2　中川（2020）［⇒参考文献］は、「集積と密集・混雑を混同することなく、後者を避けた集積を形成していくことを重視すべき」としつつ、エリアを対象とした混雑度のモニタリング（監視）やその程度に応じたプライシング（価格付け）をする技術に言及している。「密」の判定指標そのものではないが、三島市立地適正化計画では、当初「居住誘導区域」としたエリアが地域不適合になっていないかをモニタリングする指標として、1）当該エリアの人口密度40人/ha未満、2）65歳以上人口比率50%以上、の2つを設け、両方とも満たすようになったエリアについては地域住民とともに課題の抽出・解決の検討を行うこととしている。「立地適正」という概念を拡大し、「過密」への予防的なシグナルも組み込み、既に強化されつつある防災的視点も加えたまさに「適正な」立地誘導とする方向がありそうである。

（参考文献）

・中川雅之（2020）「テレワーク、都市の未来　左右」（日経新聞2020.7.9朝刊、Analysis面）

・西川純司（2020）「感染症とともに変わる住まいのかたち」『現代思想』2020.8号（特集：コロナと暮らし）、186-193

あとがき

『災害復興の日本史』という図書がある（安田政彦著、吉川弘文館（歴史文化ライブラリー361）、2013.2.1刊）。この書で扱われた災害は、「地震・津波」「風水害」「旱魃・飢饉・疫病」「噴火」「火災」の5種類に整理され巻末に示されている。それを数えると、平安時代以前（9、15、16、3、5）、鎌倉・室町時代（7、8、7、0、9）、江戸時代（7、1、3、3、11）、明治以降（6、0、0、0、0）の、合計（29、24、26、6、25）となる。特に明治以降は代表的な地震・津波のみが取り上げられているため数字を時代別に比較する意味はあまりないが、古代から鎌倉・室町時代に多かった「旱魃・飢饉・疫病」のうち、「疫病」というのが以前より気になっていた。気になっていたというより、何か恐ろしいことのように思えて、なるべく考えないようにしていたと言ってよいかもしれない。新型コロナは「疫病」というより「感染症」との表現がしっくりくるとはいえ、上記カテゴリーでいうならやはり「疫病」である。

60年を超えて生きていると、たいていの災害は経験したように思っていたが、感染症（疫病）というものがこういうものだったとは驚きの連続である。その新型コロナの影響やそのあとに来るべき社会ビジョンを、まだその渦中にいながら語るというのはなかなかむつかしい作業である。よく、「ヨーロッパではペストによって社会構造が大転換しルネッサンスが訪れた」などと言われたりするが、そのように言われるようになったのは、ペストのあとかなり時間が経過したあとにちがいない。また、ペストだけが原因だったとも思えない。新型コロナの渦中にいるわれわれは、手探りでポストコロナ時代の社会を描き出そうと努めるほかない。

私が専門とする都市計画の世界でも、まだ本格的にポストコロナ時代を論じたものは少ない。ワクチンが開発されれば元通りでしょ、という論もある。今まで必要とされてきたことをやるだけです、との論もある。そうした中で、なんとか考察の枠組みを設定し、新型コロナが問題になる直前の潮流や認識をベースとしながら、その方向は変えるべきなのか、そのままでよいのか、逆に加速するチャンスなのかなどについて与えられた稿の中で考察してみた。実は、2020年度後半の大学院授業「地域創造論」で、新型コロナをテーマに様々な分野の大学院生と議論している。予め筆者の原稿へのコメントを求め、それを素材に議論してみると、やはり、まだ圧倒的に「文献」としての材料が不足していることを痛感した。本書は、その「材料」づくりへの第一歩だと思う。こうした「材料」が積み重ねられて、次の思考の展開がしやすくなっていくものと思われる。新型コロナが収まったとしても、次なる「疫病」に襲われる可能性もある。そのような不確実さが不安に感じられる中にあって、本書が次の社会を構想するための第一歩となることを願っている。

高見沢 実

■編著者プロフィール

山口 幹幸

大成建設株式会社 理事（元・東京都都市整備局 部長）
日本大学理工学部建築学科卒。東京都入都後、1996年東京都住宅局住環境整備課長、同局大規模総合建替計画室長、建設局再開発課長、同局区画整理課長、目黒区都市整備部参事、UR都市再生企画部担当部長、都市整備局建設推進担当部長、同局民間住宅施策推進担当部長を経て2011年より現職。
不動産鑑定士・一級建築士
（主要著書（共著を含む））
『SDGsのまちづくり（持続可能なマンション再生）―住み続けられるマンションであるために―』（プログレス　2020年）、『SDGsを実現するまちづくり（持続可能な地域創生）―暮らしやすい地域であるためには―』（プログレス　2020年）『コンパクトシティを問う』（プログレス　2019年）、『変われるか！都市の木密地域―老いる木造密集地域に求められる将来ビジョン』（プログレス　2018年）、『人口減少時代の住宅政策―戦後70年の論点から展望する』（鹿島出版会、2015年）、『地域再生―人口減少時代の地域まちづくり』（日本評論社　2013年）、『マンション建替え―老朽化にどう備えるか』（日本評論社 2012年）、環境貢献都市―東京のリ・デザインモデル』（清文社　2010年）、『東京モデル―密集市街地のリ・デザイン』（清文社　2009年）など。

高見沢 実（たかみざわ みのる）

横浜国立大学大学院 都市イノベーション研究院 教授
東京大学大学院工学系研究科博士課程単位取得退学。横浜国立大学工学部助手、東京大学工学部講師、助教授、横浜国立大学工学部助教授等を経て、2008年4月より横浜国立大学大学院工学研究院教授。その後改組により、2011年4月より現職。この間、1993年に文部省在外研究員（ロンドン大学）。
専門は都市計画。
（主要著書（共著を含む））
『SDGsを実現するまちづくり（持続可能な地域創生）―暮らしやすい地域であるためには―』（プログレス　2020年）、『密集市街地の防災と住環境整備：実践にみる15の処方箋』（学芸出版社　2017年）、『60プロジェクトによむ　日本の都市づくり』（朝倉害店 2011年）、『都市計画の理論』（学芸出版社　2006年）、『初学者のための都市工学入門』（鹿島出版会　2000年）、『イギリスに学ぶ成熟社会のまちづくり』（学芸出版社　1998年）など。

■著者プロフィール（執筆順）

磯 友輝子（いそ ゆきこ）

東京未来大学 モチベーション行動科学部 教授、同大学モチベーション研究所 研究員
日本大学国際関係学部、名古屋大学文学部卒業。大阪大学大学院博士前期課程修了、同大学院博士後期課程単位取得退学。同大学院助手を務めたのち、東京未来大学こども心理学部専任講師、准教授、同大学モチベーション行動科学部准教授を経て現職。
（主要著書（共著を含む））
『変われるか！都市の木密地域―老いる木造密集地域求められる将来ビジョン―』（章担当　株式会社プログレス　2018年）、『対人社会心理学の研究レシピ』（章担当　北大路書房　2016年）、『現代社会と応用心理学５　クローズアップ「メディア」』（トピック担当　福村出版　2015年）、『現代人の心のゆくえ４―ヒューマンインタラクションの諸相―』（章担当　東洋大学21世紀ヒューマン・インタラクション・リサーチセンター（HIRC21）2015年）、『現代社会と応用心理学２　クローズアップ「恋愛」』（トピック担当　福村出版　2013年）、『モチベーション・マネジャー資格BASIC TEXT』（章担当　新曜社　2012年）、『暮らしの中の社会心理学』（章担当　ナカニシヤ出版　2012年）、『幸福を目指す対人社会心理学―対人コミュニケーションと対人関係の科学』（章担当　ナカニシヤ出版　2012年）など。

本田 恵子（ほんだ けいこ）

早稲田大学 教育学部 教授・博士（ED. D）
公認心理師、臨床心理士、特別支援教育士SV
国際基督教大学教養学部卒業後、私立中高教諭を経験して渡米。コロンビア大学大学院にてカウンセリング心理学博士号修得。
帰国後、私立中高非常勤カウンセラー、玉川大学文学部人間学科助教授等を経て現職。
（著書）
『脳科学を活かして授業をつくる―子どもが生き生きと学ぶために―』（みくに出版　2006年）、『改訂版　包括的スクールカウンセリングの理論と実践』（編著　金子書房　2019年）、『キレやすい子の理解と対応』（ほんの森出版　2002年）、『先生のためのアンガーマネージメント―対応が難しい児童・生徒に巻き込まれないために―』（ほんの森出版　2014年）、『インクルーシブ教育で個性を育てる―脳科学を活かした授業改善のポイントとワーク集―』（梧桐書院　2014年）

井上 貴裕（いのうえ たかひろ）

千葉大学医学部附属病院 副病院長・病院経営管理学研究センター長・特任教授・ちば医経塾 塾長
東邦大学医学部医学科 客員教授
東京医科歯科大学大学院にて医学博士及び医療政策学修士、上智大学大学院経済学研究科及び明治大学大学院経営学研究科にて経営学修士を修得。

東京医科歯科大学医学部附属病院 病院長補佐・特任准教授を経て現職。

木野 直之（きの なおゆき）

特定非営利活動法人 東京都北区中小企業経営診断協会 理事、中小企業診断士、ITコーディネータ
1998年　東洋大学法学部卒業
2003年　経営コンサルタント業 開業
2007年　ITコーディネータ 資格取得
2009年　中小企業診断士 資格取得
2009年　特定非営利活動法人東京都北区中小企業経営診断協会 理事就任
（所属団体）東京王子ロータリークラブ

櫻田 直樹（さくらだ なおき）

一般財団法人 日本不動産研究所 研究部 上席主幹
東洋大学工学部建築学科卒業。
株式会社都市環境研究所を経て、1992年財団法人日本不動産研究所（現一般財団法人日本不動産研究所）入所、2013年財務省理財局出向、2015年より復職し現職。
不動産鑑定士、技術士（建設部門 都市及び地方計画）、一級建築士。
著書に、『SDGsのまちづくり－住み続けられるマンションであるために』（共著　プログレス　2020年）、『家とまちなみ №.82　不動産鑑定評価の立場から見た住宅地のまちづくり等の取組と価格』（一般財団法人 住宅生産振興財団　2020年）『コンパクトシティを問う』（共著　プログレス　2019年）など。

天野 馨南子（あまの かなこ）

株式会社ニッセイ基礎研究所 生活研究部 人口動態シニアリサーチャー
東京大学経済学部卒。日本証券アナリスト協会認定アナリスト（CMA）。1995年日本生命保険相互会社入社、1999年から同社シンクタンクに出向。専門分野は少子化対策・少子化に関する社会の諸問題。内閣府少子化関連有識者委員、地方自治体・法人会等の人口関連施策アドバイザーを務める。エビデンスに基づく人口問題（少子化対策・人口動態・女性活躍・ライフデザイン）講演実績多数。著書に『データで読み解く「生涯独身」社会』（宝島社新書）等

米山 秀隆（よねやま ひでたか）

大阪経済法科大学 経済学部 教授
1986年　筑波大学第三学群社会工学類卒業
1986年　野村総合研究所入社
1989年　筑波大学大学院経営・政策科学研究科修了
1989年　富士総合研究所入社
1996年　富士通総研入社
2019年　国立研究開発法人新エネルギー・産業技術総合開発機構入構

2020年　大阪経済法科大学経済学部 教授
（著作）
『捨てられる土地と家』（ウェッジ　2018年）、『縮小まちづくり』（時事通信社　2018年）、『限界マンション』（日本経済新聞出版社　2015年）、『空き家急増の真実』（日本経済新聞出版社　2012年）、『世界の空き家対策』（編著、学芸出版社　2018年）、『空き家対策の実務』（共編著　有斐閣　2016年）など。

山田 尚之（やまだ たかゆき）

株式会社鳩ノ森コンサルティング 代表取締役、再開発プランナー、マンション建替えアドバイザー
1978年　学習院大学法学部法学科卒業、㈱タカハ都市科学研究所などを経て、
1998年　㈱シティコンサルタンツ入社
大田区の萩中住宅、諏訪2丁目住宅など団地やマンション建替事業でコーディネーターを担当。再開発コーディネーター協会建替え支援事業委員会委員長、東京都住宅政策審議会専門委員など
2014年　㈱鳩ノ森コンサルティング設立、現在に至る
（主な担当プロジェクト）
千葉市新町地区市街地再開発事業、大田区萩中住宅建替事業、諏訪2丁目住宅建替事業、習志野台11街区団地建替事業、浜松町ビジネスマンション敷地売却事業など
（主要な著書（共著を含む））
『資産価値を落とさないマンションの選び方と住み方』（小学館　2007年）『マンション建替え（老朽化にどう備えるか）』（日本評論社　2012年）、『SDGsのまちづくり』（プログレス　2020年）など
https://hatonomori-consul.com/

髙野 哲矢（たかの てつや）

アンドプレイス合同会社 代表社員
認定NPO法人日本都市計画家協会 理事、TEtoKI店主
2009年　工学院大学大学院建築学専攻科修了
2009年　株式会社都市環境研究所入社
2018年　株式会社まちづくり小浜（地域DMO）入社
2018年　認定NPO法人日本都市計画家協会 理事
2019年　アンドプレイス合同会社設立（https://and-place.co.jp）
2020年　TEtoKI開店（https://tetoki.fun）
（著書）
『生きた景観マネジメント』（共著　鹿島出版会　2021）

Before/Withコロナに生きる社会をみつめる

発 行 日　2021年3月20日
編 著 者　山口 幹幸
　　　　　高見沢 実
発 行 者　橋詰 守
発 行 所　株式会社 ロギカ書房
〒101-0052
東京都千代田区神田小川町2丁目8番地
進盛ビル303号
Tel 03（5244）5143
Fax 03（5244）5144
http://logicashobo.co.jp/
印刷・製本　藤原印刷株式会社

978-4-909090-54-6 C0036